Corajosas 2
Os contos das princesas nada encantadas

THAÍS OLIVEIRA

MARIA S. ARAÚJO

QUEREN ANE

ARLENE DINIZ

Mundo Cristão

Copyright © 2024 por Arlene Diniz, Queren Ane, Maria S. Araújo e Thaís Oliveira

Todos os direitos reservados e protegidos pela Lei 9.610, de 19/02/1998.

É expressamente proibida a reprodução total ou parcial deste livro, por quaisquer meios (eletrônicos, mecânicos, fotográficos, gravação e outros), sem prévia autorização, por escrito, da editora.

Edição
Daniel Faria

Revisão
Ana Luiza Ferreira

Produção e diagramação
Felipe Marques

Colaboração
Gabrielli Casseta

Ilustração e projeto gráfico
Ana Bizuti

Capa
Jonatas Belan

Cip-Brasil. Catalogação na publicação
Sindicato Nacional dos Editores de Livros, RJ

C794

Corajosas 2 : os contos das princesas nada encantadas / Arlene Diniz ... [et al.]. - 1. ed. - São Paulo : Mundo Cristão, 2024.
 352 p.

 ISBN 978-65-5988-320-2

 1. Ficção cristã. 2. Literatura infantojuvenil brasileira. I. Diniz, Arlene.

24-91353   CDD: 808.899282
                               CDU: 82-93(81)

Meri Gleice Rodrigues de Souza - Bibliotecária - CRB-7/6439

Categoria: Literatura
1ª edição: junho de 2024 | 1ª reimpressão: 2024

Publicado no Brasil com todos os direitos reservados por:

Editora Mundo Cristão
Rua Antônio Carlos Tacconi, 69
São Paulo, SP, Brasil
CEP 04810-020
Telefone: (11) 2127-4147
www.mundocristao.com.br

*Para todas as garotas que estão
lutando suas guerras.
Sejam fortes e corajosas.*

"Minha filha, os problemas e tentações de sua vida estão começando e podem ser muitos, mas você pode vencê-los a todos e sobreviver a eles, se aprender a sentir a força e a ternura de nosso Pai Celestial, da mesma forma como você sente a de seu pai terreno. Quanto mais o amar e confiar nele, mais próxima se sentirá dele e menos dependerá do poder e da sabedoria humanos. Seu amor e cuidado jamais se cansam ou mudam, jamais podem ser tirados de você; tornam-se fonte de paz, felicidade e força para a vida inteira."

Louisa May Alcott, *Mulherzinhas*

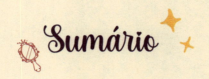

Sumário

1 Flores no deserto   9
  Thaís Oliveira

2 Coração de guerreira   89
  Maria S. Araújo

3 Fé sobre ondas   169
  Queren Ane

4 Cores da liberdade   259
  Arlene Diniz

Agradecimentos   345
Sobre as autoras   350

Flores no deserto

Thaís Oliveira

1

Assobiando "Não sou tão forte",* coloquei o braço para fora da janela. Brinquei com o vento enquanto minha mãe dirigia pela BR-262.

— Aurora, dá pra guardar esse braço? Essa pista é perigosa, filha — mamãe alertou em um tom preocupado.

— Tá — concordei com um muxoxo.

Aquela atitude infantil tinha sido a única coisa divertida da manhã.

Uma espiadinha pelo retrovisor me lembrou quanto meus olhos, de um castanho tão claro quanto mel, ainda estavam vermelhos, as olheiras entregando a noite mal dormida.

— Lembro como se fosse ontem o dia em que seu pai te ensinou a fazer isso... — Mamãe apontou para a janela, os olhos distantes. — Vocês me deixavam maluca.

— É, eu também...

Juntei meus fios dourados em um rabo de cavalo torto. Minha franja, travando uma batalha com o vento, estava mais rebelde do que nunca.

Sem pedir licença, imagens daquele passado nebuloso inundaram minha mente. Já fazia tanto tempo que eu nem tinha certeza do que era real ou não.

* Marcela Taís.

Foi durante um passeio a Guarapari. Eu já tinha perguntado "A gente já chegou?" mais vezes do que o Burro em *Shrek 2*, quando meu pai colocou o braço para fora e brincou de tentar pegar o vento. Meus lábios, que até então formavam um bico emburrado, relaxaram. Uma gargalhada encheu o carro enquanto mamãe protestava sobre os perigos das autopistas.

Uma sensação agridoce se espalhou pelo meu peito. Lembrar do meu pai sempre causava essa mistura de saudade e frustração.

— Sinto muito que o Estevão não tenha aparecido — mamãe quebrou o silêncio.

Do outro lado da pista, uma carreta passou na velocidade da luz, buzinando.

— Uhum — foi o que consegui dizer com a garganta apertada.

Nas últimas semanas, meu pai havia prometido que nos encontraríamos antes que eu deixasse Vitória para passar as férias com minha avó e suas irmãs no Recanto das Rosas, um chalé entre as montanhas em Pedra Azul que era um dos pontos turísticos mais famosos da região serrana do Espírito Santo.

Ele disse que tinha conhecido um restaurante com boliche incrível e que estava doido para me levar. Eu não deveria ter criado muita expectativa, mas a ideia de passar algumas horas com meu pai jogando boliche pareceu divertida.

Eu sabia que encontrá-lo depois de três meses sem nos vermos seria estranho. Sobre o que conversaríamos? Parecíamos mais dois estranhos do que pai e filha. E esse estranhamento nem começou depois que ele saiu de casa... Nossa intimidade era tão superficial que ele nem fizera questão de combinar com minha mãe como seriam nossos encontros mensais, já que a guarda era compartilhada.

Ainda assim, o ambiente do boliche e um bom jogo poderiam ajudar a quebrar o gelo, não é mesmo? Pelo menos nos manteria ocupados. Seria melhor do que sentar diante dele em uma mesa na praça de alimentação de um shopping e conversar amenidades por cinco minutos. Passar disso seria um recorde digno de estar no *Livro dos Recordes*.

Tendo me deixado levar por meu coração bobo, eu tinha ficado animada. Até lavei meu Vans Old Skool branco para usar.

Ontem, depois de me despedir da mamãe e ouvir uma lista infinita de recomendações, desci para esperar meu pai na portaria do prédio. Observei as nuvens fofas se tornarem rosas-bebês. Quando o céu ficou escuro e as nuvens deram lugar às estrelas, meus olhos arderam por causa das lágrimas que eu tentava conter.

Uma mensagem em meu celular fez com que elas rolassem de vez.

> Pai: *Foi mal, filha. Fiquei preso no trabalho. Vamos ter que adiar o boliche. Papai te ama, tá?*

"*Papai te ama, tá?*"
Ele achava que dizer isso de vez em quando bastava.

Eu já estava grandinha o bastante para saber que ele estava mentindo. Era 2 de janeiro. Meu pai estava de férias.

Por que eu me deixei levar? Meu pai já tinha provado inúmeras vezes que não era lá muito confiável. Não era o tipo de pai com quem se pudesse contar. Mesmo assim, esse coração idiota que eu carregava no peito conseguiu deixar uma chama de esperança se acender mais uma vez.

Sua falta de palavra, porém, fez com que ela se apagasse, e eu não ousaria permitir que se acendesse de novo. Não mesmo.

Desviei o olhar e prestei atenção nas montanhas à nossa volta. Os eucaliptos dançavam suavemente como num balé perfeitamente sincronizado.

Faltava menos de uma hora para chegarmos ao meu lugar favorito, mas, pela primeira vez, eu não estava nem um pouco animada para passar o mês de janeiro no Recanto das Rosas.

— Por que não posso voltar com você, mãe? — questionei pela milésima vez.

— Para passar o mês inteiro trancada naquele apartamento? — Ela negou com a cabeça.

— Eu poderia encontrar a Luanna e curtir a praia, ué. Poxa, não há nada de novo em Pedra Azul!

— E o Felipe? Não está animada para encontrar seu melhor amigo? — Ela me fitou por um instante, as sobrancelhas loiras franzidas em seu rosto de feições finas e delicadas.

Seu argumento era bom. É claro que eu estava louca para reencontrar Felipe, mas esse verão não seria como os outros. Ele não poderia passar os dias explorando o Parque Estadual de Pedra Azul comigo.

— Estou, mas ele vai ficar ocupado trabalhando no Bosque Encantado, lembra?

Felipe tinha acabado de fazer dezoito anos e assumiria novas responsabilidades na fazenda ecológica da família.

— Se conheço bem vocês dois, aposto que vão encontrar um jeitinho de se divertirem. — Mamãe sorriu tentando me animar.

Meus lábios, porém, formaram um bico contrariado.

Se ela não usasse suas férias para ganhar um dinheiro extra dando aula em alguns cursinhos de pré-vestibular, eu não precisaria ficar o mês inteiro em Pedra Azul. Mas tocar naquele assunto só a deixaria irritada.

— Quem sabe você não faz novos amigos? A Encantado's é um lugar bacana para encontrar garotas da sua idade. E no grupo jovem da igreja da sua avó — acrescentou.

— Hum... — soltei, insegura.

Mamãe já deveria estar cansada de saber que fazer novas amizades não era uma atividade simples para mim. Não foi ela quem colocou minha mão na palma de Luanna no primeiro dia de aula do segundo ano? Enquanto meus novos colegas de turma brincavam na fila à espera da professora, eu tinha me agarrado a sua perna. Trocar de escola depois de um ano tentando me acostumar aos colegas do primeiro ano parecia um pesadelo.

Quando minha mãe viu que eu estava prestes a chorar e espernear, me levou até uma garotinha com os cabelos de chocolate ao leite mais cheios de molinhas que eu tinha visto e lhe perguntou se ela não se importava de me acompanhar até a sala. Se Luanna achou aquilo tudo estranho, nunca contou.

Só nos tornamos melhores amigas por causa do empurrãozinho da minha mãe.

Ela não poderia me dar um desses de novo. Poderia?

— Você sabe que, se eu pudesse, passaríamos as férias juntas, mas precisamos desse dinheiro extra. — Mamãe afagou meu braço, seu foco na estrada.

— Eu sei...

— Promete que vai tentar se divertir? Hein? — ela insistiu diante do meu silêncio.

— Prometo — concordei mesmo desanimada.

— Essa é a minha garota. — Seu sorriso aumentou.

Ligando o rádio, mamãe deu play em "Cabelo solto". A voz doce de Marcela Taís foi um convite irresistível. Com os cabelos voando, cantamos juntas em meio a risadas.

Debruçada na janela, observei mamãe deixar a Rota do Lagarto, uma estradinha turística aos pés da Pedra Azul, para entrar no Recanto das Rosas.

O chalé de madeira parecia ter se vestido só para nos receber. As hortênsias espalhadas pelo quintal, as roseiras na cerca e as orquídeas penduradas no alpendre eram seus adereços. Em uma das janelas do primeiro andar, Vera e Fiorella acenavam com entusiasmo. Os vestidos florais de minhas tias-avós combinavam com o ar bucólico do Recanto.

Toda vez que eu dedilhava "Somewhere over the rainbow" no meu ukulele era naquele lugar que eu pensava.

Mal tinha descido do carro quando fui envolvida pelos braços amáveis de vovó.

— Querida, que saudade! — exclamou ao me esmagar.

— Vó, a senhora me viu no Natal... — Tentei disfarçar um sorriso.

— Alguns dias parecem meses para uma avó, sabia? — Ela apertou meu queixo.

Inspirei o cheirinho característico de vovó: seu delicado perfume de rosas.

— Leila, minha flor! — tia Fiorella cantarolou e puxou mamãe para um meio abraço. Ela depositou três beijinhos estalados em suas bochechas.

— Andou crescendo, menina? — tia Vera me interrogou descendo os degraus do alpendre. — Misericórdia! — bradou, após tropeçar em um anão de jardim.

— Opa! — Vovó me soltou e correu para apoiar a irmã caçula. Apesar de ser a mais velha, era a mais habilidosa e ágil das três.

— Céus! Como sou desastrada! — Minha tia-avó baixinha levou uma das mãos à testa.

— Se não fosse, não seria você, querida — disse vovó, um sorriso travesso iluminando seus olhos.

Ao entrar, parei por um instante. A beleza do chalé sempre me impressionava. O sofá bege e as poltronas floridas eram um convite em frente à lareira. As paredes forradas com um papel florido suave expunham porta-retratos da família e estantes de livros. Num canto, a vitrola de tia Vera tocava "Clair de lune", de Debussy.

O cheiro de bolinhos de chuva não demorou a me alcançar, fazendo meu estômago roncar alto.

— Parece que alguém está com fome! — Vovó enlaçou meu pescoço e me conduziu até a cozinha.

Sobre a mesa nos esperava um café da manhã que faria inveja a qualquer hotel, com direito aos famosos bolinhos de chuva envolvidos em leite em pó de dona Flora, além de bolo de limão com cobertura, torradas e pães caseiros.

— Aurora, eu ia fazer aquele bolo de chocolate que você adora, mas Flora disse que já tinha coisa demais... — Tia Fiorella soltou um suspiro dramático.

Vovó me deu uma de suas piscadelas.

Sorri, agradecida.

Embora tia Fiorella amasse se arriscar na cozinha, não era uma cozinheira muito boa. Distraída, estava sempre se confundindo, mesmo seguindo seus preciosos livros de receita. As caldas de seu bolo de chocolate nunca ficavam iguais... e raramente comestíveis. Apesar de ser um desastre, não ousávamos dar pitaco. O sorriso largo que surgia em seu rosto sempre deixava um quentinho em nosso coração. Comer suas gororobas acabava valendo a pena.

— Não tem problema, tia — garanti. — A senhora pode fazer outra hora.

— Viu, Flora? — Ela empinou o nariz ao encarar vovó. — Aurora quer comer meu bolo.

— Até eu quero, titia — mamãe entrou na conversa. Ao sorrir, as marcas de preocupação em sua testa suavizaram um pouco.

♪

O bolo de chocolate não era o único lanche que tia Fiorella pretendia fazer para mim. Ela estava empenhada em preparar uma fornada de casadinhos de goiabada. Depois do almoço, titia me fez sentar ao seu lado no sofá para assistir a algumas receitas no YouTube.

Eu fingia prestar atenção em um dos vídeos quando meu celular vibrou.

Felipe: *Já chegou?* 😮

Uma pontadinha de animação me fez remexer no sofá.

Aurora: *Já! :) Vovó me fez comer tanto que estou quase explodindo.*
Felipe: *Só queria ser refém da dona Flora.*
Aurora: *Por que você não vem para o café? Vovó fez o bolo de limão que você ama.*

Felipe: *Só posso deixar o ecopark às 17* 😢*. Que tal me encontrar na Encantado's?*
Aurora: *Poxa! Ser adulto não é nada divertido, né?*
Felipe: *Nem um pouco. 17h30?*
Aurora: *Só se você me pagar uma fatia de bolo de morango.*
Felipe: *Combinado!*

— Como o Felipe está? — tia Fiorella perguntou quando um comercial interrompeu sua receita.

— Como a senhora sabe que estava falando com ele? — franzi a testa, intrigada.

— Só ele faz suas bochechas ficarem rosadas e seus olhos sorrirem. — Titia deu duas batidinhas no meu nariz.

— A senhora anda lendo romances demais. — Girei os olhos.

— Nem estou. — Ela balançou a cabeça, negando. — Fiz um propósito este ano: ler mais a Bíblia, menos romance.

Não era difícil encontrar tia Fiorella devorando Jane Austen ou alguma das irmãs Brontë pelo chalé. Vovó dizia que a irmã tinha um coração romântico. Mesmo já tendo passado dos sessenta, ela ainda esperava viver sua própria história de amor.

— Talvez a abstinência já esteja afetando a senhora — impliquei.

— Posso ser uma solteirona, mas não sou cega, mocinha.

— O Felipe é só meu amigo, tia.

Essas insinuações bobas sempre me incomodavam.

— Foi assim com seus avós também. — Ela me empurrou com o ombro.

🎵

O sol já descia entre as montanhas esverdeadas e deixava um tom dourado em tudo que tocava enquanto eu pedalava até a Encantado's. A temperatura diminuía, arrepiando os pelinhos dos meus braços.

Assim que parei sobre o cascalho em frente à cafeteria, Felipe desceu da caminhonete verde-musgo com o logotipo do Bosque Encantado. A franja castanha bagunçada que caía em sua testa cobrindo algumas marquinhas de espinha e o sorriso que esmagava suas bochechas lhe davam um ar infantil, o que contrastava com sua altura e a pele morena avermelhada por causa de um dia de trabalho no sol.

— Até que enfim! — Com os lábios quase tocando as orelhas, ele abriu os braços para mim.

Sua camisa de flanela xadrez me deixou tão quentinha que estalei a boca em lamento quando ele me soltou.

— Você ainda não está dirigindo, né? — Cruzei os braços e semicerrei os olhos. Vesti minha expressão mais séria. Felipe já tinha dado início ao processo para tirar a carteira de motorista, mas mal havia começado as aulas teóricas.

— Você sabe que meu pai nunca deixaria. — Após enfiar as mãos nos bolsos, meu amigo deu de ombros. — O Jhota me deu carona. — Ele apontou para o rapaz de pele retinta e sorriso travesso que conversava com uma garota a alguns metros dali. Jhota era um de seus melhores amigos.

Assenti, satisfeita.

— Você cresceu? — Com a cabeça inclinada, fiz uma varredura. Felipe parecia maior, mais largo.

— Você é mesmo a Aurora ou a tia Vera?

— Rá-rá. Que engraçado. — Fiz uma careta.

— Sei lá, deve ser a academia.

— Seu amigo é um maromba agora — anunciou Jhota, surgindo de repente. Com ele, tudo virava bagunça.

— Vai me dizer que vocês dois ficam medindo os músculos? — Balancei a cabeça, incrédula.

— Ele tem que correr muito para compensar o prejuízo. — Jhota ergueu o braço e socou o bíceps que ressaltava em sua camisa.

— Era só o que faltava — disse em meio a uma risada.

Apesar da baixa temporada, a cafeteria estava cheia. Como um mimo dos céus, Felipe e eu encontramos uma mesa para dois na varanda. Dali tínhamos uma visão perfeita da Pedra Azul e do lagarto entalhado pela própria natureza em seu paredão.

Já tínhamos ido tanto ali que nem precisávamos abrir o cardápio. Assim que o garçom apareceu, meu amigo pediu dois cappuccinos de chocolate, uma fatia de bolo de morango e um wrap de frango.

— Você tá levando esse negócio de academia a sério mesmo. — Fiz um biquinho de surpresa-barra-orgulho e balancei a cabeça.

— Não pensei que fosse gostar tanto. Mas tem me feito muito bem, sabe? Aumentou minha disposição, me ajudou a lidar com a ansiedade e até tem melhorado meu foco — enumerou, animado.

— Tá bom, já entendi que você está amando.

— Mas, me conta... — Felipe apoiou os cotovelos na mesa e se reclinou. — Como foi o boliche com seu pai?

— Não foi. Simples assim.

— Ué, ele mudou os planos?

Abaixei os olhos e passei o dedo por uma fresta na mesa.

— Ele não apareceu, acredita?

Contei a Felipe sobre a desculpa esfarrapada do meu pai.

— Poxa, Aurora. Sinto muito.

— Eu já deveria estar acostumada. Não é nenhuma novidade ele não estar presente... — Deixei um sorriso triste escapar. — Eu que banquei a idiota.

Levantei o olhar a tempo de vê-lo cerrar os lábios. Felipe passou a mão pela franja, emaranhando-a ainda mais.

— Não diga isso — me repreendeu segundos depois. — Você não é uma idiota por esperar o melhor das pessoas e ter esperança. Esse coração amoroso faz você ser quem é, Aurora. Não deixe que seu pai nem ninguém tire isso de você.

— Esse coração só me coloca em apuros, sabia? — Suspirei.

— Mas é muito melhor ter um coração desses do que caminhar por aí sem esperança alguma — Felipe soltou, todo sério.

— Quando foi que você ficou tão velho? — provoquei. — Tá falando igual à dona Flora.

— Até parece.

Debaixo da mesa, Felipe chutou de leve a minha canela.

— Espero que essa bota não esteja suja de esterco — murmurei sem conseguir conter uma risada.

— Tá cheia de cocô de Fjord.

Eu amava os cavalos noruegueses do Bosque Encantado, mas não ficava nenhum pouco animada em carregar um pouquinho de suas sujeiras em mim.

— Eca, Felipe!

♪

Depois de perder o sono, me remexi na cama de casal. O travesseiro ao meu lado estava vazio. Talvez minha mãe estivesse conversando com vovó. Com a garganta seca, deixei o quarto no segundo andar. Cruzava a sala, mas a voz de vovó me fez parar.

— Então foi por isso que Aurora chegou tão tristinha... — Seu suspiro soou como um lamento.

Encostando na parede, fiquei quietinha, bisbilhotando.

— O Estevão teve coragem de deixá-la esperando por duas horas — mamãe contou, a voz áspera. Ela estava com raiva.

— E qual foi a desculpa desta vez?

— Ele disse que ficou preso no trabalho... Só que o Estevão está de férias, mãe.

— Quê?! — a voz incrédula de vovó encheu a cozinha, desafinada.

Um ar gelado tomou meu coração.

— E essa nem é a pior parte — mamãe prosseguiu, misteriosa. — Lembra do Guilherme, aquele amigo do Estevão? Ele me contou que o Estevão está namorando uma pessoa... Parece que eles foram passar o réveillon no Rio. Dinheiro para pagar a pensão não tem, mas para viajar com a namorada, sim!

Fechei as mãos em punhos.

— Ele ainda não acertou os meses atrasados? — vovó perguntou, preocupada.

— Há cada mês ele me dá uma nova desculpa.

Era por isso que mamãe trabalhava tanto? Meu pai não fazia nem isso?

Minhas unhas feriram as palmas das minhas mãos.

Era incrível como ele tinha a habilidade de me surpreender. Negativamente, sempre.

— Você tem o direito de reclamar, não? Entrar com uma ação de cobrança, essas coisas.

— É, eu tenho, mas não tô a fim de lidar com o Estevão de novo — a voz de mamãe soou cansada.

— E vai ficar se matando de trabalhar? — vovó a repreendeu em um tom amoroso. — O Estevão é pai, ele tem que ajudar. É o mínimo. Não preciso olhar muito para ver o quanto você está sobrecarregada, querida.

— Eu tô bem, mãe. Dou conta — ela garantiu.

— Eu sei que dá, mas estou pensando no futuro. A conta por se sobrecarregar pode ser alta.

— Vai ficar tudo bem...

— Aquela proposta que eu te fiz ainda está de pé, viu? — Pude ouvir vovó dar algumas batidinhas nas mãos da minha mãe. — Vocês poderiam deixar Vitória e morar na nossa casa em Domingos Martins. A vida seria muito mais barata e tranquila por aqui.

— Não quero mudar a Aurora de escola de novo, mãe. Lá em Vitória ela terá mais acesso a cursinhos. Quem sabe não passa na federal?

— Ela poderia fazer isso aqui.

— Eu ganho bem melhor lá...

Um silêncio pairou pela cozinha. Teimosas, as duas poderiam argumentar a noite toda.

Tudo o que eu queria era marchar até lá e perguntar para minha mãe por que ela escondia tantas informações importantes, mas eu não podia enfrentar a mulher que renunciava tanto por mim todos os dias.

Poxa, mamãe tinha que entender que podia compartilhar os pesos comigo. Eu não era mais criança. Faria dezessete anos no fim de janeiro. Mas isso não parecia fazer diferença para ela.

Por que eu não podia saber das atitudes do meu pai?

Uma onda de raiva se alastrou por minhas veias, fazendo meu coração bater mais rápido.

Eu não queria vê-lo tão cedo.

— Não sei como fomos parar nisso, mãe. C-como as coisas puderam dar tão errado? — mamãe voltou a falar, a voz falhando. — Estevão parecia um homem tão bom quando namorávamos! Ele só falava do quanto queria formar uma família... Como pôde trocar o que construímos por relacionamentos sem nenhum compromisso? Por prazeres tão passageiros?

Relacionamentos? Tinha sido mais de um?

Durante os meses que antecederam a separação dos meus pais, eu ouvira pelas paredes finas do nosso apartamento que meu pai tinha se envolvido com uma mulher com quem trabalhava. A notícia deixou mamãe arrasada. Ela passava os dias cabisbaixa, os olhos vermelhos. Seu amor por meu pai e seu desejo de manter nossa família unida fez com que ela o perdoasse e lhe desse uma segunda chance. Meses depois, no entanto, ele juntou as coisas e foi embora, deixando uma pilha de dívidas e dores para trás.

Eu tinha pensado que aquele tivesse sido seu único deslize, além da sua falta de interesse pela rotina da família. Mas ele deveria ter aprontado mais. É claro.

— Nem sempre conseguimos entender de imediato por que o Senhor nos permite passar por certos desertos, Leila — disse vovó. — Enquanto andamos pela areia quente e sofremos com o calor do sol, é difícil encontrar propósito na dor, mas o nosso Deus é conhecido por transformar o mal em bem. É o único capaz de fazer flores brotarem nos desertos mais áridos. É especialista em transformar feridas nas mais belas pérolas. Ele não nos impede de passar por estações no deserto, mas promete estar lá conosco, andando ao nosso lado, todos os dias. Seus pés marcam a areia, mesmo que não possamos vê-los. Confie nele querida, pois ele permanece no controle da história.

— Às vezes é tão difícil crer que há mesmo um propósito para tudo isso, mamãe... — minha mãe confessou, tirando as palavras da minha boca.

Passei a mão pelo peito, que queimava como fogo.

Com os olhos pequenos e opacos, mamãe acenou antes de se afastar com o carro. Depois de dois dias no Recanto, ela tinha que voltar para casa.

Até então, eu não entendia por que ela precisava passar janeiro trabalhando nos cursinhos. Já não bastava se matar de trabalhar em duas escolas particulares o ano todo? Esse hábito tinha começado havia alguns anos, quando meu pai ainda estava em casa. Agora, tudo fazia sentido. Ela precisava prover o que ele se recusava a dar.

Chutei algumas pedrinhas.

— Qual é a programação da tarde? — Vovó cutucou minhas costelas.

— Vou dar uma volta por aí... Talvez dar um pulo no Bosque Encantado, mais tarde — expliquei enquanto me desvencilhava de suas mãos enrugadas que adoravam fazer cócegas.

— Tudo bem. Mas não vá atrapalhar o Felipe, tá bem? O Humberto está levando a sério o trabalho do filho.

— É, eu sei. Não vou atrapalhar.

Após colocar meu ukulele na mochila branca com florezinhas, caminhei por minha trilha favorita do Recanto. O sol de janeiro, ultrapassando as folhas das árvores, iluminava o caminho salpicado por folhas secas.

Não demorei a encontrar o pergolado de madeira que meu

bisavô construiu para a bisa assim que compraram o terreno. Roseiras tinham se alastrado pela estrutura produzindo uma sombra aconchegante sobre o banco. Foi ali que me sentei.

Tirei o ukulele da mochila. "Oi, Jesus",* ganhou vida em meus dedos. Deixei que a canção se tornasse uma oração. Desde que meu pai não apareceu em nosso encontro, eu não tinha conseguido sequer orar.

— Oi, Jesus! Podes... m-me ver? — cantei, a voz falhando até eu não encontrar mais forças para prosseguir.

Em alguns dias, parecia ainda mais difícil confiar que Deus tinha mesmo propósito para aquelas estações no deserto. Principalmente quando eu tinha passado a maior parte da vida peregrinando pela areia quente. Como não questionar?

Por que Deus tinha permitido que o casamento dos meus pais acabasse? Por que não tinha feito um milagre? Afinal, por que tinha permitido que justamente o *meu* pai não fosse um bom pai? O que, de tão importante, eu poderia aprender com tudo isso?

Meu queixo tremeu.

Eu tinha crescido com meu pai em casa. Ainda assim, um abismo se abriu entre nós. O pai que se sentava comigo para colorir revistinhas e que me ensinou a andar de bicicleta deu lugar a um pai distante, sempre ocupado e estressado. Pouco depois do meu aniversário de seis anos, ele deixou de frequentar a igreja de vez, o que só piorou as coisas. Papai não ia mais a nenhuma das minhas apresentações, mesmo no Dia dos Pais. Não tinha interesse em olhar meus cadernos e já não brincava mais.

O pior de tudo é que, quanto mais ele se afastava, mais eu sentia falta, mais eu queria que ele fosse presente...

De olhos fechados, senti uma lágrima quente e solitária rolar.

*Isadora Pompeo.

Argh!

Passei a mão pela bochecha. Não choraria mais por um pai que não se importava comigo.

— Hum, hum — alguém pigarreou.

Abri os olhos, assustada.

Do outro lado da clareira, duas garotas me observavam, os olhos arregalados.

— Tá tudo bem? — a morena com cabelos pretos e sedosos que desciam em ondas até a cintura fina perguntou. Seus lábios grossos e os olhos delineados deviam fazer inveja em muitas garotas.

— S-sim — respondi.

— Tem certeza? — a outra indagou. Alguns centímetros mais baixa que a amiga, a garota de cabelos castanhos tinha feições delicadas, como as de uma boneca.

— Hum, não é nada demais. Estão perdidas? — Tentei mudar o foco.

Pelas roupas pretas de malha e os tênis de corrida, as meninas deviam estar fazendo alguma trilha.

— Na verdade, não. Alguém comentou que tinha um pergolado charmosinho por aqui — a morena explicou. — Queríamos tirar umas fotos.

As duas me contaram que haviam imaginado que não encontrariam ninguém por ali, já que as donas da propriedade eram senhorinhas. Eu sabia o quanto aquelas senhorinhas detestariam saber que turistas estavam circulando sem autorização, mais pela falta de cuidado e respeito com a natureza do que por qualquer outra coisa. Por isso, fiz as meninas garantirem que não voltariam sem pedir. E elas me fizeram prometer que eu não as deduraria. Um acordo justo? Talvez.

Depois de trocarem um olhar de satisfação, as duas se aproximaram.

— Mal, prazer! — Subindo no pergolado, a morena estendeu a mão.

— Mal? — Enruguei o nariz, confusa.

— É uma abreviação de Malvina — sua amiga esclareceu e deixou uma risadinha escapar.

— Diana! — Malvina a repreendeu. — Já conversamos sobre isso.

— Foi mal, Mal. — Diana mordeu o lábio rosado, mas seus olhos ainda sorriam.

O trocadilho quase me roubou uma risada, por isso mordisquei o lábio antes de me apresentar.

— Sou a Aurora. — Apertei a mão de Mal.

— Você não é a amiga do Felipe Pettersen? — Ela sentou ao meu lado. — Acho que já te vi andando com ele por aí...

— É, sou — confirmei, um sorriso involuntário se formando em meu rosto.

— O Felipe é um deus grego! — Diana se abanou.

— Se você diz... — Dei de ombros.

— Não ligue para a Di, ela às vezes passa um pouquinho do ponto — Malvina confessou. — Que tal dar uma volta com a gente? Você parece tão pra baixo... — Pegando uma mecha do meu cabelo, ela o jogou com carinho por cima do meu ombro.

— Ah, não sei... Preciso voltar para casa.

— Para ficar sentada com suas tias? — Mal me lançou um olhar indignado. — Elas são suas tias, não é?

— Vera e Fiorella, sim. Flora é minha avó — expliquei.

— Você não quer desperdiçar suas férias assim, né? — Apoiando as mãos na cintura, Diana me fitou com os olhos cerrados. — Passe o resto da tarde com a gente. Somos legais, juro.

— Mas... — Alisei as cordas do ukulele tentando ganhar tempo. — A gente mal se conhece.

Vovó não ficaria nenhum pouco satisfeita se soubesse que andei por aí com estranhas.

— Resolvemos isso num minutinho. Tudo o que você precisa saber sobre mim está na bio do meu Instagram. — Mal tirou de um bolsinho na lateral do short um iPhone dos mais caros. Depois de desbloquear o aparelho, me mostrou seu perfil.

> @malmoretti
> 435 publicações | 550 mil seguidores | 134 seguindo
> Mal Moretti | Model | Lifestyle
> Vitória – ES
> Modelo & influencer
> Tiktok: @malmoretti (+2 M)
> 17 years
> purple@assessoria.com.br

— E para você ter certeza de que sou gente boa — acrescentou —, sou filha de um dos sócios do Bons Sonhos. Este aqui do lado. — Com um balanço de cabeça, ela indicou o hotel fazenda à nossa direita. — Sempre passo parte das férias de verão aqui.

Engoli em seco. Com aquele corpo esguio e a pele tão perfeita, Malvina só podia mesmo viver em frente às câmeras.

— Minha vez! — Diana saltitou antes de me entregar um iPhone com uma capinha branca estampada com corvos.

> @di.lombardi
> 258 publicações | 105 mil seguidores | 365 seguindo
> Diana Lombardi
> 7teen
> treino, vida fit e rotina
> contato.dianalombardi@gmail.com

— Uau, vocês são famosas — concluí, impressionada.

Tinha até vergonha de mostrar meu perfil.

— Que nada! — Mal abanou a mão. — O pai da Di também é um dos sócios do hotel.

— Confesso que prefiro a praia às montanhas, mas a gente sempre consegue encontrar uma boa dose de diversão por aqui — ela piscou. — E Mal e eu somos amigas desde... sei lá, desde sempre.

— Sua vez — Mal jogou a bola para mim.

Pensei em dizer que não tinha trazido meu celular, mas vovó sempre dizia que eu mentia mal e adorava me lembrar quem era o tal pai da mentira... Além do mais, elas podiam pesquisar meu perfil, não? Devagar, pesquei o smartphone todo lascado na mochila.

@auroramuller
0 publicação | 210 seguidores | 80 seguindo
Aurora Rosa Müller
| es
| sl 17.8

— Mas aqui não diz nada sobre você... — Os lábios de Mal se curvaram, frustrados.

— Ela é uma *low profile*?! — Pelo tom de Diana, até parecia que eu tinha uma doença grave.

Sua amiga assentiu.

— O que é "sl 17.8"? — Mal quis saber.

— É um versículo. Um dos meus favoritos.

— O que ele diz? — Ela me entregou o celular.

— "Protege-me, como a menina de teus olhos; esconde-me à sombra de tuas asas" — recitei, o coração aquecendo ao me lembrar que apesar de às vezes não parecer, Deus me guardava, assim como nosso corpo protegia os olhos, cercando-os com ossos, pestanas e sobrancelhas, criando uma fortaleza em torno de uma de nossas partes mais preciosas e delicadas.

— Que bonito. — Diana alisou o rabo de cavalo.

— Se quiser, podemos te ajudar a melhorar sua bio — Mal ofereceu. — Agora, nos conte: *Quem* é a Aurora?

Mordi a bochecha. Aquela era uma pergunta que eu detestava responder.

Quem eu era? Escolher as palavras certas era tão difícil...

— Hum... — pigarreei ainda sem saber como me definir. — Ah, tenho dezesseis anos e amo tocar — disse, me apegando ao básico.

— Esse violãozinho é tão fofo — Diana apontou para o instrumento.

— É um ukulele — expliquei.

Aquela confusão sempre me incomodava um pouco.

— Ouvimos você tocar quando estávamos vindo. É talentosa. — Mal cruzou as pernas.

— Obrigada. — Minhas bochechas formigaram com o elogio.

Mal ergueu o rosto e admirou os ramos de rosas que nos protegiam do sol.

— Se você gravasse um vídeo tocando aqui, ficaria lindo — sugeriu.

— Hum, verdade — fui obrigada a concordar, mesmo sabendo que nunca faria isso.

— E aí, vem com a gente? — Desta vez, Diana apontou para a trilha.

— Vamos! — Mal chacoalhou meu braço.

— Até onde vocês vão? — perguntei, ainda indecisa.

— Vamos tirar as fotos primeiro! Podemos, né? — fez um biquinho, implorando. Concordei com a cabeça. — Eba! Depois, vamos voltar para o Bons Sonhos, tomar sorvete e descer de tirolesa.

Seria mais fácil voltar para casa ou mesmo continuar na trilha até chegar ao Bosque Encantado, que também fazia divisa com o Recanto. Mas Felipe estaria ocupado cuidando dos cavalos...

Mamãe tinha dito que eu deveria fazer amizades novas, não disse? A oportunidade parecia ter caído no meu colo.

— Tudo bem — concordei, o que fez os olhos delas brilharem.

O Hotel Fazenda Bons Sonhos era o resort mais luxuoso de Pedra Azul. Com chalés charmosos espalhados pelas montanhas, possuía um parque aquático com tobogãs variados, piscinas aquecidas, trilhas, salões de jogos, atividades recreativas e a tirolesa mais alta do estado.

Eu já tinha almoçado em um de seus restaurantes havia alguns anos com vovó, mas nada além disso. Por isso, foi difícil manter o queixo no lugar ao circular pelas instalações com as meninas. Depois de tomar o sorvete de casquinha mais *aesthetic* da minha vida, subimos até as tirolesas. A cada passo, o frio em minha barriga aumentava. Quando o instrutor checou o equipamento pela última vez e anunciou que eu podia descer, minhas mãos suaram.

A descida durou menos de um minuto, mas foi o suficiente para que minha garganta ficasse seca e rouca de tanto gritar. Onde eu estava com a cabeça quando disse sim para aquela loucura? Balançando os pés em um misto de adrenalina e nervosismo, vi cada cantinho do resort passar como um flash.

Ao tocar a terra, pude ouvir as batidas aceleradas do meu coração.

— E aí, gostou? — Mal envolveu meu pescoço com seu braço bronzeado.

— Amei e odiei ao mesmo tempo — confessei com a voz rouca. A risada fez minha garganta doer.

— Foi um sucesso, então! — declarou, animada.

Apesar do rosto vermelho, sorri para a câmera do seu celular.

Meu aparelho vibrou com algumas notificações assim que pus os pés no chalé. As meninas não só haviam solicitado me seguir no Instagram, como tinham me marcado em algumas fotos. Eu aceitei as solicitações e... bem, repostei os stories.

4

Acordei na manhã seguinte com o cheirinho delicioso de bolo de fubá. Os raios de sol iluminavam o quarto por causa da brisa que balançava as cortinas. Com fome, ignorei a preguiça e deixei a cama macia.

Na cozinha, uma forma redonda descansava na soleira da janela, a fumaça subindo, assim como o aroma tentador.

— Bom dia, vó!

De costas para mim, ela passava o café na pia.

— Bom dia, querida — cumprimentou ela com um sorriso. Seus fios loiros cinzentos estavam arrumados em um coque perfeito. — Dormiu bem?

— Como uma pedra. Estou morrendo de fome. — Passei a mão pela barriga vazia.

— Vai ter que esperar um pouquinho — vovó anunciou voltando-se para o coador.

— Por quê? — questionei, levemente desesperada.

— Sem Bíblia, sem café.

— Quê? — Meus olhos saltaram. — Desde quando?

— É um propósito que suas tias e eu começamos há algumas semanas. — Ela derramou o líquido cheiroso na garrafa. Depois de fechá-la, disse: — Vamos, elas estão nos esperando.

Sentada em uma das poltronas de bambu do alpendre, tia Vera

bocejava. Suas bochechas fofas estavam rosadas e com marcas de travesseiro. Em outra poltrona, tia Fiorella tirava um cochilo, os cabelos amendoados encaracolados se espalhando pelos ombros.

— Fiorella, acorde! — vovó a repreendeu. — Uma noite inteira de sono não foi o suficiente?

— O-o quê? — Assustada, titia passou a mão pelo rosto. — Só estou descansando os olhos — explicou sem um pingo de vergonha.

Cobrindo a boca, eu ri.

— Você está *sempre* descansando os olhos — minha avó alfinetou.

Eu amava a interação entre elas. Não importava quanto tempo tivesse passado, as três ainda mantinham uma amizade profunda, uma cumplicidade marcada por implicância, encorajamento e afeto.

Sempre que eu as via juntas, aquele sonho de criança de partilhar a vida com um irmão voltava. Eu sabia que mamãe também desejava ter tido mais filhos, mas engravidar nunca foi fácil para ela.

Mamãe passou anos fazendo exames e tratamentos. Foi só no vigésimo primeiro teste de gravidez que descobriu que estava me esperando. Apesar das dificuldades, ela tentou engravidar de novo, mas os dois abortos espontâneos foram tão dolorosos que acabou desistindo.

— Então, de onde veio a ideia do desafio? — perguntei para dissipar as lembranças.

— Bom, eu andava com muita dificuldade de fazer o devocional todos os dias — tia Vera contou tamborilando os dedos na Bíblia em seu colo. — Vê se tem cabimento... Uma velha como eu sofrendo com a inconstância — ela se recriminou.

— Se você é velha, o que eu sou? Um dinossauro? — Vovó soltou uma risada que fez seu peito sacolejar.

— Você está nos ofendendo, Vera — Fiorella reclamou.

— É só que... — tia Vera fitou o livro. — Eu já deveria saber lidar com a inconstância a esta altura, não é? Esse problema me persegue desde sempre! E agora eu tenho me sentido tão distante do Senhor... Minha fé anda tão fraca!

Desde que eu me entendia por gente, admirava a fé demonstrada por tia Vera. Para ela, não havia nada que Deus não pudesse fazer. Mamãe costumava me contar que a confiança da nossa tia a tinha inspirado em muitos momentos difíceis.

— Nenhuma de nós é perfeita, minha irmã — vovó a tranquilizou. — Todas encontramos desafios quando o assunto é zelar por nosso relacionamento com Deus.

— Confesso que, durante muito tempo, ler meus romances foi algo mais prazeroso do que ler as Escrituras — a voz baixa de tia Fiorella não escondeu seu lamento.

— Eu também tenho dificuldade — confidenciei. Esfreguei os olhos, envergonhada. — Às vezes, fico tão distraída com as coisas da escola, que não sobra tempo para o devocional.

Deveria ter dito quase sempre, porque essa era a verdade.

— Está vendo, Vera? — Vovó estendeu uma das mãos. — Não é só você que luta com a inconstância. Precisamos lembrar que constância não tem nada a ver com perfeição. Não é uma linha reta, contínua. Está mais para uma frequência cardíaca. Uma linha cheia de altos e baixos — explicou traçando uma linha invisível no ar, subindo e descendo. — Ninguém é perfeito todos os dias. Por isso, constância diz respeito a perseverar, tentar de novo, não desistir. Não foi a perseverança que ajudou você a aprender a tocar ukulele, Aurora? — Sentada ao meu lado, ela pousou a mão em meu joelho.

— Foi...

— Se tivesse desistido naqueles dias em que aprender parecia impossível, não nos alegraria com suas canções hoje em dia.

— A senhora tem razão — concordei, acompanhando sua linha de raciocínio.

— Vera, você também precisou de muita dedicação, esforço e persistência para aprender a tocar piano, não foi?

Tia Vera assentiu, ainda cabisbaixa.

— Por que não consigo ter essa mesma dedicação para o meu relacionamento com Deus?

— Você consegue, Vera — vovó a encorajou. — Basta tentar, um dia após o outro. Nosso relacionamento com Deus é precioso demais. E como tudo que é precioso, exige cuidado, dedicação e zelo. Todos os dias encontraremos desafios que tornarão a nossa busca mais difícil, mas não estamos sozinhas. O Espírito Santo está sempre disposto a nos ajudar a fazer de Deus nossa prioridade, não só em palavras, mas em ações.

As palavras de vovó foram uma dose de coragem para tia Vera. Com um sorriso contraindo suas bochechas, ela conduziu o momento de louvor.

♪

Sentado ao meu lado em um dos degraus do alpendre, Felipe ainda tinha dificuldade de acreditar.

— É isso mesmo que eu tô vendo? — Ele colocou o celular diante do meu nariz. Com o dedo na tela, mantinha fixo um story de Malvina. — Você andou de tirolesa com as *patricinhas*?

— É crime, é? — Arqueei uma das sobrancelhas.

— Não. Só pensei que não fosse me substituir tão rápido. — Saindo do Instagram, ele bloqueou o celular.

— E eu tenho culpa se você se tornou um trabalhador assalariado? — E o cutuquei com o cotovelo.

— Nos fins de semana, vou te recompensar, você vai ver — garantiu. — O que quer fazer primeiro?

— Você tem que me levar para fazer uma trilha na fazenda — quase implorei. — Tô com saudade do Sansão e da Amora.

A fazenda ecológica fundada por Christen Pettersen, seu avô norueguês, era famosa pelos cavalos Fjord, uma raça norueguesa conhecida pelo temperamento suave. Além de conhecer o estábulo e os animais, o visitante podia montar e fazer trilhas pela propriedade.

Tendo crescido no Bosque Encantado, Felipe tinha seu próprio cavalo, o Sansão. Diferentemente dos outros animais, Sansão era cheio de vontades. Sempre precisava ser convencido com uma boa cenoura. De pelagem branca, tinha uma crina da mesma cor entrecortada por uma linha preta. Já Amora era uma Fjord de pelagem quase dourada, de crina branca maior e sedosa, caindo de lado de um jeito delicado. Era nela que eu montava sempre que visitava a fazenda.

— É só marcar. Só não dá neste fim de semana. — Seu rosto se contraiu, formando uma careta.

— Já tá furando?

— É que uma empresa reservou o ecopark.

— Tá perdoado.

— Crianças! — tia Fiorella chamou. — Que tal uns casadinhos? Acabei de assar.

Felipe e eu trocamos um olhar, os lábios apertados contendo um sorriso.

— Como a senhora adivinhou? — Com um pulo, ele se colocou de pé. — Tô morto de fome!

Estendendo a mão para mim, Felipe me ajudou a levantar.

Sua prontidão fez os olhos de minha tia-avó quase sumirem, de tanto que sorria.

A mesa da cozinha estava tomada por tabuleiros cheios de massinha branca. A maioria deles descansava, à espera de sua vez de ir para o forno.

— A senhora pretende dar uma festa? — Felipe implicou.

— Não, menino. — Fiorella deu de ombros. — Só estou testando algumas receitas.

— Com tantas opções no YouTube, titia não conseguiu se decidir — informei.

— Deve ser difícil mesmo — disse ele, soando sério e respeitoso. Em seguida, pegou um dos biscoitos recém-assados.

Felipe mastigou por um tempo. Minha tia-avó o observava, sem piscar, à espera do seu veredito.

— Nunca comi nada igual — ele revelou, esfregando as mãos.

Tia Fiorella aplaudiu, satisfeita.

Discretamente, o encarei. Aquela resposta era muito vaga. Ele devolveu o olhar revelando um ar travesso.

— Você *tem* que experimentar. — Tirando a tigela da mesa, Felipe me ofereceu os biscoitos. — É sério.

— Tá — aceitei perfurando-o com os olhos.

Levei o casadinho à boca. O biscoito estava mais duro do que pedra. Seco como o deserto. Assim como ele, levei um bom tempo para mastigar e engolir.

— Felipe tem razão, tia — concluí. — Não há nada igual.

Ela inflou o peito, toda orgulhosa.

— Vou separar um potinho para você levar para os seus pais, Felipe — ofereceu.

— Obrigado — ele agradeceu, os lábios formando um sorriso discreto. Mas pela maneira como sua bochecha estremecia, Felipe estava lutando para não soltar uma de suas risadas estrondosas. — Será que ainda tem um pedacinho daquele bolo de limão da dona Flora?

— Não quer mais casadinhos? — sugeri só para perturbá-lo. De volta aos degraus, aproveitei a distração de Felipe para roubar um pouco da cobertura de leite condensado com limão.

— Opa! — ele gritou, afastando o prato com uma fatia enorme pela metade. — Você disse que não queria.

— Cruzes, cadê sua generosidade?

— Foi dar uma volta.

♪

Já estava deitada, o quarto escuro, quando meu celular vibrou.

Mal: *Que tal passar o dia com a gente na piscina amanhã?*

Antes que eu pudesse responder, outra notificação surgiu na tela trincada.

Diana: *Por favorzinho!*

Pude ouvir a sua voz implorando.

Aurora: *Tudo bem :)*

Pois é, minha resposta imediata também me surpreendeu.

5

"Phenomena"* ressoava pelos meus fones enquanto eu pedalava pela Rota do Lagarto. Os dedos tamborilando no guidão.

Senti cócegas no estômago.

Sim, eu tinha acordado animada. Algo me dizia que aquela animação toda não era só por saber que em breve mergulharia nas piscinas naturais incrustadas na Pedra Azul, mas sim porque passaria o dia com Diana e Malvina — quer dizer, Mal. Ela detestava ser chamada pelo nome.

A última coisa que eu esperava das férias era encontrar outras garotas com quem pudesse me divertir, principalmente uma dupla tão singular quanto aquela. Não precisei olhar para elas duas vezes para notar as diferenças entre nós. Eram gritantes.

Enquanto eu preferia ficar na minha, a dupla desfilava com confiança por toda parte. Gostavam de exibir suas rotinas, preferências e sorrisos, e não ficavam nenhum pouco acanhadas com elogios. Não se importavam com os garotos que se aproximavam na piscina do resort, enquanto eu ficava vermelha como um pimentão à menor menção da palavra "garoto".

Sempre que deparávamos com uma paisagem de tirar o fôlego, elas sacavam os iPhones prontas para compartilharem com o

---

* Hillsong Young & Free.

mundo. Coisa que eu raramente fazia, e quando fotografava algo mantinha salvo para mim mesma em minha galeria. Talvez aquela fosse uma das manias que tinha herdado de vovó, que costumava dizer que era melhor registrar o belo com os olhos e guardar no coração do que perder tempo olhando o mundo através de máquinas.

Ainda assim, havia algo nelas que me atraía. Mal e Diana eram leves e divertidas. Era como se emanassem sua própria luz, raios de sol quentinhos e suaves — aqueles que procuramos nos dias frios de inverno.

Sei lá, talvez elas só se comportassem como adolescentes comuns. Normais, apesar dos privilégios que possuíam. E, ao lado delas, era assim que eu me sentia. Elas me faziam esquecer do meu pai problemático, do excesso de trabalho de mamãe, do sentimento de rejeição que rasgava meu peito. Há muito tempo eu não me sentia parte de algo...

Aproveitaríamos a manhã de sol para fazer uma das trilhas mais famosas do parque. Eu já tinha feito essa trilha com Felipe e alguns adolescentes da igreja local. O visual e a água fresquinha das piscinas naturais sempre faziam o esforço valer a pena.

Tive que garantir a vovó que faria meu devocional mais tarde para conseguir sair tão cedo do Recanto. Na mochila, além da toalha e do protetor solar, estava meu exemplar de *Sons de ferrugem e ecos de borboleta*.* Já na cestinha de vime da bicicleta, a ecobag que vovó havia enchido com uma variedade de quitutes quicava toda vez que eu passava por algum ressalto ou pedrinha.

Encontrei Mal e Diana na entrada do parque. Com seus conjuntinhos de malha e tênis de corrida, estavam mais prontas do que eu para percorrer a trilha.

* Noemi Nicoletti.

À medida que andávamos em meio à mata, revezando a cesta com guloseimas que as meninas tinham conseguido no hotel, nossas risadas faziam com que alguns pássaros batessem asas em retirada, incomodados.

O ponto mais difícil da trilha foi o paredão de pedra que tivemos de escalar com a ajuda de uma corda. Levei mais tempo para concluí-lo do que as meninas. Quando cheguei lá em cima, parecia que meu coração ia sair pela boca. Os pés latejavam por causa dos tênis gastos. Enquanto Mal e Diana faziam stories, me joguei no chão.

— Recuperada, sedentária? — Mal estendeu a mão e me ajudou a levantar.

— Mais ou menos. — Limpei as mãos no short.

À nossa frente, em um trecho de pedra ladeado pela mata viçosa, as piscinas naturais nos esperavam. Suas águas esverdeadas refletiam o céu azul. Além de nós, apenas um outro grupo de turistas já tinha chegado.

Entre mergulhos, conversas à sombra e copinhos de salada de fruta, a manhã passou voando.

♪

Sentadas em uma toalha quadriculada, lanchamos debaixo de uma árvore.

— Ah, não! — Mal puxou o livro das minhas mãos, me pegando de surpresa. — Não subimos até aqui para você perder tempo lendo. — Ela rolou os olhos.

Estremeci ao vê-la fechar meu livro novinho sem nenhum cuidado.

— São só algumas páginas — insisti.

Ler em meio à natureza era um dos meus hobbies favoritos.

— Nem pensar! — balançando um dedo, Diana também se voltou contra mim. — Tem tantas coisas melhores para fazer, amiga. Observar a paisagem...

— E que paisagem — Mal completou com um sorriso travesso.

Levei um segundo para perceber que elas não estavam falando das belezas naturais que nos cercavam.

— Aquele gatinho não para de olhar pra você — Diana informou.

Meu erro foi ter seguido seu dedo. Deparei com um par de olhos tão azuis quanto o céu, o queixo quadrado apoiado em braços musculosos.

O garoto piscou para mim.

Envergonhada, deitei na toalha e me escondi atrás da cesta.

— Não acredito que você ficou vermelha! — Mal riu, fazendo meu rosto aquecer um pouco mais.

— É o sol — menti.

— Aurora — Di me chamou. — Você já ficou com algum garoto?

O que elas pensariam de mim se eu dissesse a verdade?

— Hum... — fiz uma hora, pensando. — Não — respondi, por fim.

— Dezessete anos e você nunca ficou com ninguém?! — Diana cobriu a boca de boneca com a mão.

— Dezesseis. Faço dezessete no fim do mês — eu a corrigi. — E não, nunca fiquei com ninguém.

— Por que não? — Mal me olhou como se eu fosse uma alienígena.

Observei o céu por um instante. As nuvens estavam fofas como algodão. A razão de eu nunca ter beijado estava lá em cima.

— Porque eu não vejo sentido em beijar por beijar — contei, sem entrar em muitos detalhes. — Quero esperar pela pessoa certa e, quem sabe, beijar apenas o homem com quem me casar...

— É sério isso? — Diana soltou uma risada, incrédula. Notei quando Mal a cutucou. — Oh, você tá falando sério... *Sorry*.

Apenas assenti, o peito apertado.

A sensação de ser vista como uma aberração só por seguir princípios diferentes não era a melhor do mundo, mas fazia parte da jornada. Sorri ao ser lembrada de um trecho de "Sou diferente", da Marcela Taís:

Não sigo boatos, modismo ou teorias
Eu sigo fatos, Jesus Cristo e a Bíblia
Me chamem de careta, cristão ou crente
Num mundo de iguais, eu sou diferente

— É por causa da sua religião? — Diana sugeriu. — Você é, tipo, obrigada a não namorar e tal?

— Não é por obrigação. — Agora me sentindo mais segura, levantei. — Eu escolhi guardar meu coração em Deus e esperar, porque acredito que ele tem o melhor para mim.

— Eu não conseguiria... — Ela estremeceu.

— Então, você e o Felipe nunca tiveram nada...? — Mal perguntou depois de alguns segundos de silêncio constrangedor. — Nada, nadinha?

— Não — falei, uma risada escapando dos lábios. De onde ela tinha tirado aquela ideia absurda? — É claro que não. Por quê?

Inspecionando as unhas cobertas por um esmalte roxo reluzente, Mal pigarreou.

— É que vocês estão sempre juntos... Pensei que já tivesse rolado alguma coisa.

— Somos só amigos — garanti.

Só que meu estômago achou que aquela era uma boa hora para dar uma cambalhota.

♪

Sem forças para pedalar, empurrei a bicicleta pela estradinha de cascalho do Recanto. Mal tinha chegado ao jardim quando escutei a risada de Felipe.

Ah, não! Como eu podia ter esquecido?

Felipe e eu tínhamos combinado de nos encontrar na Encantado's depois do almoço. Ele queria me mostrar alguma coisa. Só que, depois da trilha, fui almoçar com as meninas no Bons Sonhos. O almoço rápido deu lugar a algumas horas num ofurô superconfortável. Quando dei por mim, o sol já estava descendo.

— Apareceu a margarida! — tia Vera cantarolou ao me ver passar pela porta.

— Até que enfim! — Vovó me recepcionou com as sobrancelhas arqueadas, os olhos me fitando acima dos óculos.

Em uma das poltronas, Felipe equilibrava um prato com sobras de um sanduíche no colo.

— Esqueci! — Fitei-o com minha careta de "sinto muito". — Me perdoa?

— Você sabe que não precisa pedir. — Seus olhos castanhos sorriram. — Além do mais, passar um tempo com essas senhoras é sempre prazeroso.

Seu charme fez com que minhas tias-avós suspirassem.

— Só porque elas enchem você de comida.

Não pude deixar a oportunidade passar.

— Que calúnia! — Felipe fingiu estar ofendido. — Senhoras — levantou e as cumprimentou com uma mesura.

— Aurora, é melhor trocar essa blusa molhada. — Vovó lançou um olhar crítico para a camisa de malha que eu usava.

— Só um minuto.

Felipe e eu caminhamos até a cozinha.

— O que você queria me mostrar? — perguntei enquanto ele lavava a louça.

— Outro dia eu mostro. Já ficou tarde.

— Mas não são nem seis horas — protestei.

— Tinha que ser antes do pôr do sol. — Com os cantos dos lábios ligeiramente franzidos, ele olhou pela janela.

— Se a gente correr, ainda dá tempo — insisti, sabendo que eu tinha pisado na bola.

— Outro dia, Aurora. É melhor obedecer a sua avó e trocar a blusa. Não vai querer pegar um resfriado nas férias.

♫

Felipe me esperava no alpendre. Suas pernas compridas estavam apoiadas na mureta. Sentei na poltrona ao seu lado.

— As sardinhas apareceram — observou ele, beliscando meu nariz ardido por causa da manhã de sol.

— Ai... — Estremeci me afastando do seu toque. — Não passei protetor o suficiente.

— Por mim, elas poderiam ficar aí o ano todo. São suas constelações particulares. — Ele cruzou os braços.

— Só você e minha mãe gostam delas, Felipe.

— É o seu charme de verão.

— Nem sempre as pessoas acham isso — resmunguei. — Lembra de quando o Jhota pensou que fosse sujeira?

Sua risada fez voar um par de sabiás que ciscava em uma das vigas.

— Isso acontece mais vezes do que você imagina — continuei, batendo em Felipe com uma almofada.

Naquela manhã mesmo, Diana tinha perguntado o que eu fazia para cobri-las no verão. Ela levou a mão ao coração e arregalou os olhos ao ouvir minha resposta.

— Nem um corretivo e uma basezinha? — perguntou, aflita.

— Não — respondi, omitindo o fato de que nem maquiagem direito eu tinha.

Ainda me faltava paciência para aquele negócio.

Distraída, não consegui impedir que a almofada, arremessada por Felipe, se chocasse contra meu rosto quente.

— Só não dê ouvidos a essa gente, tá? — aconselhou em um tom protetor. — Sabe, senti sua falta hoje.

— Viu? Foi bom ter feito outras amizades.

Felipe abaixou as pernas e se ajeitou na poltrona.

— É sempre bom fazer novos amigos, sim — comentou. Ele alisou o nariz como sempre fazia ao se perder em seus pensamentos. — Mas tome cuidado, tá bem? Aquelas garotas levam uma vida diferente.

— Eu sei. Respeitamos nossas diferenças.

— Ótimo. — Felipe balançou a cabeça. — Só não quero que se machuque.

— Não vou.

♪

Quando me deitei, senti o coração apertado. Algo me incomodava, mas eu não sabia dizer o quê. Sem sono, chamei Luanna para assistir a um filme comigo. É claro que passamos mais tempo conversando no chat do que assistindo a *Adoráveis mulheres*.

6

Ofereci uma maçã para Amora.

— Por que não me avisou que as meninas também viriam? — Felipe perguntou depois de me chamar para ver a égua em sua baia.

As meninas e eu tínhamos acabado de chegar ao estábulo. Elas estavam tão animadas para cavalgar pelas trilhas que me impediram de dar uma voltinha pela fazenda.

Nem tive tempo de observar a cabana nova que o senhor Humberto construiu, mais uma inspirada nas antigas casas norueguesas. Aliás, cada pedacinho da fazenda tinha sido inspirado no país de origem da família.

— Eu também não sabia que elas viriam — cochichei. A poucos metros, as meninas nos fitavam, curiosas. — Elas apareceram lá em casa de surpresa e se convidaram.

— Vocês não se desgrudam mais?

— Não exagera — eu o repreendi, socando de leve o seu ombro.

♪

Montada em Amora, ouvi as meninas indagarem pela milésima vez se os cavalos escolhidos por Jhota eram mesmo dóceis.

Discretamente, olhando bem em minha direção, ele fingiu enfiar uma estaca no peito.

— Podem montar, meninas. Sem medo — Felipe as encorajou. Ele puxava Sansão, que devorava uma cenoura.

— Será que você pode me ajudar, Fê? — Malvina pediu com uma voz manhosa.

Ouvir o apelido de Felipe em seus lábios provocou um mal-estar estranho em minha barriga. Tentei ignorar.

Sansão me notou e, como costumava fazer, bateu uma das patas no chão em sinal de reconhecimento. Afaguei sua cabeça quando Felipe passou com o animal por mim. Entregando Sansão a Jhota, Felipe se aproximou de Mal para ajudá-la.

— Você nunca montou? — ele a questionou.

— Já, mas eu sempre me atrapalho — ela confidenciou, soltando uma risadinha.

Perto de Mal, Sansão relinchou, o que a fez quase ter um ataque do coração. Depois de uma série de gritos e pulinhos, o que só deixou o animal ainda mais assustado, ela finalmente se acalmou.

Felipe a entregou o cabresto.

— Você se importa se eu fizer alguns takes durante o passeio? — Mal perguntou. — Quero postar um vlog da trilha no meu TikTok.

— Fique à vontade.

Cavalgando devagar à nossa frente, Jhota nos conduzia pela trilha. Eu tentava prestar atenção no canto dos pássaros, mas as meninas, que vinham um pouco atrás, não paravam de conversar com Felipe. Estavam sempre perguntando alguma coisa sobre a fazenda, desde o nome de alguma árvore até as atividades ecológicas praticadas ali.

Aquele interesse todo em ecologia e sustentabilidade me soou estranho, já que em nosso passeio pelas piscinas naturais elas não tinham se importado em recolher o próprio lixo. Fui eu que juntei as coisas enquanto elas tiravam mais fotos.

Na metade da trilha, Malvina cortou um breve momento de silêncio:

— Seu pai pega pesado, hein, Fê? Podia ter liberado você nas férias, para aproveitar um pouco.

— Meu pai esperava que eu me adaptasse à rotina pesada da fazenda antes de começar a faculdade. Só isso.

— Mas... você é o herdeiro, né? Não deveria pegar no pesado.

À minha frente, Jhota tentou abafar uma risadinha.

— Não acho bacana só usufruir daquilo que minha família lutou tanto para construir — meu amigo disse em um tom mais sério. — Não trabalho aqui porque sou obrigado, mas por desejar aprender o máximo possível. Para dar continuidade ao legado do meu avô.

— Toma... — Jhota cochichou.

— Hum, legal — ouvi Mal dizer. — Que árvore é aquela dali? — ela mudou de assunto.

— Ela tá gravando um vlog ou conduzindo um documentário? — Jhota implicou, virando-se para mim.

♪

Assim que deixamos os cavalos no estábulo, Felipe quis saber se eu iria ao encontro de jovens de sua igreja. Até pensei em recusar, mas um dos meus únicos compromissos nas férias era frequentar o templo semanalmente.

Foi naquela pequena congregação que conheci Felipe. Era dia de Escola Bíblica de Férias e eu tinha sido forçada gentilmente a participar de um desses jogos de torta na cara. Quando eu não só apertei o botão primeiro, mas também respondi à pergunta corretamente, um Felipe de sete anos torceu a boca, insatisfeito. As coisas pioraram quando sujei com chantilly seu rosto e boa parte do cabelo, naquela época com um topete engraçado. Anos depois, ele admitiu que não tinha gostado de mim.

— E aí, você vai? — insistiu.

— Não perco por nada — concordei, o rosto iluminando por causa das lembranças. Felipe franziu a testa e inclinou a cabeça, confuso. — Lembrei da tortada.

— Você. É. Terrível. Aurora.

— O que você não perde por nada? — Mal nos interrompeu.

♪

Diante do espelho, alisei uma mecha de cabelo. Já tinha passado da hora de tirar as pontas. Diana tinha comentado que um corte repicado poderia dar mais vida e volume ao meu cabelo. Talvez ela tivesse razão... Ele já estava sem forma havia alguns meses. Tão sem vida, coitado. Bufando, ajustei a franja — ela estava tão temperamental!

— E se eu deixasse vocês crescerem, hein? — disse fitando os fios desengonçados.

Frustrada, levei a mão à espinha vermelha que tinha surgido no meio do queixo.

— Uma maquiagem não cairia mal hoje...

Pela primeira vez, me arrependi por não ter pelo menos uma base.

♪

— Isso aí é batom? — Felipe não tirou os olhos dos meus lábios.

Sentei no banco traseiro da Brasília de Jhota.

— Aham — confirmei, impaciente.

Vovó também tinha ficado surpresa.

O carro soltou alguns estouros ao deixar o Recanto.

— Será que suas amigas vão gostar da carruagem? — Pelo retrovisor, Jhota me encarou com um sorriso zombeteiro.

Acompanhando o amigo, Felipe riu.

— Tenho certeza de que elas não devem estar acostumadas com uma relíquia tão incrível e especial quanto esta aqui — garanti.

— Poucas pessoas entendem o valor da Tranqueira. — Felipe alisou a lataria azul-marinho pela janela.

Quando nos aproximamos da recepção do resort, os ombros de Mal e Diana caíram um pouquinho assim que nos viram na Brasília.

— Tem certeza de que essa velhari... — Malvina pigarreou algum tempo depois. O carro tinha acabado de soltar um estouro que fez as meninas quicarem no banco aos berros. — Que esse *carro* vai aguentar chegar à igreja?

— Vai, princesa. — Jhota tamborilou um louvor no volante.

— A Tranqueira sempre aguenta — Felipe certificou.

Foi Felipe quem compartilhou a palavra no culto dos jovens. Ele subiu no altar com a Bíblia preta debaixo do braço e nossos olhares se cruzaram.

— Só dê o seu melhor — falei sem emitir um único som.

Com um aceno sutil, ele confirmou que recebeu o recado.

Felipe sempre recebia. Depois de mais de dez anos de amizade, não precisávamos de muitas palavras para compreender um ao outro.

Nos minutos seguintes, meu melhor amigo passeou pela história de um de seus personagens bíblicos favoritos: José do Egito. O nervosismo que o fazia pigarrear um pouco e falar rápido demais foi embora aos poucos, revelando um rapaz seguro.

Seus olhos chocolate pareciam sempre procurar por mim; eu balançava a cabeça como uma lagartixa, dando apoio moral. Um sorriso não escapou de meus lábios enquanto ele falava sobre a importância de permanecermos fiéis a Deus e não cedermos às tentações, mesmo enfrentando nossos próprios egitos.

— Ele fica tão fofo quando está sério — ouvi Mal sussurrar para Diana.

— Shhhh — uma garota atrás de nós a repreendeu.

Até que Felipe ficava fofo mesmo. Era bonito ver o quanto ele levava a sério sua fé e seu relacionamento com Deus.

Vovó tinha reservado a manhã para podar as rosas que cobriam boa parte das cercas do Recanto. Torci para que ela não tivesse me incluído em seus planos, mas não teve jeito, passei horas acompanhando-a pelo jardim.

Dona Flora aproveitou para saber todos os detalhes da noite anterior, especialmente em relação à mensagem compartilhada por Felipe.

— Ninguém ali acreditaria em mim se eu dissesse o quanto a mão dele tremia e suava um pouco antes de começar... — contei.

A lembrança me roubou um sorriso. Meu coração pulsou em um ritmo diferente, de um jeito que eu nunca tinha experimentado.

Durante a ministração de uma canção, fomos instruídos a segurar na mão da pessoa que estivesse ao nosso lado e orar por ela. Felipe estendeu a mão para mim, e um sorriso torto iluminou seus olhos.

— Tá suada — sussurrou. — Vai ter coragem de segurar?

— Não seja bobo — eu o censurei, sabendo que sua ansiedade era culpada por aquela reação.

Recordar a delicadeza com que seus dedos envolveram os meus fez minha mão formigar.

— É tão bonito vê-lo vencer suas limitações em favor do evangelho — a voz orgulhosa de vovó me trouxe de volta para o jardim.

— Verdade. — Meneando a cabeça, joguei um galho seco no carrinho de mão.

— Tenho orgulho do homem bom e piedoso que Felipe está se tornando.

— Eu também...

Uma rosa em um tom azul-celeste havia desabrochado em meio aos galhos secos e espinhos. Com delicadeza, passei a mão por suas pétalas. Tentei imaginar os planos que Deus teria reservado para o futuro do meu melhor amigo. Eu estaria neles de alguma forma? Ainda que ocupando um papel de figurante?

Ouvindo o canto dos pássaros, voltamos a trabalhar.

— Hoje quero que passe o dia em casa — vovó informou. — Você tem saído demais com aquelas garotas.

— Ah, vó! Logo hoje? — Bati a mão suja em minha coxa. — Elas tinham me chamado para descer na tirolesa.

— Você terá outras oportunidades — disse ela, os olhos verdes sérios.

— Não, vó! Só hoje, por favor.

— Hoje não, querida. Estava pensando em darmos um pulo na cidade, para comprarmos algumas coisas. Podíamos passar naquela doceria que você ama... — ela propôs, as sobrancelhas arqueando.

Passear por Domingos Martins costumava ser uma delícia. A cidade entre as montanhas parecia ter saído de um filme de contos de fadas, principalmente a Rua do Lazer, com seus edifícios charmosos em estilo enxaimel. Meus planos para o dia, porém, eram outros.

— Vó, por favor... — juntei os lábios em um biquinho pidão.

Ela estalou a língua.

— Não, minha filha. Você também precisa colocar o desafio em dia, não? Andou perdendo alguns dias.

Suspirei, frustrada.

Os dias em que não podia me encontrar com Mal e Diana se arrastavam e eu me via submersa no tédio. Aquela quinta-feira não estava sendo diferente. As horas não passavam por nada. Eu já tinha tocado ukulele, lido e salvado novas fotos no meu Pinterest até os olhos cansarem. Entediada, deixei o quarto.

— Tem que ser azul, Flora — tia Vera determinou alto o suficiente para que eu pudesse ouvi-la ainda no corredor.

— Na-na-ni-na-não — vovó rejeitou. — Será rosa e com saia pregueada.

— Você quer um algodão-doce, é?

— Ela fica adorável de rosa, você sabe.

O que elas estavam tramando?

Intrigada, desci a escada correndo.

— Quem fica bem de rosa? — disse, me jogando em uma das poltronas.

— Ah, é uma mocinha para quem estamos fazendo um vestido. — Minha tia-avó balançou as mãos, como se não fosse nada demais.

— Que tal uma fatia de bolo? — vovó indicou a cozinha com o queixo.

Um cheirinho irresistível de chocolate se misturava com a essência de baunilha de uma das velas de tia Fiorella.

— Foi a tia Fiorella?

Era melhor checar.

— Não. — Vovó riu.

— Ué, não vai encontrar as meninas hoje?

— Não, tia Vera. Elas estavam com saudades de uma tarde no shopping... Aproveitaram uma carona para dar um pulo em Vitória.

— Ah, sim.

Eu estava tão enfadada que a ideia de passar a tarde perambulando por um shopping com ar-condicionado me pareceu tentadora. Sério.

— Então, você poderia colher algumas flores silvestres, querida? — titia pediu.

— Mas eu não colhi dia desses? — Soprei alguns fios dourados que caíam em minha testa.

— Há... — vovó gaguejou. — Algumas já morreram. Está na hora de repor mesmo.

Estranhei aquele desejo repentino de me verem fora de casa, mas perambular pela floresta fresca não era má ideia.

— Tá bom, mas só depois do bolo.

Alguns dias depois...

Estava sonhando, quando senti uma coceirinha no nariz. Começou com um toque suave, até que as cócegas aumentaram e foi impossível permanecer de olhos fechados. Ao abri-los, encontrei mamãe deitada ao meu lado, a cabeça apoiada no braço. Seu sorriso radiante me recepcionou.

— Feliz aniversário! — Ela balançou uma pena branca no meu nariz.

— Você nunca cansa disso, né? — rindo, me afastei.

Eu não lembrava como aquela tradição tinha começado, mas mamãe amava me acordar assim nos meus aniversários.

— Nunca, raio de sol! — Ela me puxou para um abraço apertado.

Raio de sol.

Foi assim que meu pai me chamou a primeira vez que me viu. Depois de anos sonhando ser pai, ele disse que eu cheguei iluminando tudo. Um amanhecer radiante após tantos dias cinzas. Seu raio de sol particular.

No entanto, eu já não me sentia capaz de iluminar nada...

— O que foi? — mamãe perguntou, a testa vincando.

— Nada não.

Meus aniversários sempre eram marcados por uma mistura de emoções. Eu me sentia grata e feliz, mas também insuficiente, rejeitada. Uma vozinha irritante gostava de me lembrar que o homem mais importante da minha vida parecia ter se cansado de ser meu pai. Eu não tinha sido o suficiente, nem a mamãe.

— O Felipe mandou te entregar — ela me passou um envelope rosa com um lacre de cera vermelha.

Contraí os dedos dos pés, curiosa.

Passei o dedo pela rosa delicada marcada na cera antes de levantar à procura de algo para abrir a carta.

Querida Aurora,

Mais um 26 de janeiro chegou. Você sabe que este é um dos meus dias favoritos do ano. Por causa do bolo, claro. A dona Flora faz os melhores. Está bem, estou brincando. Adoro passar este dia com você. Eu poderia te desejar um feliz aniversário por aqui, mas tenho uma ideia melhor. Posso te pegar às 15h10?

P.S.: Adoraria manter a carta como o único meio de correspondência hoje, só que demoraria demais... Você pode me mandar uma mensagem confirmando?

Passei a mão pelo cabelo desgrenhado, as bochechas doendo de tanto sorrir.

Pensei que Felipe tinha esquecido quando eu disse no verão passado que amaria trocar cartas... E ele tinha mesmo marcado nosso encontro no minuto exato em que nasci? Fofo.

— Pronta? — Felipe perguntou ao pegar sua bicicleta.

— Sempre! — gritei e pedalei, deixando-o para trás.

Após passar o dia sendo esmagada pelas mulheres da família Müller, Felipe veio me resgatar para um passeio. A rota programada por ele ainda era uma surpresa.

Nossa primeira parada foi na Encantado's. Meu coração aqueceu quando o garçom nos serviu uma fatia enorme de torta de morango. Escrito em uma letra palito rosa fininha, as palavras "Feliz dia". Um solzinho desenhado do lado.

Felipe lambuzou meu rosto de chantilly enquanto os clientes cantavam parabéns. Ainda estava com o cantinho da boca sujo quando fizemos uma parada rápida por uma doceria que tinha as trufas mais gostosas da rota. Também passamos em uma pousada para tirar fotos — dando uma de fotógrafo, Felipe coordenou minhas poses, mas sabe aqueles momentos em que você só consegue gargalhar? Pois é. Ri até minha barriga reclamar.

O Campo das Lavandas foi nossa última parada.

— Ninguém deveria passar o aniversário sem tomar seu gelato favorito. — Felipe me entregou uma casquinha com duas bolas de gelato de lavanda.

— Seria um crime! — respondi.

Guardei no bolso o raminho de lavanda que decorava o gelato antes de levá-lo à boca. Já deveria estar enjoada de tanto doce, mas o sabor suave me fez fechar os olhos e suspirar.

Tomando nossas casquinhas, caminhamos pelos arbustos floridos e perfumados do lavandário. Andar por ali sempre fazia minha mente desacelerar. Foi impossível não assobiar "Pequenas alegrias", da Marcela Taís.

Ao olhar de relance para o garoto ao meu lado, vi que ele me fitava como um bobo.

— O que foi?

— Nada... — Felipe coçou a sobrancelha farta. — Você tem esse superpoder de assobiar uma canção inteira. É bacana.

— Não é tão difícil.

Aquele era um dos poucos hábitos que meu pai e eu tínhamos em comum. Ele tinha me ensinado quando eu era bem pequena.

Passei os minutos seguintes tentando ensinar a Felipe a "arte de assobiar", como ele mesmo chamou, mas tudo o que ele conseguia fazer eram uns barulhinhos infantis com a boca.

Sentados em um banquinho, observamos o céu ser pincelado por camadas rosas e lilás. Os arbustos balançavam com a brisa suave.

Felipe esticou o braço para pegar um raminho de lavanda. Ele pigarreou enquanto brincava com o raminho delicado em suas mãos já calejadas pelo mês de trabalho.

— Aurora — ele me chamou. — Eu sei que a vida tem surpreendido você com capítulos que você não esperava, e que alguns deles são mesmo um saco... — Enrugando o nariz, seu rosto moreno formou uma careta. — Mas, neste aniversário, eu queria dizer que tenho orgulho da garota bondosa e corajosa que você é. Mesmo tendo enfrentado tantos desafios, você tem um coração lindo, sabe?

Sua voz doce e sincera me fez ter certeza de que ele não estava brincando.

— Você tirou o dia para ser brega, foi? — alfinetei, tentando disfarçar a vergonha.

— Às vezes, é preciso — ele riu e inflou o peito, nada envergonhado.

Depois de apertar o ramo de lavanda entre os dedos, Felipe o levou ao nariz e inspirou a fragrância. O cheiro estava tão forte que não demorou a me alcançar.

— Já percebeu como a lavanda libera muito mais perfume após ser machucada? — Ele me entregou o raminho, e eu também o levei ao nariz.

— Nunca tinha notado...

— Minha mãe me ensinou isso uma vez, enquanto passeávamos por aqui. — Seus olhos percorreram os arbustos. — Para extrair o melhor perfume da lavanda, ela precisa ser machucada, esmagada. Para fazer um óleo, ela precisa ser prensada... Já parou para pensar como é assim também em nossa vida? Deus permite que certas coisas inesperadas aconteçam para que ele possa extrair o melhor perfume de nós. Você tem exalado um bom perfume, Aurora, e eu creio que com o passar dos anos essa fragrância será ainda melhor. Basta continuar confiando em Deus de todo o seu coração e não deixar que as circunstâncias difíceis roubem o seu perfume.

— Eita — deixei escapar. Meus olhos se encheram de lágrimas. — Você não devia me fazer chorar no dia do meu aniversário.

— Essa, com certeza, não era a minha intenção. — Ele me lançou um dos seus sorrisos.

— Posso confessar uma coisa?

Mesmo sabendo que podia desmoronar a qualquer instante, olhei meu melhor amigo nos olhos. Aqueles olhos castanhos sempre me deixavam à vontade. Felipe era uma das poucas pessoas com quem eu podia ser eu mesma.

— Sempre. — Com um movimento sutil da cabeça, ele me encorajou.

— Às vezes, não me sinto tão corajosa assim... Nem consigo entender o que Deus quer me ensinar com tudo isso, para falar a verdade. Há dias que eu só me sinto... perdida.

Fitando as nuvens, Felipe acompanhou um bando de pássaros que cortava a imensidão azul.

— Acho que, em dias assim, você só precisa ir até ele... — meu amigo sugeriu. — É diante dele que poderá entender quem é e encontrar coragem para prosseguir. Não se preocupe em se sentir pequena ou com medo. Antes mesmo que você nascesse Deus sabia que se sentiria assim. As emoções fazem parte de quem somos, e temos um Criador que se importa com elas. Lembra de Josué? Quando ele teve que assumir o lugar de Moisés, o Senhor disse que ele deveria ser forte e corajoso, não foi?

— Uhum — assenti.

Quantas vezes eu tinha repetido Josué 1.9 em momentos difíceis?

— Mas Deus não disse isso e pronto! — Felipe sorriu. — Ele ensinou a Josué onde encontrar aquilo de que ele tanto precisava. Se o líder de Israel conhecesse as Escrituras e obedecesse, seria bem-sucedido em tudo que fizesse. É dividindo a jornada com o Criador um dia de cada vez que encontramos propósito, força e coragem. Independentemente das circunstâncias.

Repousei a cabeça em seu ombro.

— Obrigada, tá? Foi o melhor presente que você poderia ter me dado.

— Imagina. — Ele beijou meu cabelo.

— Não acredito que as férias já estão acabando — lamentei.

— É, mal nos vimos...

♫

O sol já se punha quando voltamos ao Recanto.

— Surpresaaa! — um pequeno aglomerado de pessoas gritou, me fazendo perder o fôlego ao chegarmos ao jardim.

— Você foi cúmplice disso, não foi? — disse me virando para Felipe.

Enfiando as mãos nos bolsos, ele se fez de inocente.

Depois de ser envolvida em muitos abraços, percorri os olhos pelo jardim. Luzes amarelas espalhadas por todo o quintal. No alpendre, um bolo azul com detalhes em rosa repousava em uma mesa redonda. Tive pouco tempo para ver tudo, já que Mal e Diana anunciaram que tínhamos uma missão urgente.

Como se conhecessem o chalé como a palma da mão, as meninas me arrastaram até o quarto. A cama estava entulhada com nécessaires, roupas e sapatos. Diana me fez sentar diante da penteadeira.

— Parece que sua tia e sua avó fizeram um vestido para você — Malvina me informou pegando na cama um embrulho rosa.

Ah, então eu era a garota do algodão-doce! Curiosa, rasguei o papel de seda. Segundos depois ergui um vestido azul-bebê bordado com pequenas margaridas, mangas três quartos bufantes, busto com lastex e saia pregueada.

— É...

— Brega e menininha — Mal me interrompeu. — Não quero parecer mal-educada, mas você vai mesmo usar isso? No seu aniversário de dezessete anos?!

— Seria tão ruim assim? — Mordi o lábio inferior, insegura.

— Seria *o fim* — Diana decretou. — Sabe, amiga, tá na hora de amadurecer um pouquinho o seu estilo.

— Você é bonita, mas não sabe explorar sua beleza — Mal concordou. — Mas não se preocupe, podemos te ajudar! — Ela esfregou as mãos, empolgada.

— Aproveitamos nossa ida a Vitória para trazer algumas coisinhas — disse Di, saltitando pelo quarto. — Este vestido aqui ficará perfeito em você. Sério! Tá na hora de essa rosa desabrochar...

Ela tirou um vestido rosa escuro de dentro de uma bolsa. Parecia um pouco justo.

— Hum... — Molhei os lábios ressecados. — Acho melhor usar o vestido que tia Vera e vovó fizeram. Elas devem ter passado um tempão trabalhando nele.

— Você pode usar em outro momento — Diana deu de ombros. — Elas não vão se importar.

— Aurora, você está bem grandinha para fazer só o que os outros esperam. O que *você* quer? — Cruzando os braços, Malvina esperou por minha resposta.

♪

Assim que cheguei ao alpendre, precisei puxar o vestido um pouquinho para baixo. Ele revelava mais das minhas coxas do que eu estava acostumada.

Mamãe me olhou da cabeça aos pés.

— Ué, não foi esse vestido que sua vó me mostrou...

— A Aurora preferiu usar esse, tia — Mal contou com um sorriso inocente. — Ela está linda, não?

— Está, claro. Mas...

— Aurora — virando-se para mim, minha amiga a ignorou —, espero que não ligue, mas convidamos alguns amigos que estão hospedados no resort para dar uma passadinha.

— Eba! Eles chegaram — Diana noticiou indicando o jardim. — Vamos lá! — Ela me puxou, sem se importar com o fato de que eu não sabia andar direito naquele salto fino que tinha me forçado a calçar.

Entre os novos convidados estava o garoto de olhos azuis.

— Conrado — ele se apresentou e me deu um abraço e um beijinho no rosto. — É um prazer, aniversariante. Você tá linda.

— Há... — Sua proximidade quase me fez engasgar. — Eu sou a Aurora.

Conrado passou os minutos seguintes contando, detalhe por detalhe, tudo que tinha visto e feito durante sua estadia no parque. Ele deveria ter algum tique na sobrancelha, porque estava sempre a arqueando de um jeito estranho.

— É-é bom saber que gostou da região — falei, ansiosa para escapar. — Hum, preciso conversar com os outros convidados, tá?

Me afastei antes que ele tivesse tempo de responder.

Tentando me recuperar, caminhei até onde Felipe e Jhota estavam sentados com o grupo de amigos da igreja.

— Bem que o Jhota tinha comentado que você tem andado com a burguesia do parque... — Tina, a garota com o black mais charmoso de Pedra Azul, me provocou.

— Jhota! — cerrei os dentes ao repreendê-lo.

— Qual é?! Até no seu aniversário eles vieram.

— Bem, não fui eu que convidei...

Encarei meus pés doloridos.

— Será um prazer colocá-los para fora — ele disse em um sussurro debochado.

— Relaxa, cara. — Felipe apertou seu ombro. — A festa tá ótima.

— Você se importa se jogarmos *Uno* ou *Imagem e Ação*? — Tina perguntou.

— Óbvio que não — respondi com pressa.

Estava louca para sentar entre eles e jogar, mesmo sendo péssima em mímica. Contudo, a voz estridente de Malvina me obrigou a deixá-los. Quando ela me disse que a festa estava parada demais e que precisávamos de uma boa playlist, apontei para tia Vera. Era ela quem sempre controlava a caixa de som. Girando nos calcanhares, Mal desfilou pelo jardim.

— E aí, gatinha? — a voz sedutora de Conrado quase me fez dar um pulo.

— Tenho que fazer uma coisinha. Já volto!

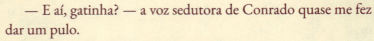

Trancada no banheiro, soltei um longo suspiro. Eu estava estragando a surpresa feita com tanto carinho por minha família.

Ao notar o vestido diferente, tia Vera e vovó me lançaram um olhar triste. Mamãe balançara a cabeça, entre confusa e irritada. E tia Fiorella tinha me dado um sorriso sem graça. Nenhuma de nós parecia feliz.

O que havia de errado comigo?

"Pula, pula, pula! Vem brincar de pula. Pula, pula, pula! Vem pra nossa turma...", a voz de Aline Barros ecoou pelo jardim.

Meneando a cabeça, sorri. Aquela era a vingança de tia Vera.

Sabendo que não podia passar a noite toda escondida, ensaiei um sorriso e saí.

Mas eu quis voltar para o meu refúgio secreto assim que vi um carro preto estacionando perto da garagem.

— Pai?!

9

A noite não podia piorar, não é? É claro que podia. Sempre dava para ficar pior. Pelo menos na minha vida.

Eu estava tentando levar numa boa aquela ideia de que passar pelo deserto era necessário, mas estava ficando difícil, viu?

Com o pé doendo depois de quase torcê-lo ao descer do alpendre, corri para os fundos, fugindo do meu pai. Pensei que encontraria sossego ali, mas o que vi fez meu estômago embrulhar.

Assim que virei na esquina, vi as unhas pretas e afiadas de Malvina em torno dos braços de Felipe. Ela parecia empurrá-lo contra a parede da cozinha. Suas mechas negras balançavam à medida que tentava beijá-lo.

Meus olhos arderam, enchendo-se de lágrimas. Dei um passo para trás. Recostada contra a parede, respirei fundo.

Naquele instante entendi por que meu estômago, às vezes, dava cambalhotas quando Felipe sorria. E por que eu estremeci quando nossos dedos se entrelaçaram na igreja. Mas como a minha vida estava longe de ser um conto de fadas e eu nunca parecia ser o suficiente para ninguém, é claro que Felipe tinha escolhido beijar outra.

Inspirei.

Eu tinha que sair dali. Me virei, mas a reação de Felipe me impediu de prosseguir.

— Tá maluca, Malvina?! — ele exclamou em um tom que misturava surpresa e irritação.

— Maluca, *eu*? Maluco é você por me rejeitar desse jeito. Passei o mês suportando aquela *sonsa* da Aurora só para te conquistar e é assim que retribui? Vocês dois se merecem mesmo!

Quê?

Minha cabeça girou. Os sons ao redor foram diminuindo.

— Ora, ora! — Mal bateu palmas, me assustando. — Talvez você não seja tão sonsa quanto eu pensava. Veio vigiar seu garoto?

— É melhor ir embora — ordenei, as mãos tremendo de raiva.

— Não precisa pedir, *querida*. Já era a minha intenção. — Ela arrebitou o nariz. — Não aguentava mais essa sua cara! E essa festa caída?! Credo! Você é tão sem graça, Aurora. Se continuar desse jeito, nunca vai ser alguém! — Com desdém, jogou o cabelo por cima do ombro.

Abri e fechei as mãos vendo-a voltar para o jardim.

— Aurora. — Felipe se aproximou e segurou meu cotovelo. — Não sei o que viu, mas...

— Tudo bem — eu o interrompi. — Ela só estava me usando para chegar até você...

Uma lágrima solitária abriu caminho pelo meu rosto.

— Não queria que se machucasse... — Felipe passou o dorso da mão por minha bochecha.

— Eu sei. — Funguei. — Por um momento, pensei que você estivesse a fim dela...

— Impossível — ele respondeu de imediato, meneando a cabeça. — Meu coração já pertence a outra garota.

— *Quem?!* — perguntei com o peito apertado e a voz estridente.

— Na hora certa você vai saber. — Seu rosto tenso se suavizou, revelando um sorriso doce.

— Ah, aí está você! — a voz eufórica do meu pai me impediu de descobrir quem tinha roubado o coração que eu... amava. — Está na hora dos parabéns, filha — anunciou, animado.

Relaxando os ombros, voltei para a realidade, minha frustrante realidade.

— O que o senhor tá fazendo aqui?

— Resolvo fazer uma surpresa e é assim que me recebe? — Ele deu uma risadinha sem graça, coçando a barba preta. Seus olhos castanhos estavam fundos e cansados.

Passei a mão pelo rosto.

— Tudo bem? — papai me lançou um olhar preocupado.

— E-eu... só não esperava que viesse. — Ocultei a confusão em que meu coração se encontrava.

— Escuta, sei que pisei na bola no início do mês... Então pensei em recompensar.

Assenti, pouco convencida.

— Você é o Felipe, né? Boa noite — ele cumprimentou o garoto ao meu lado. Havia anos meu pai não vinha ao Recanto. Da última vez que tinha encontrado Felipe, ele era um garotinho espinhento.

— É, boa noite.

— Os parabéns — papai lembrou, olhando o jardim por cima do ombro. — Vamos?

Minha cabeça ainda girava quando meu pai me conduziu até o alpendre e me posicionou diante do bolo. Com um ponto de interrogação na testa, mamãe parou ao meu lado, com meu pai do outro. Mal notei os convidados se aproximando para cantar.

— Pessoal, segura aí rapidinho — meu pai pediu e enlaçou meu pescoço. — Não acredito que já faz dezessete anos desde que te vi pela primeira vez, Aurora. Parece que foi ontem... Ainda lembro como foi segurar você, tão pequenininha, mas tão cheia de vida. Meu raio de sol — disse com a voz embargada. — Hoje, só quero te lembrar que *o papai te ama, tá*? E que tem muito orgulho de você...

Meu coração devia ter se tornado o próprio deserto, pois nenhuma daquelas palavras conseguiu ultrapassar o solo árido. Mesmo quando meu pai me puxou para um abraço apertado eu não senti nada além de raiva.

— Para você. — Ele estendeu uma caixinha vermelha aveludada.

Ao abrir, encontrei um daqueles braceletes de prata que as meninas da minha escola costumavam preencher com pingentes que tivessem algum significado. Um sol e um mini-ukulele ocupavam o centro da pulseira.

Fiquei paralisada enquanto ele colocava a joia em meu braço.
— Gostou?

Ele estava falando sério?

Ele não podia pagar a pensão, mas tinha dinheiro para comprar uma pulseira daquela? Não, não... Ele precisava mostrar para os outros como era um bom pai.

— Não acredito que fez isso — falei entredentes, a raiva e a frustração tomando conta de mim.

— Fiz o quê? — Confuso, ele riu.

— Não preciso de presentes caros. — Ao lutar contra a pulseira, furei o dedo em um dos raios do pequeno sol. — Só preciso da presença do meu pai. — Joguei a joia em sua direção.

Abrindo espaço entre as pessoas, que me fitavam com os queixos quase encostando no peito e as sobrancelhas encontrando os cabelos, me afastei.

O furo em meu dedo ardia, aumentando minha fúria.
— Aurora!
Podia ouvir seus passos pesados pela grama.

Assim que me alcançou, meu pai segurou minha mão, me obrigando a ficar cara a cara com ele.

— Que show é esse, filha? — Com a mão livre, ele esfregou as sobrancelhas, tentando não parecer bravo. Mas estava, e muito.

— *Show?!* É você quem está dando um show — disparei. — Você some por meses, não paga a pensão, mente para mim e resolve aparecer no meu aniversário para me dar *um presente caro* na frente de todo mundo?

— Sua mãe encheu sua cabeça contra mim, não é? — Com raiva, ele olhou por cima do ombro, à procura dela. — O nome disso é alienação parental, Leila! — vociferou.

Acompanhei seu olhar. Mamãe caminhava até nós, os olhos reluzindo por causa das lágrimas que segurava.

— Ela não fez nada — eu a defendi. — Acredita? Ela não fala mal de você... Nunca. — Minha garganta apertou. — Vocês se esquecem disso, mas eu não sou mais criança!

As emoções que eu havia segurado por tanto tempo explodiram, jorrando sem que pudesse controlá-las. Eu tinha passado as férias envolvida em uma falsa névoa de diversão e calmaria. Era como se tivesse caído em um sono profundo e me perdido no mundo dos sonhos. Guardando a timidez em um potinho, eu havia me entregado àquela amizade com Mal e Diana... Só porque precisava esquecer o caos que a minha vida era.

Felipe estava errado. Eu não era forte nem corajosa. Na primeira oportunidade que tive, fugi para um mundo de faz de conta. A realidade, no entanto, tinha me alcançado. Suas garras estavam me sufocando, e me vi cercada por inúmeros espinhos.

— Filha... — mamãe me chamou, as mãos estendidas.

Tive que ignorá-la.

Eu precisava colocar em palavras a dor que apertava meu peito. Ia explodir se não o fizesse.

— S-só queria que você fosse um pai melhor. U-um pai presente, que se importasse... — confidenciei, a voz embargada. — Não preciso de presentes, só de você, pai. Só... de um pai. É difícil?

Um silêncio doloroso pairou entre nós.

— Sinto muito, Aurora. — Seus ombros derreteram como sorvete em dia de sol. — Mas isso é tudo o que eu posso ser.

— Você não pode tentar? Não pode... melhorar?

— Meu pai foi assim, filha. Eu não sei ser de outro jeito... Esse é o único jeito que eu sei.

Suas desculpas rasgaram meu coração, fazendo as lágrimas romperem.

Eu não podia ficar ali. Não podia. Disposta a deixar aquilo tudo para trás, corri para a floresta.

♪

Com os olhos embaçados e o peito subindo e descendo em ritmo desgovernado, voei entre as árvores, me embrenhando cada vez mais. Precisei tirar as sandálias depois de tropeçar em uma raiz e ralar os joelhos. Corri até não ser mais capaz de ouvir meu nome sendo chamado.

Eu precisava desaparecer e sufocar a dor que dilacerava meu peito.

Será que eu era tão ruim assim para meu pai nem se esforçar? Será que não valia a pena lutar por nós e tentar ser um homem diferente?

Pelo visto, não.

As lágrimas aumentaram, me impedindo de ver o chão. Fui parada quando minhas pernas se enroscaram em uma raiz enorme. Ao cair, bati a cabeça. Fraca demais para levantar, fiquei ali até a dor desaparecer.

Quando abri os olhos, estava deitada na minha cama no chalé. Ao meu lado, mamãe roncava baixinho. De mansinho, levantei. Não havia em meu corpo lugar que não doesse. Voltar para debaixo do lençol quentinho parecia a melhor ideia, mas o vazio em minha barriga me obrigou a descer as escadas.

Para meu espanto, Felipe dormia esparramado no sofá da sala. Com a testa franzida, continuei minha peregrinação.

— Oi, querida — vovó me cumprimentou baixinho.

Ela estava sentada à mesa com minhas tias. O chá em suas xícaras fumegava.

— Por que o Felipe tá dormindo no nosso sofá? — indaguei ao sentar.

Eu sabia que precisava pedir desculpas, mas ainda não tinha certeza se estava pronta, se as palavras certas sairiam.

— Ele passou a madrugada procurando por você — vovó revelou.

— E não quis ir embora até saber que estava mesmo bem — Fiorella acrescentou.

— Foi ele quem me encontrou? — Passei a mão pela testa que faiscava.

— Talvez devêssemos levá-la ao médico de novo… — tia Vera recomendou, temerosa.

— De novo?!

— Você bateu a cabeça em uma raiz, querida — vovó informou. — Depois que sumiu, um grupo de buscas se formou. A cavalo, Felipe e Humberto te encontraram, horas mais tarde. Inconsciente. — Ela passou a mão pelo rosto cansado, parecia ter mais rugas naquela manhã.

— Levamos você ao hospital, onde fez alguns exames, mas está tudo bem — tia Vera garantiu.

Alisando a toalha florida, tentei me lembrar do que tinha acontecido na floresta, mas só conseguia ver as árvores na noite escura. Alguns flashes da estrada e do hospital piscaram em algum cantinho da minha cabeça.

— Sinto muito por ontem à noite — falei, finalmente. — Fui uma idiota, né? Estraguei tudo. Me desculpem. Mesmo.

— Está tudo bem. — O sorriso de tia Fiorella foi tão acolhedor quanto um chá quentinho de camomila com açúcar.

— Eu sabia que as meninas eram diferentes, mas nunca imaginei que elas pudessem se aproximar só por interesse...

Eu já deveria ter direito a uma carteirinha do Clube dos Corações Idiotas, né? Como não desconfiei?

Envergonhada, cobri o rosto com as mãos.

— Você se envolveu em uma amizade não muito saudável, minha filha. — Não havia julgamento na voz ou nos olhos de vovó. — Pode acontecer com qualquer um. Principalmente quando estamos passando por um momento difícil. Escute, nunca vale a pena permanecer numa amizade na qual você precisa mudar para ser aceita, na qual tem que esconder sua singularidade para se adequar ao ambiente. Amizades que podam, menosprezam, inferiorizam, sugam nossas forças e nos colocam em situações desconfortáveis não fazem bem. Nunca.

Vovó estava certa. Quando me deixei levar por aquele desejo

de esquecer meus problemas e ser apenas uma adolescente normal, comecei a abrir mão de mim mesma. Um dia de cada vez.

— Nas poucas vezes que aquelas garotas passaram por aqui — ela continuou —, percebi que a amizade de vocês não era lá essas coisas, mas você estava tão envolvida que não aceitava bem nem quando te pedia para passar o dia em casa...

Lembrei de todos os dias em que implorei que ela me deixasse encontrar as meninas. Na maioria desses dias, o roteiro tinha sido pensado por elas, levando em consideração o que *elas* queriam fazer, não eu.

— É, a senhora tem razão... — Deixei as mãos caírem sobre a mesa.

Minhas tias-avós me fitavam com carinho.

— Agora, sobre o seu pai... — Vovó acariciou minha mão. — Lamento muito que o relacionamento entre vocês seja tão difícil. Toda criança merece um pai bom e presente. Infelizmente, Estevão é um homem falho, que tem preferido reproduzir os erros do pai e transformar suas dores em desculpas, em vez de lutar para ser um homem melhor. Eu nunca vou aprovar as decisões que ele tomou, viu?

— Jamais! — tia Vera exclamou, a cabeça balançando em repreensão.

— Não vamos passar pano, não mesmo. É assim que vocês dizem hoje em dia, não é?

Tia Fiorella me roubou um sorriso.

— Mas precisamos te dizer uma coisa, Aurora. — Vovó alisou sua xícara. — O problema não está em você. Não foi algo que você fez que afastou seu pai. Foi escolha dele. E o fato de ele ter se afastado não significa que você não tenha um pai nem que não seja amada.

Como a chuva no fim de um dia quente de verão, suas palavras tocaram lugares doloridos e secos do meu coração. Meu peito subiu e desceu, dançando no ritmo das lágrimas.

— Jesus usou uma palavra muito preciosa para descrever o Senhor: *Aba* — disse vovó. — Essa era a palavra que as crianças hebreias usavam. Quer dizer "paizinho". A verdade, minha filha, é que existe um Pai no céu que te amou tanto a ponto de enviar o próprio Filho para morrer em seu lugar. E o sangue de Jesus naquela cruz não só salvou você da morte eterna, mas assinou sua certidão de adoção. Você é filha do Deus Altíssimo. Filha do Rei dos reis. E o que isso faz de você?

— Uma princesa — tia Vera respondeu em meu lugar, já que as lágrimas me impediam de formular qualquer frase. — Uma pedra preciosa do Senhor.

Sua resposta me fez lembrar a canção "Daughter of the King":

You're a daughter of the King
So tell me what does that make you?
[Você é a filha do Rei
Então me diga: o que isso faz de você?]*

Aquela não era a primeira vez que eu ouvia que era filha do Deus Todo-poderoso, mas foi a primeira vez que realmente me senti dessa forma. Por um instante tudo à minha volta sumiu. Parecia que eu estava de pé diante dele. Eu me vi refletida em seus olhos doces e bondosos. As verdades sobre mim estavam ali. E o que aqueles olhos diziam era suficiente.

— O Criador do universo escolheu ser seu Pai, querida — disse vovó. — E ele é um Pai que não esquece, não abandona nem rejeita seus filhos. Ele está sempre conosco.

*Jamie Grace e Morgan Harper Nichols.

— E você é mais amada do que imagina. — Tia Fiorella deu umas batidinhas na mesa.

— Querida, você não precisa caminhar por este mundo como uma órfã de pai vivo... Não precisa carregar a rejeição e o abandono como um fardo em suas costas. — Vovó apertou minha mão.

Como ela sabia o que se passava em meu coração? Solucei, as lágrimas pingando sobre a mesa. Minha avó se levantou e me envolveu em seus braços.

— O amor imensurável de Deus é capaz de preencher os vazios deixados pela ausência de um pai terreno. — Ela secou minhas lágrimas. — Acredite, o amor dele é suficiente para curar as feridas que você carrega.

Sua voz doce foi me acalmando.

— Quando seu bisô faleceu, nós três éramos muito pequenas... — tia Vera alisou o queixo, pensativa. — Ele foi um pai amoroso e presente, por isso foi muito difícil seguirmos em frente. Naqueles dias, mamãe nos ensinou que Deus é um Pai bom e presente. Mais do que ler sobre a paternidade de Deus, ela nos mostrou que podíamos experimentá-la todos os dias. E é ele, apenas ele, quem define quem somos. Não somos órfãs, somos filhas amadas.

— Você também pode provar desse amor, Aurora. E, quanto mais provar dele, mais saberá quem foi criada para ser. — Então vovó depositou um beijo em minha testa.

Epílogo

Um ano depois...

Eu já disse que a minha vida nunca foi um conto de fadas, não disse? Por isso, não dá para ficar esperando um "e viveram felizes para sempre" — até porque, neste mundo caído, marcado pelo pecado, ninguém consegue ser feliz o tempo inteiro. Vira e mexe a gente chora e se vê de novo em mais uma temporada no deserto. Ainda assim, sempre é possível encontrar motivos para sorrir e ser surpreendido pelo grande Autor. Dá até para ver as flores começando a brotar em meio à areia e ao sol escaldante. Sério.

As coisas andaram mudando por aqui. Para ser bem sincera, nunca imaginei que minha vida pudesse mudar tanto em tão pouco tempo. Bastou deixarmos a caneta nas mãos do Criador para que novos capítulos fossem escritos.

Depois daquele aniversário desastroso, mamãe decidiu acionar nossa advogada para que algo fosse feito a respeito das pensões atrasadas. Meu pai não gostou nada de ser intimado, mas quitou os atrasos e passou a pagar minha pensão com regularidade.

Eu sabia que a minha reação na festa não tinha sido das melhores e, por isso, pedi perdão, mas nem isso nos aproximou. Infelizmente, ele permaneceu ausente. Em alguns meses mais do que em outros. Não poderia dizer que essa situação deixou de me incomodar. Ainda doía. Eu sentia falta de ter um pai presente e amigo. Contudo, eu vinha experimentando a paternidade de Deus de um jeito único. Não caminhava mais como órfã, mas sim como filha amada. De quebra, estava descobrindo o que significava estar gravada na palma da mão do Deus que tem segurado o universo entre os dedos:

- Era amada, não pelo que fazia, mas pelo que era.
- Meu Pai provia além do que eu precisava e tinha prazer em cuidar de mim.
- Era mais preciosa do que rubis.
- Minha identidade estava fundamentada no que ele dizia a meu respeito.
- O deserto era uma escola, uma temporada, que tinha o poder de me ensinar e aperfeiçoar.

Descobrir quem eu sou aos olhos do Pai estava me ajudando a olhar para meu pai terreno com mais graça e bondade. Nunca iria concordar com as decisões que ele tomou, mas estava aprendendo a perdoá-lo e seguir em frente. Orar para que ele fosse alcançado pelo amor imensurável do Criador se tornou um hábito diário.

E a melhor parte: enquanto eu entendia quem tinha sido criada para ser, estava começando a descobrir alguns dos propósitos de Deus para mim.

Algumas semanas atrás, depois de ser muito encorajada pelo Felipe e por tia Vera, postei um reel no Instagram cantando uma versão de "As verdades sobre mim".* Meus dedos tremiam ao clicar em postar. Temerosa, joguei o celular em um canto e fui fazer outra coisa.

* Melissa Barcelos.

Só esperava que Felipe, Luanna e minha família reagissem, no máximo. Mas o vídeo gravado entre as roseiras do pergolado — como Malvina e Diana tinham sugerido mais de um ano atrás — chamou tanto a atenção dos meus poucos seguidores, que alguns deles pediram insistentemente que eu desbloqueasse o perfil a fim de que outras pessoas pudessem vê-lo também... O vídeo viralizou, e eu não parei de receber mensagens de garotas que estavam descobrindo a paternidade de Deus e tendo suas identidades reconstruídas por ele. De alguma forma, minhas experiências estavam sendo úteis para algumas delas.

Essas não foram as únicas mudanças. Mamãe parece ter tido suas próprias conversas com nossas fadas madrinhas prediletas, pois entendeu, finalmente, que a rotina frenética de trabalho não faria bem à nossa família. Ela me contou recentemente que depois do divórcio estava encontrando muita dificuldade em confiar em Deus. Incerta de que ele cuidaria de nós, preferiu arregaçar as mangas e manter o controle da situação, uma atribuição grande demais para alguém tão pequena quanto ela. Mamãe estava sobrecarregada, esgotada.

Assim como eu, naquele verão, ela encontrou aconchego nos braços do *Aba* e descobriu quão leve pode ser confiar nele de todo o coração.

Há pouco mais de seis meses, nós nos mudamos para Domingos Martins. Parecia loucura deixar a capital, onde mamãe tinha emprego certo, para recomeçar a vida no interior. Mas se a loucura for debaixo da direção de Deus, as coisas darão certo, mesmo enfrentando alguns perrengues. Ela encontrou uma vaga em uma escola tranquila na região, enquanto eu passei o inverno me dividindo entre estudar para o Enem e conduzir trilhas com Felipe no Bosque Encantado.

Montada em Amora, um filme passou por minha cabeça enquanto observava o sol começar sua descida no horizonte. Sua luz, agora mais rosada, tocava com delicadeza cada cantinho do parque estadual.

Com o peito quentinho de gratidão, cantarolei:

Não chore por favor
Desse deserto se fará um jardim
Levante o seu olhar
O sol já vai surgir no horizonte
Se lembre dos tempos antigos
De cada promessa de outrora
Esse não é o fim
É só um capítulo da história
*Alegria está por vir**

— Eu queria ter trazido você aqui no último verão. — Felipe desceu de Sansão. — Mas quer saber? Foi muito melhor desse jeito — completou em tom misterioso.

Ele passou o dia todo assim, cheio de segredos. O que estava quase me matando de curiosidade!

— É lindo. — Forcei um sorriso.

Depois de cavalgarmos por uma das montanhas que cercavam o Bosque Encantado, tínhamos chegado a um mirante privativo de tirar o fôlego. Não conseguia acreditar que ele havia passado o ano inteirinho escondendo aquele lugar de mim.

Enquanto os cavalos pastavam em segurança, nos sentamos na grama macia, contemplando a paisagem aos nossos pés.

*Laura Souguellis, "Alegria está por vir".

Ainda sentia o gostinho do gelato de lavanda em minha boca. O lavandário tinha sido parada obrigatória no meu tour de aniversário mais uma vez.

— Aurora.... — Felipe chamou minha atenção. Ele parecia um pouquinho nervoso. — No seu último aniversário, você me fez uma pergunta, lembra? E eu respondi que você só saberia a resposta quando a hora certa chegasse...

Ai. Meu. Deus!

Depois de passar um ano me coçando de curiosidade, Felipe finalmente me diria a quem seu coração pertencia? Eu tinha medo da resposta. Passei os últimos meses tentando esconder que o amava e orei inúmeras vezes para que Deus levasse aquele sentimento embora se ele não fosse de sua vontade. O sentimento, porém, não se foi, e quanto mais eu observava quem Felipe de fato era — um rapaz respeitoso, bondoso e, o mais importante, temente a Deus —, mais amava o dono daqueles olhos doces, que convencia qualquer um com seu sorriso gentil.

— Lembro... — respondi, insegura.

Alisei o vestido azul e brinquei com algumas das margaridas bordadas por vovó enquanto torcia para que ele estivesse se referindo *àquela* pergunta.

— Bom, eu até poderia ter te contado naquele dia, mas sabia que não era a hora certa. Você estava passando por tanta coisa... — Felipe me fitou com doçura. — A verdade, Aurora, é que meu coração pertence a você.

— Quê?! — perguntei, o queixo caindo com o choque.

O sorriso bobo de Felipe se transformou em uma risada, mas logo murchou, ansioso.

— Espera! Isso não soa como algo absurdo para você, né? — Ele mordeu a bochecha.

— Bem... — Fiz um suspense, já que ele tinha me torturado o dia inteiro. — Só parece que estou sonhando acordada, entende?

Minha resposta fez seu sorriso voltar, iluminando seu rosto. Meu estômago, por sua vez, se agitou, em festa.

— Quer dizer que você... — Arqueando as sobrancelhas, ele me encarou ainda mais, deixando a pergunta no ar.

— Aham — respondi, as bochechas corando.

Eu deveria ter dito algo melhor, mas meu peito podia explodir a qualquer instante de felicidade.

— A dona Flora tinha razão... — Ele balançou a cabeça, convencido.

— Razão?!

— Ah, eu fiz as coisas direito, tá? Conversei com a sua mãe e a sua avó primeiro. Pedi autorização e tudo. Até com o seu pai eu falei... — Ele engoliu em seco.

— Por que elas não me disseram nada? Não me deram nem um sinalzinho... — resmunguei.

— Dona Flora tinha certeza de que eu deveria seguir em frente e me declarar — ele me ignorou.

— Na verdade, você está se arriscando muito, sabia?

— Talvez, só que não consigo mais disfarçar. — Ele respirou fundo. — Gostaria de poder dizer a você o momento exato em que descobri que não a amava apenas como minha melhor amiga, mas não sei... Foi tudo tão natural, Aurora. Eu me peguei encantado pela maneira extravagante como você sorri, sabe? É, desse jeitinho aí... — Ele me empurrou com o ombro, o que fez meu sorriso crescer. — Fui pego no flagra diversas vezes pelo Jhota cantarolando alguma de suas canções favoritas... — Ele coçou a nuca, envergonhado.

— Nããão! — empurrei-o de volta, rindo.

— É sério!

Nossas risadas se misturaram ecoando pelas montanhas.

— Nossas chamadas de vídeo se tornaram meu momento favorito do dia. E eu sorrio feito bobo ao ouvir seus áudios no WhatsApp. Todas as noites, quando oro por minha futura esposa, seu rosto sempre me vem à cabeça, princesa. Sei que estou arriscando todas as minhas fichas aqui, mas não consigo mais disfarçar. Mesmo. Eu te amo, Aurora — declarou, repousando sua mão sobre a minha.

Com os olhos brilhantes, entrelacei meus dedos nos seus.

— Eu também te amo — confessei, ainda sem acreditar que a cena que eu só achava possível acontecer nos meus sonhos estava sendo escrita pelo Criador.

— Você aceita namorar comigo?

— Você ainda tem alguma dúvida? — Meu sorriso esmagou minhas bochechas.

Rindo, Felipe encostou sua testa na minha.

Para não perder o costume, cantarolei um trechinho de "Eu escolhi te esperar":

Segura a minha mão
Você terá que me cuidar
É teu meu coração
Se você for meu par
Ninguém gosta de solidão
Mas escolhi te esperar
Fiz uma oração
*Pra este dia chegar**

Nossos olhos se fecharam. Envolvendo meu rosto com suas mãos, Felipe ainda ria quando nossos lábios se tocaram.

* Marcela Taís.

Coração de guerreira
Maria S. Araújo

1

— Oi, vó, cheguei! — Lana entrou em casa correndo e se jogando ao lado da avó no sofá. — A senhora não vai acreditar!

— Hum... — A mulher de cabelos brancos, olhos pequenos e pele morena olhou rapidamente para Lana, não parecendo muito interessada.

— Vai abrir uma academia de artes marciais aqui!

Lana não conseguiu conter a empolgação e deu alguns pulinhos no sofá, fazendo sua avó balançar junto. Ao voltar seu olhar para a neta, havia um ponto de interrogação em sua testa.

— Vó, você me ouviu?! Será que dá pra dar uma pausa no dorama por um segundo?

Finalmente, a série asiática congelou na tela.

— Sim, meu bem, sim... mas não sei por que essa animação toda.

— Não é óbvio?! Vou poder me matricular no Kung Fu! Sabe qual a chance de uma escola de artes marciais vir para uma cidade minúscula como Campo Maior e ainda por cima oferecer Kung Fu?!

— Na verdade, não — a avó disse, coçando a cabeça.

— Pois eu lhe afirmo que é *super-mega-mínima*. Kung Fu, vó!

— Lana, eu nem sei o que é isso.

— Lembra do filme *Kung Fu Panda*? — a neta perguntou, e a avó sacudiu a cabeça em negativo. — E o Jackie Chan, a senhora conhece, não conhece? — a avó ficou pensativa. — Olha, para uma superfã de doramas, a senhora está bem desatualizada sobre o Oriente, viu. Bora adicionar uns doramas chineses de ação aí nessa lista.

— Eu prefiro os doramas sem luta, meu foco é o amor ingênuo entre eles. Me lembra o seu avô, ele...

— Eu já ouvi essa história mil vezes — Lana a interrompeu de forma dramática. — De como o vovô só pegou na sua mão quando vocês namoravam, e pediu permissão para lhe dar um beijo, e como ele era o seu *"oppa"* brasileiro... — Lana fez aspas com os dedos. — Mas será que dá para focar em mim por um segundo?

Vó Fa gargalhou, as bochechas fazendo os olhos se fecharem com o riso.

— Aprendeu direitinho, não é? Está bem, fala, eu estou ouvindo — ela fez como se fechasse um zíper na boca.

— É sério... sabe aquele baú em que meu pai guarda as coisas da mamãe? Então, um dia eu estava remexendo nas coisas dela, e encontrei um diário. Dentro havia vários recortes de revistas sobre a China, e uma das figuras era de dois guerreiros lutando Kung Fu, e do lado estava escrito à caneta a palavra "sonho".

— E foi assim que você decidiu que fazer kung fa...

— Kung Fu, vó — Lana a corrigiu.

— Isso aí. Então é por isso que você quer fazer esse esporte?

— Digamos que foi onde tudo começou... Já volto.

Lana saltou do sofá e foi até seu quarto. Puxou a primeira gaveta de sua cômoda e retirou o pequeno caderno de capa grossa e amarelada. Sentou-se na cama e se deixou aproveitar o momento. A luz do fim do dia que vinha através das cortinas criava uma atmosfera nostálgica, fazendo Lana exalar um suspiro ao abrir o caderno pela milésima vez. Leu a dedicatória em uma bonita caligrafia:

Para Lili, uma flor de lírio que floresce em tempos de pouca luz.

Iva e André, 1986.

— Ah, mamãe, a senhora passou por tanta coisa... — Lana sussurrou virando a página. Sua mãe teve de aprender a língua portuguesa na adolescência, por isso sua caligrafia era como de uma criança de cinco anos. Lana releu partes que até já havia aprendido de cor, em que a mãe descrevia a mudança para o Brasil, a adaptação a uma cultura diferente, a época em que conheceu Douglas, a gravidez e a emoção ao saber que esperava uma menina.

Lana viu seu nome escrito repetidamente nas páginas, envoltas por desenhos de flores. Fechou o desgastado caderno e se pôs de pé, voltando para a sala de estar.

— Aqui — Lana estendeu o diário para a avó. — Acho que a mamãe nunca pôde fazer Kung Fu, não sei se por questão de saúde ou de falta de dinheiro. Mas agora eu tenho a chance! Finalmente vou poder me conectar com a cultura dela, descobrir sobre as minhas origens, vó! — Seus olhos escuros reluziam com a ideia.

— Filha, isso é ótimo! Eu quero que você saiba que eu te apoio, tá? Mas não sei como o seu pai vai reagir...

— Eu vou falar com ele! Afinal, é direito meu querer conhecer mais da cultura da mamãe, certo?

— Você já orou sobre isso?

Lana olhou para a senhorinha de cabelos brancos de um metro e cinquenta e abriu os lábios com um sorriso.

— Claro, vó! Pedi a Deus para amolecer o coração do meu pai — Lana respondeu.

Vó Fa sorriu e lhe deu um rápido abraço, bagunçando seus cabelos pretos e lisos.

— Ele também vai trabalhar no seu, meu bem.

Lana sorriu largamente. Ela sabia em seu coração que, sim, Deus já estava trabalhando. Nos últimos meses, pensamentos sobre si mesma e seu propósito de vida surgiam com frequência em sua cabeça jovem e por vezes confusa. Ela se sentia eufórica e ansiosa para finalmente encontrar uma forma de se relacionar com a cultura chinesa morando no Brasil, um país tão diferente de suas raízes asiáticas. Ela sabia que o vazio que sentia dentro de si, todos os questionamentos sobre a vida, se devia ao fato de nunca ter conhecido sua mãe.

— O que está se passando nessa cabecinha, hein? — vó Fa perguntou, analisando o rosto doce da neta que parecia estar em outro mundo.

— Não é nada, vó.

Mesmo tendo criado a neta, Fa sabia que não era a mesma coisa. Lana tinha muita curiosidade sobre a mãe e um desejo de conhecer mais sobre a cultura chinesa. Já havia até tentado aprender o mandarim e usava o tempo livre para assistir a vídeos sobre a Ásia na internet. Não ter conhecido a mãe deixou um espaço dentro do coração de Lana, e a avó sabia que não poderia privá-la do desejo de se conectar com cada elemento que mantivesse viva a memória da mãe. Quanto ao pai, Fa não tinha tanta certeza de que ele gostaria da ideia da menina de querer se conectar à cultura da falecida esposa.

— Agora fique aqui com sua avó assistindo a este episódio. Depois vamos preparar o jantar juntas.

Lana concordou feliz e deitou sua cabeça no ombro da avó enquanto assistia a uma cena de *Pousando no amor*, em que a protagonista era levada em seu paraquedas por um vento forte e ficava presa numa árvore, sendo surpreendida por um soldado coreano.

Tudo estava, finalmente, começando a se encaixar em seu devido lugar.

2

— Vixe, pirou na batatinha, foi? — Dudu perguntou ao se aproximar de Lana, que estava agarrada ao portão de entrada da escola com os olhos fechados.

— Estava pensando alto e também fazendo uma oração, primo. Quando chegar em casa vou falar com meu pai sobre a matrícula no Kung Fu. Ontem ele estava muito estressado, estou esperando o momento certo.

Ela soltou o portão e caminhou com Dudu até a barraquinha de lanches, atraídos pelo aroma de queijo na chapa.

— Quero só ver.

— Dudu! — Lana exclamou, dando um empurrão nele. — Você devia estar orando comigo, isso sim!

— Não está mais aqui quem falou...

— Ei, cara, hoje o lanche é por minha conta. Quer o quê? — um garoto próximo perguntou ao outro.

— Só se for pastel de *flango*.

Os dois caíram na risada, e Lana revirou os olhos. Ela nem precisava olhar para saber que desejavam atingi-la. Adolescentes podiam ser maus.

— Não liga pra eles, prima — Dudu disse, tomando um gole de seu refrigerante.

— Dá licença, pirralho. — Um dos garotos trombou no ombro de Dudu, fazendo-o derramar a bebida em sua camisa de farda branca. Dudu deu um passo em direção aos garotos com um olhar ferino.

— Dudu! — Lana agarrou-o pela gola da camisa.

— Me solta que vou mostrar para esse carinha como é ter uma perna quebrada!

— Deixa de crise... você acabou de me dizer para não ligar para eles.

— Foi exatamente o que eu disse, *você*. Eu não. Eu posso acabar com eles! — Dudu reclamou, finalmente se livrando de Lana, mas os dois alunos já estavam longe.

Lana olhou para ele pensativa. O garoto de pele bronzeada, olhos pequenos e cabelo curto era mais baixo que a média para a sua idade, mas o que tinha de baixinho tinha de afobado.

— Dudu, olha o seu tamanho... Você é um tampinha.

— Ei, olha o respeito! — ele disse, arrumando a camisa no lugar. — Os melhores perfumes estão nos menores frascos, tá?

— Sei... Vamos logo que a aula vai começar e você precisa limpar essa camisa

— A resposta é não.

Lana piscou duas vezes e abriu a boca para voltar a falar.

— Mas, pai, isso é importante para mim! Está no meu sangue!

— Lana, isso não é coisa para menina, eu não quero te ver machucada. — Douglas sentou no sofá, esticou a perna na mesinha de centro e pegou o controle da televisão.

O sol do fim de tarde que atravessava as vidraças no alto da parede iluminava o ambiente.

— Óbvio que não, né, pai! Kung Fu é um esporte e é para todos! Eu vou treinar direitinho e aprender a me defender.

Lana, que ainda vestia sua farda com a mochila nas costas e usava seu All Star vermelho — sua cor favorita —, cruzou os braços em posição de quem não desistiria fácil.

Douglas respirou fundo e passou a mão por sua barba longa e cheia. Conhecia bem a filha. Ela era persistente.

— Eu não sou de porcelana — Lana continuou, sentando-se com as pernas cruzadas.

— Filha, você não precisa ajudar sua avó no jantar?

Ele levantou-se o mais rápido que sua perna permitia, pegou sua bengala e atravessou a cozinha, na direção do quintal. Seu pai sempre fazia isso como sinal de que a conversa estava encerrada, o que frustrava Lana profundamente.

— Mas eu nem terminei de falar! — Lana gesticulou, mas não recebeu resposta.

— Boa tarde, minha linda! — vó Fa a cumprimentou entrando na sala e depositando um beijo na cabeça da neta.

— Boa tarde coisa nenhuma, vó. Meu pai é um chato, nem me deixou terminar de falar. — Lana fez beicinho para a avó.

— Você perguntou sobre a matrícula na academia daquele esporte?

— Sim, e recebi um não bem dado — Lana suspirou, jogando o corpo para trás no sofá.

— Ah, Lana, você sabe como é seu pai. Você é o milagre dele, e ele quer protegê-la a todo custo. Ele sempre foi durão, desde criança, mas o exército o deixou ainda mais rígido, e quando ele perdeu sua mãe então...

— Isso não justifica, vó. Eu tenho dezessete anos! E tem algo faltando dentro de mim, e eu sei que é minha origem chinesa me chamando.

— Como ela está poética hoje! — a avó brincou. Então foi até a cozinha e encheu um copo d'água.

— Vó! — exclamou Lana, que se levantou e caminhou atrás dela.

— Depois tente falar com ele novamente. Talvez o coração dele amoleça um pouquinho.

— Está bem — ela concordou, abrindo a geladeira e tirando os ingredientes para fazer a salada.

Precisaria ser paciente, o que não era exatamente um talento seu.

3

— Filha, você poderia escolher fazer balé, canto, pintura... Por que não aprender a tocar um instrumento?

Douglas estava sentado na cozinha tomando café da manhã. Lana havia acordado mais cedo que o normal, só para ter tempo suficiente de falar com o pai antes de ir para a escola.

— Pai, me ouve, por favor. Eu não cresci com a minha mãe, não tive essa bênção. Olha para mim! — Ela chamou a atenção para seu rosto oval, olhos puxados e cabelos pretos e lisos, tão diferentes da pele bronzeada e dos olhos redondos do pai. — Tudo em mim grita pela minha origem. Eu sei que este era um sonho da mamãe, e agora é meu também.

Douglas a observou por alguns segundos, o que pareceu uma eternidade.

— Como assim? — finalmente perguntou, e Lana narrou a mesma história sobre o diário que contou para a avó.

— Filha, vem, senta aqui... — Ele puxou uma cadeira para perto de si e deu três batidinhas. Lana sentou-se a contragosto, mas precisava cooperar se quisesse que o pai a escutasse.

Lana ouviu a mesma história de sempre, de como sua mãe havia sofrido na China. A política chinesa de apenas um filho por família não favorecia as crianças de sexo feminino. Sendo a filha do meio de três crianças e a única menina, a mãe havia crescido numa situação precária, tendo de trabalhar desde pequena e se esconder na maior parte do tempo.

Aos oito anos de idade, porém, ficou muito doente de anemia e quase morreu. Os pais a entregaram para Iva e André, um casal de missionários, como a última chance de ajudá-la a sobreviver. Eles a trouxeram para o Brasil, ao estado do Piauí, e a criaram como filha, mas ela não conseguia esquecer a vida dura de seu país de origem. Quando Douglas e Lili se casaram, ela tinha pesadelos todas as noites. Lembranças da China e da família a atormentavam.

Lana suspirou fundo. Conhecia essa história de cor e salteado, havia lido vislumbres dela no diário da mãe, ainda que ela não houvesse escrito muita coisa. Era como se estivesse assistindo a um filme dramático em sua mente. Sabia como a mãe havia sofrido, e infelizmente nunca a conheceu para ver com os próprios olhos como ela tinha superado suas dores. Mas a admirava muito e desejava ser como ela.

— Então ela engravidou de mim, parou de ter pesadelos, mas a anemia severa voltou, eu precisei ser retirada prematuramente, e ela acabou pegando uma bactéria que a levou... — completou Lana, baixando os olhos. Seu pai balançou a cabeça, concordando.

— Isso. A anemia voltou muito mais intensa. Era você ou ela, e Lili te escolheu. Você conhece a história, minha filha.

Ouvir o nome da mãe pelos lábios do pai só trazia um desejo intenso de saber mais. Os dois ficaram em silêncio por alguns segundos, sorvendo o aroma do café enquanto a luz entrava pelas vidraças da cozinha. Memórias de alguém que não estava entre eles invadiram seus pensamentos.

— Conheço a história só de ouvir! Você fala assim porque teve o privilégio de conviver com a mamãe, mas eu não tive, pai.

A única coisa que me restou dela é o que vejo ao me olhar no espelho todos os dias... — Lana liberou um suspiro pesado e encostou na cadeira as costas com os ombros caídos.

— Filha, eu não quero ver você sofrer mais ainda mergulhando em um estereótipo asiático. Eu sei como os colegas fazem piadas com você... imagine se praticar uma arte marcial chinesa que, ainda por cima, é tão masculina?

— É um esporte, pai! E não é masculino... é um esporte normal, simples.

— Agora parece simples, mas daqui a pouco você vai querer ir para a China — o pai replicou.

O queixo de Lana caiu. Ela não podia negar que já havia sonhado em visitar o país.

— A vida lá não é tão linda como pintam nas séries que a sua avó vive assistindo, filha. Concentre-se em outra coisa. Algo que a valorize mais.

— O senhor não entende, e parece que nunca vai entender! — Lana levantou-se da cadeira, parou por alguns segundos e olhou nos olhos do pai. Sentiu as lágrimas vindo, mas não permitiria que elas caíssem. Precisava mostrar força.

— Lana, filha... isso é para o seu bem, só estou tentando protegê-la.

O pai retirou os óculos do rosto quadrado e forte. Com seus quarenta e cinco anos, Douglas era um homem durão e cheio de energia. A única coisa que o impedia de trabalhar mais era sua perna direita, na qual levara um tiro durante uma operação militar que o havia deixado manco. Após o incidente, ele foi transferido para o escritório militar, pois se negou a se aposentar cedo.

Lana levantou a cabeça e foi para o quarto. Caindo de costas na cama, mirou o teto, a mente com mil pensamentos, vozes gritando todas ao mesmo tempo. Finalmente permitiu que as lágrimas atravessassem seus olhos, mas não o suficiente para começar a sentir pena de si mesma. O tempo não permitiria. Precisava ir para a escola.

Levantou-se e foi para o banheiro lavar o rosto e maquiar-se de leve para disfarçar a tristeza que certamente estava estampada em sua face. Ainda tinha quinze minutos antes que precisasse sair de casa. Parou diante do espelho e se olhou com cuidado. Os olhos puxados, iguais aos da mãe nas fotografias, e os cabelos longos soltos e emaranhados.

Pensou em como as pessoas sempre comentavam sobre algum aspecto de sua aparência física. Mas e seu interior? Será que alguém a enxergava pelo que ela era de verdade? Por dentro? Sempre ouvia a avó lhe dizer que Deus a via pelo que ela era, que ele enxergava seu coração e conhecia cada pensamento que passava por sua cabeça. Mas, afinal, o que Deus de fato pensava de Lana, essa garota que se olhava no espelho e parecia tão confusa?

— Deus, se o Senhor realmente vê como eu sou por dentro... O que o Senhor pensa a meu respeito?

Lana olhou fixamente para seu reflexo no espelho.

— Você é forte, mais do que imagina! — bradou para si mesma, olhando em seus olhos, lutando para acreditar nisso de coração. Bufando, completou: — Mas por que eu não me sinto assim? Nem meu próprio pai parece me enxergar de verdade.

4

Lana se apressou para a escola, praticamente correndo pelas ruas de paralelepípedo de Campo Maior ao ver que os quinze minutos no banheiro haviam se tornado vinte.

— Bom dia, prima — cumprimentou Dudu com um sorriso que morreu assim que viu a cara emburrada. — Pelo visto alguém foi picada pelo mosquito da rabugice logo cedo.

— Dudu, não começa — Lana resmungou arrastando os pés.

— O que aconteceu? Falou com o tio?

— Sim... foi isso o que aconteceu. Não consigo entender que mal tem eu me matricular no Kung Fu, sinceramente!

— Eu também não entendo... — Dudu caminhou ao seu lado. — Até perguntei à minha mãe qual é a do tio com essa coisa de não querer que você entre na academia. Ela falou que ele tem medo de você se machucar, eu perguntei o porquê e ela praticamente me mandou catar coquinho.

Lana sorriu pela primeira vez no dia. Só mesmo seu primo maluquinho para animá-la.

— Sei lá, Dudu... é frustrante, viu — Lana suspirou, ficando séria outra vez. — Me sinto como se não tivesse identidade, não sei quem sou, qual é meu propósito... Não sou mais uma criança, mas não sou adulta, e tenho certeza de que fazer Kung Fu me ajudaria a me conectar com minhas origens, a compreender melhor a mim mesma. Mas parece que ninguém me entende!

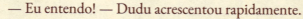

— Eu entendo! — Dudu acrescentou rapidamente.

— Você não conta, né, Dudu!

— Ai! Essa magoou! — Dudu pôs a mão no coração de forma teatral.

— Bobo! Eu quis dizer que você é adolescente como eu, por isso a gente se entende.

— Sei — Dudu disse, e parou para comprar um pastel na entrada da escola. — Valeu, tia — agradeceu à senhorinha, dando uma mordida no lanche.

— Dudu, você só come!

— É que estou em fase de crescimento!

Lana gargalhou e puxou a mão do primo para si, dando uma abocanhada no pastel.

— Então, eu também.

— De nada — Dudu disse com sarcasmo. — Mas e aí, o que você vai fazer?

— Sei lá... Quer dizer, talvez tenha um jeito... — Lana pôs a mão no queixo, reflexiva.

— É, sua cara me deu arrepios aqui. O que você vai aprontar desta vez? — Dudu fez uma pausa antes de mordiscar o lanche.

— Eu posso provar que não tem nada demais entrar no Kung Fu, sei que posso!

Lana começou a caminhar depressa, a mente já criando os próximos passos de seu plano.

— Lana...

Dudu correu para alcançá-la. Ele conhecia aquela expressão no rosto da prima.

Lana parou abruptamente, passando um braço pelos ombros do primo, o que não era difícil já que ela era uma cabeça mais alta.

— Relaxa, Dudu — falou, com um sorriso esperto, puxando-o para caminharem juntos.

5

— Tia Adriana, a comida tava uma delícia! — Lana elogiou, raspando os últimos resquícios de lasanha do prato.

— Arrasou, hein, mãe — Dudu completou, com os lábios sujos de molho.

— Filho, vê se limpa essa boca.

— Poxa, mãe! Na cultura chinesa boca suja significa que a comida estava boa. Conta pra ela, Lana.

Lana gargalhou alto, meneando a cabeça.

— Disso eu não sei, mas lavar a louça para os mais velhos com certeza está na cultura brasileira — Adriana comentou, deixando os pratos sujos na pia e piscando um olho para o filho.

— É, nem tudo é festa... Lana, você vai me ajudar!

— Ajudo sim, primo querido.

Ela recolheu o prato dele e lhe lançou um sorriso fofo digno de atriz de dorama.

— Mãe... estou com medo da Lana.

— Se comporta, menino — respondeu sua mãe, saindo com uma xícara de café na mão ao encontro do resto da família no quintal e fechando a porta de vidro atrás de si.

— Ei, Dudu, deixa de onda... eu sou sempre tão legal com você.

Dudu a fitou com a expressão incrédula.

— O que é desta vez?

— Eu vou dar aulas de reforço para você! Vamos ficar na escola após as aulas e eu vou te ensinar matemática, porque, verdade seja dita, você é muito ruim.

Ele a fitou piscando algumas vezes.

— Não estou entendendo o que há de brilhante nesse plano...

— Na verdade, *você* vai ficar após as aulas na biblioteca da escola es-tu-dan-do enquanto *eu* vou para o Kung Fu. Não é genial? — Lana o fitou com os olhos brilhando.

— Pirou na batatinha de novo, foi?! Cara, se o tio descobrir, você já era! — Dudu sussurrou agarrado ao pano de prato como se sua vida dependesse daquilo.

— Eu sei, e é aí que entra a ajuda do meu primo mais querido de todos! O meu favorito.

Dudu revirou os olhos.

— Eu sou seu único primo, ô maluquinha.

— Mero detalhe. Você continua sendo o meu favorito!

— Sei, me engana que eu gosto... Acho que você endoidou mesmo. Tô fora, minha mãe ficaria uma fera se descobrisse. Nem pagando eu aceito!

Dudu estendeu o pano úmido após enxugar a louça que Lana lavou, e começou a caminhar rumo ao quintal onde o resto da família estava reunida.

— Que tal trinta reais?! — Lana falou pelas costas dele, fazendo-o virar-se de supetão.

— Quê?! — Dudu a encarou abismado.

— Tá bom, trinta e cinco e não se discute mais.

— Que feio da sua parte... tentando me comprar com dinheiro.

— O que você quer então? — Lana pôs as mãos na cintura e o fitou.

Dudu a encarou com um sorrisinho nos lábios.

— Agora sim você fez a pergunta certa...

6

— Tia, me vê um misto e um refri, por favor. Minha prima aqui está pagando — Dudu pediu animado. Aquele seria o primeiro dia de um mês inteiro de lanches gratuitos pagos pela prima.

— Folgado...

— Oi? O que você disse, Lana?

— Nada, não. Está aqui, tia, obrigada.

Lana estendeu a cédula para a vendedora de lanches na portaria do colégio.

— Valeu, prima! — Dudu comemorou dando uma mordida no pão e soltando sons de satisfação.

— Dudu, dá pra gente ir caminhando enquanto você come? Tá muito quente aqui fora — Lana pediu, abanando a si mesma e sofrendo com a temperatura de trinta e oito graus.

Começaram a caminhar de volta para a sala com ar-condicionado quando viram um aglomerado de estudantes. Dudu, sempre curioso, saiu caminhando na frente.

— Vamos checar rapidinho, Lana!

Enquanto eles se aproximavam, Lana pôde ouvir alguém pronunciar a palavra aborto. Sentiu um frio na barriga. Uma menina gritou para o grupo parar. Mas eles só gargalharam mais alto, e mais alunos se aglomeravam.

Quando conseguiram entrar no meio da roda de conversa, Lana avistou uma menina. Era uma garota quieta, que vivia enfurnada nos livros. Imaginou o que poderia ter acontecido para deixar aquela menina sempre tão calma num estado tão nervoso. O rosto dela estava vermelho, e era possível ver gotículas de suor em sua testa.

— Gente, vamos parar, tá bom? — outra garota disse com sarcasmo. — A Teté aqui acredita mesmo nesse livro escrito há milhares de anos, e que nas palavras dela é "vivo", gente, maior viagem. Eu sei de uma coisa: a vida é nossa, meu corpo, minhas regras. Um livro desatualizado não me define.

Alguém soltou um "aleluia!", e o grupo caiu na gargalhada. Lana olhou ao redor abismada. Notou que alguns forçavam um sorriso, enquanto outros pareciam se divertir como se tivessem ouvido a melhor piada do planeta. Mas ela não achou graça nenhuma. Aquela era uma cena, no mínimo, infantil.

A Teté, ou melhor, Esther, parecia se preparar novamente para defender sua opinião.

— A Bíblia é sim um livro vivo inspirado por Deus! Ele criou padrões para nos proteger, e cada vida é preciosa! — Esther gesticulou e olhou ao redor, como que buscando apoio.

Não. Lana não falaria nada. Sabia que não deveria se envolver. Ainda assim, havia algo dentro de si que a estava incomodando.

— Mas, gente... — Lana começou, e todos os olhos se voltaram para ela, esperando para ver qual lado ela tomaria. Não que ela fizesse segredo de que era cristã, mas também não saía por aí alardeando sua opinião. Até aquele momento. — Cada um acredita no que quiser... eu pessoalmente acredito que a Bíblia é um verdadeiro guia prático para uma vida com Deus.

— Olha só se não é a *olho puxado* falando!

Ela ouviu alguém comentar e rir, sendo acompanhada por outros. Honestamente, Lana estava começando a achar que aquele povo havia comido algo estragado. Não tinha graça nenhuma!

— Então você também acha que uma mulher tem que manter um *feto* dentro de si por nove meses contra a própria vontade?! Ah, faça-me o favor! — a mesma garota de antes falou, fazendo o grupo soltar uma vaia.

Lana limpou a garganta e olhou em volta, falando com uma ousadia que não sabia de onde vinha.

— Como a Esther disse, cada vida é preciosa. E por que um *bebê* que não escolheu ser gerado precisa ser punido?!

— Isso! — Esther concordou, mas Lana tinha sua atenção voltada para a garota à sua frente, que mantinha os braços cruzados e uma expressão desdenhosa.

— É só olhar ao redor... — Lana virou a cabeça encarando outros alunos. — Fazer uma rodinha para tirar sarro da opinião de alguém e depois ficar dizendo que *todos* devem ser aceitos e amados me parece meio contraditório.

— *Vaza*, japinha — ouviu alguém dizer.

— Essa regra só não se aplica para os cristãos, né?! — ela comentou ignorando o comentário maldoso. Tentou demonstrar segurança, mas seu coração estava acelerado e sua vontade era de sair correndo e se esconder.

Pôde notar que olhares a fitavam, alguns com uma estranha admiração, outros com deboche, e apenas um com um sorriso de gratidão, o de Esther. Lana mirou Dudu, à procura de apoio. Juntos somos mais fortes, certo? Esse era o lema deles.

Errado.

Dudu só balançou os ombros, como se pedisse desculpas, e ficou calado, contrariando sua personalidade tagarela.

Quando se precisa de um papagaio, ele não abre o bico, Lana pensou querendo sacudir o primo.

— Sabe o que você é? — a mesma garota do início quebrou o silêncio constrangedor. A voz dela tinha um tom afiado. Lana esperou, mas já imaginava que o fim daquela discussão não ia dar em boa coisa. — Ridícula. Você e seu grupinho que acreditam num livro ultrapassado.

A garota se aproximou de Lana e empurrou seu ombro. E doeu.

O sangue subiu à cabeça e Lana abriu a boca pronta para retrucar, quando a secretária da escola chegou mandando, aos gritos, que todo mundo fosse para suas salas.

A raiva começou a borbulhar em seu peito, o sentimento de injustiça impedindo que visse qualquer coisa à frente. De repente, trombou em alguém.

— Dá pra sair da frente? — ela pediu sem paciência. Olhou para cima e viu que era o outro menino de ascendência chinesa da escola. Ele havia entrado na escola havia poucos meses e estava no terceiro ano, assim como ela, mas em outra turma. Era só o que faltava, esbarrar justo nele para relembrá-la de si própria.

— Ei, relaxa, garota — ele exclamou com sotaque, dando um passo para o lado.

— Eu estou *muito* relaxada — ela murmurou com sarcasmo ao passar por ele.

Lana olhou para Dudu, que havia perdido a língua e caminhava como um cão arrependido atrás dela.

— Que grande primo você é, viu! — Lana formou um bico com os lábios e voltou a marchar para sua sala.

Após as aulas, Lana caminhou para casa sentindo como se seus passos pesassem toneladas. As árvores nas calçadas não ajudavam a tapar o sol, e o calor só fazia aumentar seu incômodo. A cabeça doía de relembrar os acontecimentos do intervalo. Repetir para si mesma que fez a coisa certa ao compartilhar sua opinião não ajudava. Ela se sentia chateada, frustrada e triste. Acabou indo parar na página de fofocas do Instagram da escola. Ser o alvo tornou a coisa toda absurda e fez as postagens do perfil perderem toda a graça. Não era nada divertido ser o centro das piadas. Disse para si mesma que não iria mais rir quando postassem algo sobre outros alunos.

Ela sabia que não devia, mas pegou o celular do bolso e abriu o Instagram para checar se haviam postado algo mais. Não haviam, mas ela não pôde se segurar e leu os comentários. Eram maldosos. As pessoas falavam o que queriam na internet, não importava a quem fosse magoar.

Matricular-se nas aulas de Kung Fu se tornou para ela agora algo ainda mais necessário. Ela precisaria aprender a se defender caso as coisas tomassem proporções maiores. Ninguém ia mexer com alguém mais forte e treinada. Ao menos na batalha externa ela poderia se garantir, porque internamente estava se sentindo derrotada.

7

— Laninha, meu bem... — vó Fa se aproximou de Lana, que terminava o almoço na mesa da cozinha.

— Oi, vó.

A senhorinha abraçou a neta por vários segundos, depositando um beijo em sua cabeça. Afastou-se e a encarou nos olhos.

— Está tudo bem?

— Vó, eu que pergunto. Aconteceu alguma coisa?

— Só estou checando... Será que você pode ir ao meu quarto rapidinho antes de sair para a escola?

Lana engoliu em seco. Será que a avó havia descoberto seu plano antes mesmo de se matricular? Se assim fosse, estaria lascada.

— Está bem, vó, claro — Lana concordou, levantando-se com o coração aos pulos.

— Pode terminar de comer, meu bem.

— Tudo bem, eu já terminei. — Seu apetite foi para as nuvens. Colocou o resto da comida no lixo e seguiu a vó até o quarto dela, fechando a porta atrás de si.

— Vó, esse suspense está me matando. Conta logo, por favor.

— Só queria poder sentar um minutinho e orar por você.

— Por quê?! — Lana exclamou sem pensar, arrependendo-se no mesmo instante ao ver a expressão no rosto da avó.

— Ah, está bem. Não posso orar mais por você — resmungou a avó, sentando-se na cama. — Faz um tempinho que não fazemos isso.

— Desculpa — Lana sentou-se ao seu lado.

Vó Fa segurou suas mãos e começou a orar por Lana. Pediu a Deus proteção, sabedoria e força.

— Tive um sonho estranho com você esta noite.

O sangue de Lana gelou. Ela sabia que sua avó era uma mulher sábia e de oração. Seu plano já era.

— Como foi? — fez a pergunta, engolindo em seco.

— Não lembro os detalhes. Mas acordei com vontade de orar com você, meu bem.

— Obrigada, vó — Lana levantou-se da cama.

— Sabe que pode sempre contar comigo, né?

— Eu sei, sim. Agora eu realmente preciso correr.

— Vai, filha. Deus te proteja.

— Amém.

Lana deu um beijo na bochecha da avó e saiu apressada. A manhã no colégio havia passado lentamente, tamanha a ansiedade que estava sentindo. E, apesar de ainda chateada com Dudu, confirmou com ele que se encontrariam na biblioteca naquela tarde para estudar. Pelo menos essa era a história que contou para seu pai.

Lana caminhou depressa através das ruas de calçamento. Tinha lido no folheto que a academia ofereceria uma aula experimental naquela tarde. Parou em frente ao prédio e leu o nome na fachada do local recém-pintado.

Academia Mestre Li.

— Que falta o Dudu me faz... — lamentou em voz alta. — Mas tudo bem, eu já vim até aqui, não posso desistir agora.

— Ainda dá tempo de voltar — uma voz atrás de si falou, o que a levou a dar um pulo.

— O quê? Como é que é? — ela se enrolou nas palavras, fazendo os garotos, que carregavam uniformes nos ombros, rirem ainda mais.

— Não podemos nos atrasar — murmurou um garoto de olhos angulares e misteriosos, passando por Lana, sendo seguido pelos outros dois. Lana recordou-se dele. Não era difícil reconhecer o outro menino de ascendência chinesa de sua escola, com quem havia esbarrado no dia da confusão no pátio.

Lana começou a sentir uma irritação subir pelo peito. Deu uma vontade de dar um peteleco naquele garoto irritante.

— Agora que eu me matriculo mesmo! — falou novamente para si, juntando os cabelos e prendendo-os no alto da cabeça. Entrou na academia com passos largos.

Não encontrou os três jovens na recepção, apenas uma senhora baixinha, também asiática, com cabelo curto e sorriso gentil, que a cumprimentou assim que a viu.

— Ainda bem que sou nível básico e não vou precisar lidar com aqueles manés — Lana murmurou alto.

— O que disse? — a senhora perguntou.

— Quero me matricular na turma de Kung Fu.

— Você deseja fazer a aula experimental primeiro antes da matrícula?

— Não, eu tenho certeza de que é isso o que eu quero! — Exalou tanta convicção que fez a senhorinha começar a digitar no computador.

— Certo. Me diga seu nome completo.

Lana lhe deu todas as informações necessárias para o cadastro no sistema da academia.

— Prontinho — a senhora lhe entregou um comprovante de matrícula. — E não esqueça de trazer uma foto três por quatro, tudo bem?

— Tudo sim, obrigada! — Lana assentiu, sorrindo, e se virou caminhando rumo à saída quando a senhorinha a chamou.

— A aula experimental já vai começar. Seria bom você participar para já ir se familiarizando.

— Ah, é, verdade.

Lana enrolou uma mecha de cabelo nos dedos e caminhou a passos lentos rumo às portas que davam acesso ao treino. Havia mais pessoas do que ela esperava. Será que todos ali estavam matriculados?

Pensou que ir ao banheiro antes que a aula começasse seria uma boa ideia, já que não queria ter que sair no meio e chamar atenção. Enquanto estava num dos compartimentos, ouviu pessoas entrando.

— O Luís é muito lindo, né? E o sotaque só deixa ele mais fofo... me lembra um personagem de doramas.

Lana segurou o riso diante de mais uma fã de doramas. Pelo visto não era somente sua avó que gostava daquelas séries.

— Mas o que tem de lindo, tem de estranho. Você ouviu o que ele fez com a Nicole?

Lana saiu do banheiro. Ouvir aquela conversa seria a coisa mais irrelevante que faria. Não queria saber de nada que envolvesse aquele garoto pedante.

— Oi — ela cumprimentou as duas meninas como se nada tivesse acontecido, lavou suas mãos e saiu o mais rápido que pôde.

— Atrasada! — Luís, o tal garoto, disse olhando diretamente

para ela. Ela notou que o garoto alto e de cabelo preto liso tinha uma expressão séria no rosto.

Lana sentiu o sangue ferver. Aquela era só uma aula experimental.

— Mas eu estava no banheiro e...

— Sem desculpas. Aqui a disciplina e a pontualidade começam desde o início. Por isso, dê dez voltas na quadra para aquecer, já! — o mestre Li completou, assustando a menina com o tom de voz forte e o sotaque carregado. Lana o observou por alguns segundos antes de começar a correr. Estatura mediana, cabelo escuro curto e rosto bronzeado.

Enquanto ela corria ao redor da quadra, ouviu Luís dando instruções sobre a vestimenta e, em seguida, o mestre Li introduzindo a arte marcial.

— Kung Fu significa "trabalho duro". O nosso estilo é o esporte de luta. Vamos trabalhar a disciplina, a perseverança e a defesa pessoal. Não toleraremos nenhuma quebra desses princípios.

Lana ouvia o mais atentamente que sua falta de fôlego permitia. Não havia sido o início mais promissor. Focou o pensamento em não desistir, mesmo com o suor caindo e a respiração pesada, e sorriu com os lábios. Finalmente estava ali, realizando o sonho de sua mãe, e agora o seu também.

— Desistir jamais! — balbuciou firmemente.

Não poderia mesmo desistir. Havia usado todas as suas economias na matrícula e no uniforme.

8

— Quem diria...

Lana olhou para si mesma no banheiro da escola e sorriu, os lábios ainda trêmulos. Os longos cabelos negros caíam como cascata, e os olhos apertados e escuros brilhavam com lágrimas querendo se derramar.

Ela relembrou o episódio do dia.

Estava na aula de biologia, quando a professora fez uma pergunta sobre o processo de reprodução, e um aluno respondeu que Lana havia compartilhado sua opinião no meio do pátio. Lana até tentou tirar o foco de si, mas a professora ficou aguçada para saber mais. No fim, ela repetiu o que tinha dito no intervalo sobre como cada vida é preciosa. No entanto, sentiu que acabou envergonhando a si mesma por não conseguir explicar seu ponto de vista com mais clareza.

Depois a professora perguntou a opinião do garoto que a havia lançado na fogueira. Ele simplesmente bajulou a professora, distorcendo o argumento de Lana, como se ela fosse contra a saúde pública. Os cochichos e risinhos na sala foram inevitáveis. A professora tentou argumentar que era preciso avaliar os diferentes pontos de vista, mas os alunos não lhe deram muita atenção. Isso deixou Lana triste. Nem a autoridade da professora pareceu capaz de apaziguar a situação.

O primeiro semestre na escola havia começado com tudo. Difícil, duro e desafiante... Nunca imaginou que abrir sua boca para defender algo em que acreditava lhe custaria tanto. E ela estava assustada com a repercussão nas redes sociais e nos corredores da escola. Olhou sua imagem no espelho e respirou fundo pela milésima vez.

— Pois é, quem diria... — repetiu uma garota saindo de um dos compartimentos do banheiro. As duas trocaram um olhar rápido e Lana se arrependeu de ter falado em voz alta sozinha. Ela terminou de lavar as mãos e saiu apressada do banheiro.

Do lado de fora, conectou seu fone ao celular e clicou num podcast. O título havia chamado sua atenção: "Lutando sem armas?". Era exatamente assim que se sentia.

Uma garota no podcast falava sobre Pedro e a noite em que Jesus foi traído. Ela nunca tinha prestado atenção nisso, mas de fato, quando Pedro arrancou a orelha do soldado com sua espada, Jesus basicamente a colou de volta. Pedro estava preparado para usar as armas da sua mão em vez de usar a força sobrenatural que Deus lhe havia entregado — e essa sim era a arma mais poderosa.

Lana se pegou pensando na personalidade de Pedro e na sua própria. Será que havia algo em comum? Pensou nos episódios que continuavam acontecendo na escola, e se sentiu sem forças. Viu a si mesma como Pedro, lutando, mas parecia que não do jeito certo. A mensagem a tocou profundamente, deixando-a reflexiva.

Ela foi para as escadas da biblioteca, onde não havia muito movimento, e tirou um sanduíche da mochila. Fechou os olhos por um minuto, ainda mastigando, e orou em sua mente para que Deus lhe desse a força de que precisava para passar por esse desafio na escola com persistência e ânimo.

Lana sentiu a presença de alguém, e sabia que era Dudu ao ouvir um suspiro profundo como ele sempre fazia, mas manteve os olhos fechados.

— Ei, você está se escondendo de mim? — ele sentou-se ao seu lado.

Lana abriu os olhos e o fitou.

— Não, só precisava de um tempo sozinha.

— Lana, não vai me dizer que você está pensando muito... — Dudu olhou fixamente para ela.

— Não, quer dizer...

— Anda falando sozinha? — ele a interrompeu. Nem precisou ouvir a resposta para saber que sim. — Isso é sinal de que você está pensando demais e enfiando um monte de coisa na sua cabeça.

— Talvez... — ela olhou para ele. — Tenho pensado bastante na minha mãe, queria que ela estivesse aqui.

Dudu apertou sua mão.

— Mas até parece que você está mesmo preocupado — Lana acrescentou.

— Desculpa — Dudu tinha sinceridade na voz.

— Desculpa pelo quê? — Lana questionou como se não soubesse ao que o primo se referia.

Dudu inspirou fundo.

— Olha só, eu fiquei assustado. Não sou como você, que não tem medo de falar.

— Dudu, eu estava morrendo de medo e nervosa naquele dia, nem queria checar aquela rodinha porque senti que ia sobrar para mim, como sempre, e assim foi.

— Mas ninguém te obrigou a falar — Dudu apontou, levantando-se de supetão.

— Eu não poderia ficar calada. Você conhece a verdade tanto quanto eu, Eduardo. Como poderia deixar a menina passar aquele vexame todo sozinha? — Lana cravou o olhar no primo, percebendo que sua pele morena estava mais bronzeada e sua expressão, mais cansada e abatida. — Senta aí, vai. — pediu.

Dudu jogou a mochila novamente no chão.

— Lana, eu sou fraco... Parece que quando eu abro a boca, só sai o que eu não quero, e ninguém me leva a sério no final.

— Eu também me sinto assim. A verdade é que ando assustada pelos cantos. Não sou tão corajosa quanto você pensa, e muito menos me sinto à vontade falando o que penso. As pessoas olham para mim agora como se eu fosse uma alienígena.

Lana fez um bico choroso. Não queria mais derramar lágrimas, mas se sentia tão sozinha.

— Ah, não, se você está chorando é porque o negócio tá feio.

Lana soprou um riso e piscou os olhos para afastar as lágrimas.

— Vem aqui — Dudu a abraçou. — Vai ficar tudo bem. Me desculpa por abandonar você, mas se isso te consola, minha mãe sempre repete como Deus nunca nos abandona.

Lana se afastou para olhá-lo.

— Quem é você e o que fez com o meu primo? — Dudu gargalhou e a empurrou com o ombro. — Tá bom, você continua sendo o meu primo chato.

— Vem, vamos para a aula.

Dudu levantou num pulo após o sinal tocar avisando o fim do intervalo. Os dois caminhavam para a sala quando esbarraram num grupinho.

— Olha se não são os primos japinha e tampinha.

Quem falou foi a mesma garota da última confusão.

— Não quero encrenca, dá licença — Lana pediu, passando por eles com Dudu em seu percalço.

— Hum, olha só como ela está focada... Devem ser as orações de joelhos que ela faz — a garota disse, fazendo os outros rirem.

Lana se virou e tentou demonstrar ousadia.

— Qual o problema de vocês?! — ela perguntou com as mãos na cintura para disfarçar sua tremedeira.

— Pessoas como vocês dois, esse é o nosso problema.

— O que fizemos contra vocês? — Dudu perguntou, surpreendendo Lana.

— Fizeram muito! A nossa sociedade está atrasada por causa de vocês, que tentam impor a todo mundo um deus e um livro ultrapassados. Motivo suficiente.

— Honestamente, isso não vai nos levar a lugar algum. Bora, Dudu.

— Volta de onde você veio, japinha. E leva o baixinho junto — disse um dos garotos, dando um empurrão na cabeça de Dudu.

— Ei, ei, ei, o que está acontecendo aqui? — O professor de matemática apareceu. — Vocês não são mais criancinhas para ficar brigando por aí. Vamos já para a sala!

— Vem, Dudu — disse Lana, puxando-o consigo, para que o primo, já claramente irritado, não perdesse a cabeça.

— Chegou, meu bem? Como foi a... — Vó Fa parou sua frase no meio ao ver Lana sumindo da sala para o quarto mais rápido que um relâmpago.

Lana normalmente chegava correndo em direção à geladeira, procurando algo para beliscar.

— Ué, o que aconteceu com essa menina?!

Olhou para o filho, que estava consertando uma lâmpada na cozinha.

— Deve estar cansada — disse ele, olhando para a mãe rapidamente e voltando sua atenção para o teto.

— Não sei... vou dar uma checada.

A senhora levantou-se.

— Se precisar de mim, é só chamar.

— Certo.

Vó Fa parou em frente à porta de Lana, onde um quadro entalhado por Douglas, nas cores vermelho e dourado, continha as palavras "Dedicação, coragem e verdade", e bateu levemente na porta.

— Laninha?

Silêncio.

Mais duas batidas. Mais forte.

— Lana, posso entrar?

— Não... sim... sei lá!

A avó ouviu a voz abafada da neta do outro lado da porta. Abriu-a e entrou no quarto iluminado apenas por um abajur de panda na mesa de cabeceira.

Ela sentou-se na cama, ao lado da garota de bruços. E esperou por alguns minutos antes de falar:

— Laninha, o que aconteceu?

— *Nada* — a voz de Lana, com a cabeça enfiada no travesseiro, saiu abafada.

— Você quer comer nata? — ela perguntou com a voz divertida.

Lana soltou uma risada abafada e virou a cabeça para ver sua avó.

— Eca! Vó, eu disse *na-da*.

— Só se eu não te conhecesse, né? — vó Fa disse, constatando a carinha de tristeza de Lana. — Vem, senta no colo da vó. — Ela puxou-a pelo braço e Lana saltou, sentando ao seu lado.

— Eu não sou mais um bebê.

A avó sorriu concordando. Sabia que funcionaria.

— Está bem, mocinha. Agora me conta o que aconteceu.

Lana remexia as mãos.

— É que, eu... então... é...

— A fita emperrou, foi? — vó Fa brincou, segurando as mãos de Lana e passando um braço por seus ombros.

— Fita? Vamos voltar para o ano de 2024, por favor?! — Lana sorriu levemente e se aconchegou no abraço de sua avó. Após alguns minutos assim, tomou coragem. — Não fica brava, tá?

— Certo... eu acho — ela respondeu, procurando se mostrar o mais controlada possível. A verdade é que estava ansiosa com aquele suspense todo, mas não podia demonstrar.

— Então, eu briguei na escola... — Lana olhou no rosto da avó.

— Lana!! — vó Fa exclamou com ênfase.

— Sabia que a senhora diria isso! Mas deixa eu explicar. Eu não bati em ninguém.

— E alguém te bateu?

— Não! Não foi briga assim, física, foi mais verbal... — Vó Fa acenou com a cabeça, e Lana continuou: — Quer dizer, eu não briguei *briguei*, sabe... Apenas aconteceu. Tudo começou quando Dudu e eu estávamos voltando para a sala após o intervalo e vimos um grupinho gargalhando, aí o Dudu, como é supercurioso, quis ir lá ver. O problema é que eles estavam zoando uma menina por causa da fé dela, uma discussão sobre Bíblia, aborto... E ela estava lá, sozinha, vó, não deu para ver aquela cena, acabei entrando no meio da coisa toda. Eu falei para eles que opinião era para ser respeitada, que cada um tinha a sua e... — Lana fez uma pausa como se refletisse no que estava dizendo.

— E?

— Falei também minha opinião. Achei que quando os outros notassem que eu havia ficado ao lado da menina, iriam me apoiar, mas até o Dudu perdeu a língua. Ai, que raiva eu senti dele, vó!

— Oh, meu bem. Isso foi hoje?

Lana balançou a cabeça em negação e voltou a fitar suas mãos, agora envoltas pelas da avó.

— Foi há duas semanas... — ela respirou fundo antes de continuar. — O problema é que parece que estou sendo perseguida agora. Até nas aulas tentam me envergonhar. Me chamam de quadrada, chatinha, preconceituosa, até de dinossauro me apelidaram! Fizeram um vídeo da discussão e postaram no Instagram, acredita? — Um soluço saiu de seus lábios. — Agora a escola toda está comentando. Por que, meu Deus, eu fui abrir meu bico?!

— Ah, não! Sinto muito! — Vó Fa a abraçou e deixou a menina chorar em seu ombro. Enquanto a confortava, pediu a Deus que lhe desse sabedoria para lidar com a situação. Seu coração doeu junto. — Meu bem, olha para mim.

Lana lutou para levantar o rosto molhado de lágrimas.

— Você acredita no que disse naquele dia?

Lana tentou desconversar e voltou a derramar mais lágrimas. No entanto, a avó segurou firme seu rosto e olhou bem dentro de seus olhos.

— Lana, você acredita de verdade naquilo que defendeu?

— Claro, vó. A senhora e meu pai me ensinaram isso desde sempre!

Vó Fa sorriu, mas perguntou outra vez.

— Minha flor, eu não estou falando do que você sabe aqui. — Ela tocou na cabeça de Lana. — Mas daquilo em que você acredita aqui. — E então apontou para o seu peito.

A garota pensou um pouco.

— Sim — respondeu com os olhos cheios de lágrimas. — Eu sei que Deus é real, que ele é meu salvador e meu melhor amigo. Eu acredito nisso de coração, vó.

Vó Fa sorriu e juntou toda a força que tinha para não ser ela a próxima a cair em lágrimas. Precisava concentrar-se no dilema da neta.

Respirando fundo, falou:

— Então, do mesmo jeitinho que Deus te ama, ele ama esses seus colegas de escola que ainda não entendem. Só que a diferença é que você ama a Deus. E isso faz você diferente, faz você filha dele. E mais que isso, uma princesa de um reinado que muitos nem sabem que existe. Ao contrário do que muitos pensam, as princesas não têm vida fácil. Afinal, imagina estar sempre pronta para defender o reino? E defender implica se posicionar e lutar a favor daquilo em que acredita. Nem sempre é fácil, existem aqueles que não vão concordar, falar mal, jogar pedras... Lana, você não é uma coitadinha. Você é uma princesa, a filha do Rei. Ele te escolheu com um propósito. Não se envergonhe disso, nem de quem você é. E não espere que os outros ajam conscientes disso. Você é quem precisa agir assim. Ame-os e mostre para eles como se tornar parte desse reino eterno.

Lana balançou a cabeça assentindo. Uma nova perspectiva invadiu sua mente e seu coração. Propósito. Isso era algo que ela buscava, e sentia que estava cada vez mais perto de descobrir o seu.

— Obrigada, vó. E desculpa pelo ombro melecado.

Vó Fa sorriu e a abraçou mais forte.

— Meu bem, Deus nos deu você para cuidar, mas você é dele, não minha nem do seu pai. A gente não pode estar na escola com você, mas ele está. Deus está com você até quando você não o sente, pois não é sentimento, mas sim promessa. Jesus mesmo disse que ele venceu o mundo, por isso precisamos ter coragem.

Lana secou mais uma lágrima que descia teimosa por sua face.

10

Lana suspirou, cansada. A primeira metade do ano havia passado voando! Suas férias de julho foram como uma flor dente-de-leão levada pelo vento. Chegou e se foi rapidamente.

Pensou que no segundo semestre estaria mais acostumada com os treinos de resistência. Ela sentia não somente o corpo dolorido. A mente também estava em estado de torpor de tão cansada.

Colocou as mãos no joelho e buscou ar, enquanto gotas de suor desciam por sua testa. Ouviu o bastão de seu oponente, uma das armas de combate do Kung Fu, ser batido no chão.

— Você não está se concentrando — Luís murmurou, batendo o bastão no chão novamente.

— Estou exausta! — a garota suspirou e voltou à posição de defesa.

— Me ataca — Luís olhou fixamente em seus olhos e esperou por uma reação.

— Acho que não consigo.

— Lana, para de focar seu cansaço, foca sua mente. É lá que a força começa.

— Fácil falar...

— Anda! Me ataca! — o garoto com fios de cabelo grudados na testa demandou novamente. Lana ergueu seu bastão e o golpeou.

— Isso! — ele a estimulou. Por vários minutos, ela atacou e ele defendeu, até que o tempo da aula acabou.

Lana se pôs para fora do vestiário e caminhou lentamente até a saída.

Avistou Luís conversando com um grupo de alunos e sentiu-se mais frustrada. Ele era sempre educado, solícito para ajudar os alunos, mas levava o Kung Fu muito a sério. Era focado, exigente nos treinos, e parecia sempre atento a seus erros. Além disso, era o assistente do mestre e, ela só havia descoberto recentemente, filho dele.

Achou o celular no fundo da mochila e viu que havia várias ligações de sua avó, e também uma mensagem dizendo que estava no Hospital Regional da cidade com Douglas. De repente, todo o cansaço que a deixava letárgica evaporou de seu corpo, trazendo uma onda de choque.

Lana ficou tão nervosa que saiu em disparada pela rua em busca de um mototáxi. Deixou cair a mochila no chão quando uma moto veloz quase a atropelou. Parou na calçada e sentou-se no meio-fio, sentindo as pernas perderem a força.

— Ei, o que aconteceu?

Ela ouviu uma voz familiar. Levantou a cabeça e confirmou que era Luís. Ele carregava a mochila em uma das mãos e estava montado em sua bicicleta.

— Lana, fala comigo... O que houve?

— M-meu pai está no hospital, acho que algo ruim aconteceu... — disse ela, a voz trêmula. Cenas do passado, de quando ele foi baleado no serviço militar, vieram à tona, e o medo de perder o pai a atingiu.

— Vem, senta aqui que vou te levar lá.

Lana nem pensou duas vezes. Levantou-se do meio-fio e sentou-se na garupa da bicicleta. Luís pedalou o mais rápido que pôde pelas ruas pouco iluminadas da cidade.

— Que bom que você chegou, meu bem.

Vó Fa mal teve tempo de falar. Lana a abraçou e se afastou, agarrando-a pelos braços.

— Vó, o que aconteceu com meu pai?

— Ele sentiu uma forte dor na perna e viemos checar. Porque você está alarmada assim?

— Vó, isso não se faz — Lana deixou os braços caírem ao seu lado. — A senhora liga mil vezes, manda uma mensagem daquelas, não atende o celular quando ligo... me assustou tanto!

— Oh, meu bem, desculpa. Acabei jogando o celular dentro da bolsa de qualquer jeito.

— Como ele está?

— Bem, a enfermeira disse que o procedimento é simples e que ele logo será liberado.

Lana caiu numa cadeira e só então notou que Luís estava de pé, observando a situação toda.

— Laninha, quem é o rapaz?

Ela ficou em alerta, e antes que Luís falasse qualquer coisa, explicou:

— A gente estuda na mesma escola.

— Meu nome é Luís, muito prazer — ele falou educadamente, estendendo a mão.

— O prazer é meu, querido — Vó Fa estava encantada. — Muito lindo você.

Lana desejou que aparecesse um buraco no chão para enfiar a cabeça e esconder a vergonha. Luís, no entanto, sorriu largamente, agradecendo.

— Vem, Luís. Vou te acompanhar até a saída — Lana disse, caminhando e torcendo para que o rapaz a seguisse.

— Até logo, dona Fa.

— Vá com Deus, menino. Obrigada por trazer a Laninha.

— Luís, valeu mesmo por ter me trazido aqui. Eu provavelmente estaria morta uma hora dessas — Lana disse ao caminhar ao lado dele.

— Provavelmente sim, nervosa como você estava. — Ele sorriu um pouco para quebrar o gelo, e Lana percebeu pela primeira vez uma covinha na bochecha direita dele.

— Não precisa fechar os olhos — Lana gracejou, na tentativa de manter o clima leve. Ele gargalhou.

— Olha só quem fala... se não é a outra *japinha* — Luís devolveu a brincadeira.

— Sério, obrigada mesmo.

— Por nada. Precisando, já sabe. — Ele piscou um olho se despedindo.

Lana o observou pegar sua bicicleta e se afastar. Jamais havia imaginado que uma cena como aquela poderia acontecer, ainda mais com Luís. É, talvez as aparências enganassem mesmo.

11

— Acho que não vou dar conta, Luís — Lana disse ao rapaz em pé a seu lado, assistindo às outras lutas.

— Vai sim. — Ele olhou para ela. — Você já chegou até aqui. Mantenha a fé.

Lana não soube explicar, mas saber que Luís acreditava nela a deixava mais segura, e o nervosismo abrandou um pouco. Mas só um pouquinho, pois em sua vez de competir o coração já estava quase saltando pela boca.

Luís lhe passou o bastão que usaria.

Pensou em tudo o que estava acontecendo em sua vida. De fato, não era um tempo fácil, parecia que vinham lutas atrás de lutas. Isso a ajudou a focar o momento, a extravasar a frustração usando as técnicas que havia aprendido no Kung Fu. Nunca desistir era uma delas. Pensou na mãe, nas descrições no diário dela sobre as lutas que enfrentou, e sentiu-se conectada pela mesma perseverança. Isso lhe proporcionou uma súbita dose de energia.

Visualizou sua adversária e se concentrou nos movimentos que vinha treinando ao longo dos últimos meses. Ao terminar a luta e perceber que havia vencido, pulou de alegria. Correu e encontrou Luís com um sorriso gigante no rosto. Sem conseguir se conter, ela o abraçou forte.

Ao se afastar, notou que ele olhava fixamente para ela.

— Parabéns! Eu sabia que você conseguiria.

Lana soprou um "obrigada" tímido após toda a sua extravagância. Sentia-se energizada, como se pudesse escalar uma montanha de neve e surfar numa avalanche. Pensou no orgulho que sua mãe sentiria e agradeceu a Deus em pensamento pela vitória.

Olhou para a arquibancada em busca de seu primo Dudu. Lá estava ele, comemorando. O susto foi ver alguém pelo qual ela não esperava. Sua avó.

Seus olhares se encontraram. Lana sabia que estava encrencada.

— Me dá uma licencinha, está bem?

Ela se afastou dele e esperou pela avó, que descia a arquibancada.

Lana tremeu na base ao ver a senhorinha de cabelos brancos, rosto redondo e um metro e cinquenta caminhando em sua direção. Vó Fa sacudiu o panfleto do evento na mão. Que vacilo. Lana havia deixado um panfleto no seu quarto.

Será que foi o subconsciente desejando que sua família descobrisse?

— Nem precisa me olhar assim, dona Lana — vó Fa pronunciou, pondo-se ao seu lado. — Eu não vou contar nada para seu pai.

Lana a olhou rápido como um tigre.

— Sério?! — Lana perguntou em descrédito.

— Não acredita na sua vó? Muito bem, então estou indo contar agora...

A neta passou o braço ao redor dos ombros da avó.

— Não, vó. O que eu quis dizer é... Ah, sei lá, a senhora não vai mesmo contar? — Lana perguntou com uma pontada de dúvida na voz.

— Não, né. Você mesma vai.

O queixo de Lana caiu aberto, e assim ficou por vários segundos.

— Deixa eu ir que está na hora do meu dorama.

Lana não podia contestar. A avó estava certa. Agora a dúvida era como contar ao pai sem deixá-lo *muito* zangado.

— Ei, parabéns novamente!

Luís se aproximou e ofereceu um *high-five*, que Lana respondeu com animação e, por alguma razão, sentiu um frio na barriga. Devia ser a emoção de ganhar um campeonato.

— Valeu! Nem estou acreditando que peguei bronze — Lana comentou com muito orgulho segurando sua medalha no pescoço. Após tantas lutas na escola, fazia bem para seu coração ter essa vitória no esporte.

— Eu te falei para manter a fé, não foi? Cara, Deus é bom demais!

Ela concordou com a cabeça e lhe ofereceu um largo sorriso.

— Mas preciso admitir que por essa nem eu esperava. — Dudu falou se aproximando e gargalhou.

Lana deu um tapinha em seu braço e mostrou a língua.

— Se eu fosse você tomava cuidado, primo. Posso te nocautear facilmente — Lana ameaçou Dudu e se divertiu com a cara dele ficando vermelha.

— Espera aí que vou já me matricular. — Ele deu meia-volta como se fosse para o escritório da academia. Luís gargalhou alto ao ver Dudu voltando com a cara amarrada. — Só não vai dar hoje porque eles já fecharam o escritório. Mas pode deixar que você não vai mais precisar me humilhar dessa forma, viu, prima.

Lana pôs a mão no coração de forma dramática.

— Eu vi a vó Fa, ainda bem que não esbarrei nela — Dudu comentou.

— Eu estou muito, muito encrencada! — Lana soltou um pesado suspiro ao enfiar o uniforme dentro da cabine na academia. Levar para casa não era uma opção.

— O que aconteceu? Foi porque sua avó veio te ver? — Luís se pôs a caminhar ao seu lado.

— A verdade é que minha família não sabe dos treinos... — Lana admitiu envergonhada.

— Como?! — Luís parou na calçada em frente à academia.

Lana de repente se sentiu desconfortável com o olhar que ele lhe deu. Um olhar misterioso e ao mesmo tempo gentil.

— Ela quer provar que consegue porque o tio não deu permissão... — Dudu revelou e recebeu um olhar ferino em resposta. — Quer saber? Acho que está na hora de ir embora.

— Cara, vocês dois são muito engraçados juntos. — Luís riu se divertindo com a interação dos primos. — Mas me diz aí, por que o seu pai não te deu permissão?

— Meu pai diz que Kung Fu é coisa de menino... Mas no fundo acho que ele não quer que eu me envolva com a cultura chinesa. Ele não me incentiva a me aprofundar em minhas raízes, o que me deixa muito chateada porque não é justo...

— Seu pai não é chinês? — Luís perguntou com curiosidade.

— Não, ele é brasileiro. Minha mãe era chinesa.

— Era?

— Sim, ela se foi quando eu nasci.

— Poxa, sinto muito que você a tenha perdido...

— Obrigada.

— Então você é metade-metade, por isso você é tão abrasileirada.

— Diferentemente de você — Dudu complementou, e Lana deu um tapinha na cabeça dele. Luís riu.

— Você está certo, cara — Luís concordou. — Como vim morar no Brasil com oito anos, não perdi completamente o sotaque. Sem falar que minha família é toda chinesa e mantemos o mandarim em casa.

— Qual o seu nome verdadeiro? — Dudu perguntou, curioso.

— Deixa de ser enxerido, garoto! — Lana brigou com o primo.

— Me deixa, garota. — Dudu se virou para Luís. — Eu ouvi falar que os asiáticos escolhem um nome ocidental, então Luís é o nome que você escolheu, certo?

— Exato. Meu nome chinês é Li Jun, que significa "poderoso exército".

— Posso perguntar como sua família veio parar no Brasil? — Lana fez a pergunta que a deixava curiosa havia muito tempo.

— Depois sou eu o enxerido... — Dudu assobiou.

— Tranquilo, não é nenhum segredo. As artes marciais fazem parte da cultura da família do meu pai há muitas gerações. Meu avô era mestre e treinou meu pai. Então, quando eu era criança, ele recebeu uma proposta para ser o mestre de uma nova academia aqui no Brasil, e aceitou o desafio.

Luís narrou como seu pai gostou de viver em Teresina, a capital do Piauí, e que acabou decidindo ficar em definitivo. Abrir a própria academia virou um objetivo, até que um amigo lhe fez uma proposta de investir num negócio juntamente de seu pai. O mestre de Kung Fu não pensou duas vezes. Foi assim que a família Li se mudou para Campo Maior, uma calorosa e pequena cidade no interior do estado.

— Entendi, faz sentido. O Brasil é um país lindo e cheio de gente acolhedora. — Lana sorriu.

— Isso eu não posso negar. — Luís devolveu o sorriso. — Agora eu preciso ir, minha mãe quer sair para comer carne seca. Foi o pedido dela de aniversário. — Luís ajeitou a mochila no ombro.

— Bateu fome aqui... — Dudu pôs a mão no estômago, fazendo uma careta.

— Você é muito comilão, Eduardo — Lana sorriu, revirando os olhos.

— Olha só quem fala... Mas vamos deixar o rapaz ir após essa sessão de entrevista — Dudu completou.

— Não me importo. Podem perguntar o que quiserem — Luís piscou o olho.

— A gente se vê, cara. — Dudu montou em sua bicicleta. Lana pulou na garupa, segurando-se no primo.

— Tchau, Luís! — Lana acenou de longe

— Para quem achava o cara um chato, esse sorriso aí tá muito grande.

— Dudu, só pedala! — ela pediu sem conseguir segurar o sorriso nos lábios.

Sua felicidade teve data de expiração. Chegou em casa tão exausta que só tomou um banho e caiu na cama, falando com Deus até adormecer. O próximo dia prometia. Ou não. Dependeria do humor de seu pai.

— Bom dia, flor do dia.

O pai de Lana a cumprimentou com um beijo e se sentou à mesa.

— Bom dia, pai. Deixa que eu pego café para você.

— Uau! O que aconteceu com minha filhota que acorda com preguiça toda manhã?

— Pai, isso não é verdade!

— Ah, mas é verdade sim, senhorita.

Vó Fa apareceu na cozinha e fitou Lana com as sobrancelhas levantadas.

— Está vendo? Até sua avó concorda.

— Vó! — Lana exclamou fazendo beicinho e indo até ela para depositar um beijo em sua bochecha.

— O que aconteceu para você estar assim tão meiga, hein?! — vó Fa perguntou dando um sorrisinho e apontou para o filho, concentrado no jornal.

Lana sacudiu a cabeça e implorou com as mãos, fazendo a avó soltar uma gargalhada.

— Eita que o dia hoje promete — Lana exclamou, já sofrendo em antecipação.

Ela caminhou até a geladeira e tirou o leite de dentro.

— Por quê? — o pai voltou sua atenção para as duas.

A garota engoliu em seco.

— Sei não.

Lana jogou um pedaço grande de pão na boca, tossindo logo em seguida.

— Calma, Lana. Come direito, assim você vai engasgar.

O pai deu tapinhas de leve nas costas da garota.

— Você está tentando dizer algo, Lana? — a avó perguntou, fazendo-a tossir mais ainda enquanto balançava a cabeça em sinal negativo.

— Hora de ir para a escola — Lana disse num misto de animação exagerada.

— Você sabe que hoje é sábado, não sabe, meu bem? — vó Fa perguntou como quem não quer nada.

— Vixe, pelo jeito a cabeça está longe daqui... — o pai comentou e Lana sorriu sem graça.

— Deve estar em algum hobbie — complementou a avó, sorvendo um gole de café de sua xícara fumegante.

— Você e o Dudu não iam estudar hoje? — o pai perguntou, sem perceber as cutucadas de vó Fa.

Lana bateu com a mão na testa. Ela precisava, de verdade, ensinar Dudu, ou as notas das últimas provas dele seriam um desastre.

— É mesmo, tinha esquecido.

— Vocês estão tão esforçados... Tentem fazer algo divertido também, viu? — O pai beijou a testa da filha e colocou dinheiro em sua mão.

Os olhos de Lana saltaram do rosto.

— Não, pai. Não precisa. — Lana tentou devolver o dinheiro.

— Você está estranha mesmo! Recusando dinheiro? Está com febre? — O pai gargalhou alto e devolveu o dinheiro em sua mão. — Vou estar no escritório se precisarem de algo — avisou e saiu.

A avó fixou os olhos em Lana.

— Ah, vó, não me olha assim!

— Contei nos dedos as oportunidades que você teve.

Lana jogou a cabeça sobre os braços na mesa, mostrando sua frustração.

— Que tristeza é essa? — Dudu falou entrando na cozinha.

— Olha só se não é o parceiro no crime.

Dudu olhou da avó para Lana e sorriu sem graça.

Lana levantou a cabeça.

— Pois é. — Lana arfou e se levantou de supetão. — Vamos começar que já estou cansada.

— Eu é quem devia estar cansado — Dudu rebateu, arrastando sua mochila atrás de Lana.

A manhã passou lenta como uma lesma. Lana caiu no sofá da sala no horário de almoço e adormeceu. Dudu ligou o videogame na televisão e ficou matando tempo enquanto sentia o aroma da comida da avó sendo preparada na cozinha.

Douglas entrou na sala e sorriu ao ver a filha estatelada no sofá com uma babinha caindo ao lado da boca.

— Os estudos de vocês estão parecendo uma verdadeira luta, hein? — comentou, sentando-se na poltrona ao lado de Lana. — Essa soldada aqui está abatida.

— Sim, a medalha foi merecida — Dudu comentou focado no videogame.

— Medalha? — Douglas perguntou achando graça.

— Ah, não, vai, vai, vai! — Dudu exclamou com o controle na mão olhando fixamente para a tela. — Não foi primeiro lugar, mas nada mal para uma iniciante, né?

Douglas demonstrou sua confusão no rosto. Dudu nem piscava olhando para a tela.

— Eduardo, do que você está falando?

— Da Lana, oras! Não!!! Ele me pegou — gritou com o videogame, fazendo Lana despertar da soneca.

— O que a Lana tem a ver com medalha? Acho que eu perdi algo... — Douglas coçou a cabeça.

Lana desejou que não tivesse acordado. Bendita a boca grande do seu primo.

Dudu de repente parou o jogo e fixou o olhar na prima, que tinha uma expressão de pânico no rosto.

— Eu pensei que você já... a vovó Fa... e... — ele murmurou com a voz definhando. Douglas olhava de um para o outro.

— Tem algo que eu não estou sabendo? — perguntou.

— Não — Dudu respondeu rapidamente. — Eu estava falando que a Lana ganhou de mim no último jogo de videogame.

— Ah, sim. — Douglas sorriu relaxando no sofá ao lado de Lana.

— Pai, na verdade não é isso. Eu preciso te contar uma coisa — Lana começou, sentindo o coração acelerar as batidas. Era chegada a hora de contar a verdade.

— Hum... — Douglas cruzou os braços em frente ao peito e se retesou.

— É, então, é que eu acho que já vou indo...

— Nem ouse.

Dudu levantou-se em um salto, só para cair sentado novamente no tapete ao ouvir a voz firme do tio.

— Pai, eu me matriculei no Kung Fu escondida — Lana despejou de uma vez, liberando o ar dos pulmões e sentindo uma leveza nos ombros.

— Você fez o quê? — Douglas perguntou mantendo a calma.

— Eu fui para as aulas de Kung Fu e até participei de um campeonato, e eu ganhei uma medalha, pai — Lana tentou soar o mais positiva possível.

O pai bateu sua bengala no chão, se levantou de supetão e começou a andar de um lado para o outro. Dudu afundou onde estava e não ousou olhar para o tio.

— Você só pode estar de brincadeira. Lana, nós conversamos sobre isso e...

— Não, pai! Você falou, bateu o martelo sem nem considerar o que eu queria.

— Isso não é verdade! — Douglas interrompeu, parando de frente para a filha, que agora estava em pé também.

— Claro que é! — ela exclamou frustrada. — Eu não sou mais uma criança, mas o senhor me trata como se eu fosse de porcelana, como se não tivesse o direito de me conectar com a história da minha mãe. Mas eu tenho! O senhor não é a única pessoa que perdeu alguém, eu perdi a minha mãe! Será que dá para tentar entender isso?!

— Não, você quem precisa entender que não posso e nem quero perder mais uma! — a voz de Douglas saiu alta e firme.

— Mas como, pai? — Lana falou chorosa. — Como é que fazer Kung Fu vai fazer você me perder?

— Você não entende, você é jovem demais para entender...

— Tenta me explicar então.

— Ah — Douglas jogou os braços para o alto — Não, não... Dudu levantou e correu para a porta da cozinha, escondendo-se atrás da avó, que assistia a tudo em silêncio.

Lana jogou os braços para cima em rendição, como seu pai, e começou a caminhar rumo ao seu quarto.

— Nós não terminamos, dona Lana! — o pai falou firme. Ela o ignorou e se trancou no quarto.

Lágrimas de frustração caíam por seu rosto. Ela foi até o espelho e observou seu longo cabelo desgrenhado. O pai queria impedi-la de conhecer suas raízes, mas como seria possível, se o que ela via no espelho gritava o contrário? Com certeza havia mais a descobrir... Ainda assim, mesmo fazendo Kung Fu, ganhando uma medalha, não sentia que havia preenchido a lacuna que a falta da mãe fazia. Qual era, afinal, seu propósito de vida?

Olhou fixamente o reflexo no espelho, balançou os cabelos longos e escuros. Nunca havia mexido em seu cabelo sozinha. Mas desta vez era diferente. O momento exigia uma ação dramática de sua parte.

Olhou-se mais uma vez e não pensou mais. Penteou o cabelo e segurou a tesoura nas mãos.

13

— Meu pai já saiu? — Lana perguntou, aparecendo na cozinha somente após ouvir o som do carro sendo retirado da garagem.

— Meu bem, o que aconteceu!? — Vó Fa tinha uma expressão de surpresa ao ver Lana.

Ela balançou os cabelos, agora na altura dos ombros.

— Ah, vó... — ela respondeu, sentando-se à mesa e agarrando um pão de queijo. A avó fez uma volta completa analisando o cabelo da neta e sentou-se a seu lado, segurando suas mãos.

— Laninha, minha querida, por que você fez isso?

Lana olhou para a avó e viu amor em vez de julgamento.

— Ah, sei lá... meu pai, eu... — Lana respirou fundo, largando as mãos da avó e enchendo uma xícara de café. — Por que ele não confia em mim, vó?

— Ele confia, minha linda. Ele está tentando fazer o melhor por você, infelizmente não sabe se comunicar direito. Quando sua mãe estava grávida, ele vivia emocionado, parecia um bobão, e antes de saber que era uma menina já conversava com a barriga da sua mãe, sempre chamando você de "minha Laninha".

— Vó, para. Não é justo, a senhora está falando isso para eu ficar com dó dele... — Lana limpou o canto do olho, onde lágrimas haviam se formado.

— Não é isso. O que quero dizer é: dá um desconto para o seu pai, meu bem. Ele te criou com muito amor, e mesmo que eu tenha ajudado o máximo possível, ele cuidou de você sozinho, tendo de lidar ainda com a tristeza de ter perdido a esposa. A verdade é que ele acredita que assim está protegendo você, que você pode se machucar, e mais ainda, que pode ir parar na China, literalmente no outro lado do mundo, e acabar sofrendo lá. Porque a verdade, minha filha, é que você tem duas raízes, brasileira e chinesa, mas não é isso o que te define. Você é aquilo que Deus diz que você é.

— E o que Deus diz que eu sou, vó? Na escola, as pessoas fazem chacotas por eu ser cristã, em casa parece que meu pai não confia em mim, e eu mesma nem sei direito quem sou — Lana desabafou, a expressão no rosto demonstrando o cansaço em seu coração.

— Já falamos um pouco sobre isso, lembra? Você é uma princesa do reino eterno. Você é escolhida, chamada com um propósito, você foi criada pessoalmente por Deus. Nada foi por acaso. Ele te deu sua personalidade, sua aparência, e sua família também, viu? Ele te fez com muito amor. Nada do que os outros falam ou pensam de você na escola é verdade. Você está numa batalha espiritual lá. As dificuldades vão levar você para mais perto de Deus e transformar sua fé em algo sólido que não vai se quebrar facilmente.

— E como eu faço isso? Parece que em vez de ficar forte, estou perdendo energia.

— Você precisa escolher abraçar essas verdades, minha filha. É uma decisão pessoal. Não adianta procurar essa resposta em coisas terrenas, como em suas raízes, a aceitação das pessoas, ou até mesmo sua família. Nada disso carrega a resposta que só encontramos em Deus. E ações como essas, de cortar o cabelo ou se matricular escondida no Kung Fu, não ajudam muito também.

— Vó Fa — Lana a olhou abismada —, a senhora leu meu diário?

— Você ainda tem diário? — ela perguntou. — Eu nem sabia, menina. Por quê?

— A senhora acabou de descrever o que tenho guardado no meu coração... Eu acho que não entendi bem da outra vez que conversamos sobre isso, mas agora parece que simplesmente faz todo sentido. Vó, meu propósito é Deus! É viver para ele em tudo o que eu faço.

Vó Fa sorriu e fez um carinho na bochecha da neta.

— Isso é o agir do Espírito Santo. É ele quem nos revela as coisas que precisamos saber no momento oportuno.

— Bem que ele podia ter me mostrado antes, né? — Lana brincou. Vó Fa riu com a neta.

— Isso é o que todo cristão deseja, as respostas de Deus quando e como queremos. Mas não funciona assim. Temos que passar por processos para sermos moldados a fim de que aprendamos a amá-lo por quem ele é, e não por ele satisfazer nossas vontades.

— Fala de novo que eu quero anotar isso. Uau... — Lana expirou e inspirou profundamente. — Por que fui cortar o meu cabelo?! — gemeu.

— Agora não tem mais volta. Vamos ao salão da Júlia para dar um jeito nisso que você tentou fazer. Pelo menos a gente descobriu que você não tem talento para cabeleireira.

Lana gargalhou e agarrou a mão da avó, dando-lhe um abraço apertado.

— Me sinto tão leve. Obrigada, vó Fa.

— Pai... — Lana chamou, o tom de voz baixo, ao abrir a porta do escritório do pai e encontrá-lo de costas olhando pela janela. Ela tentou agarrar uma mecha de cabelo para enrolar no dedo como sempre fazia quando estava nervosa, mas seria difícil com o cabelo tão curto.

— Uau, parece que me mandaram outra filha no lugar da de ontem — ele exclamou com surpresa ao se virar e encará-la.

Lana sorriu sem graça. Seu ato de impulsividade havia surpreendido a todos. Não era por menos: havia cortado três palmos de seu cabelo.

— É, digamos que foi um ato meio que impensado...

— Sim, impensado parece a palavra certa — o pai murmurou. Então sentou-se no sofá e bateu com a mão ao seu lado, convidando-a para sentar-se.

Lana moveu-se devagar e sentou-se, desconfortável. Por que pedir desculpas era tão difícil, enquanto falar o que não devia era tão fácil? Bem, era agora ou nunca.

— Pai, quero pedir desculpas pelo que falei ontem, e também por praticar Kung Fu escondida — ela fez uma pausa e completou: — Se bem que ainda não concordo com o senhor me proibindo assim, sem nem me dar a chance de tentar... De qualquer forma, isso não justifica. Me perdoa, pai.

— Vem aqui. — Douglas a abraçou, depositando um beijo em sua cabeça. — Está perdoada, filha. Eu te amo muito, sabia?

— Também te amo, pai.

— Agora vamos colocar os pingos nos is — Douglas a afastou e segurou seu rosto entre as mãos. — Eu quero que você receba isso com muito, mas muito amor.

— Mas eu já pedi perdão, pai. Não precisa me passar outro sermão... — Lana jogou a cabeça para trás no encosto do sofá.

— Não é sermão, mas é para o seu bem. Vamos ter que estabelecer alguns limites. Pode chamar de castigo, se quiser.

Lana levantou-se de supetão, mas Douglas a fez sentar-se novamente.

— Eu estou muito velha para ficar de castigo!

— O pai corrige o filho que ama. E sabe o quê, filha?

Lana balançou a cabeça, esperando pela explicação.

— Se eu não ajudar você a entender agora que nossas decisões trazem consequências, eu seria um pai que não te ama. Mas como eu te amo muito, quero que você aprenda que obedecer e considerar nossas decisões é um plano de Deus. Ele definiu limites para nos proteger, e não para nos punir.

— Sei...

— Eu vou te ajudar a relembrar. Você está perdoada, filha. Sobre o que você disse a respeito de eu não ter te dado uma chance, sim, você está certa. Eu peço perdão por não ter considerado o que você disse. Sei que não ter tido sua mãe com você enquanto crescia foi difícil, e eu me assustava com a ideia de você se machucando ou indo para outro país a fim de tentar entender melhor suas origens. Isso me apavora, na verdade. Esse seu espírito determinado e curioso me deixa de cabelo em pé, filha. Você pode perdoar este velho aqui? — Douglas sorriu, tímido, e coçou a barba.

— Te perdoo sim, pai. E eu já entendi que minhas origens não me definem — Lana disse, e os olhos de Douglas encheram-se de lágrimas. — Ainda assim eu amaria poder descobrir mais sobre a mamãe e entender melhor a cultura chinesa. Isso não significa que eu vou literalmente para a China, entende? Mas eu preciso da sua ajuda, porque o senhor é a pessoa que a conhecia melhor que ninguém.

— Você tem razão. Tem um baú extra no depósito além daquele que você encontrou no meu quarto, com várias coisas da sua mãe, pode pegar pra você.

— Pai, eu encontrei esse baú há séculos! Já revirei tudo o que tem dentro dele, e até encontrei outros diários da mamãe — disse Lana, enquanto o pai a fitou surpreso. — O que eu desejo mesmo é que o senhor compartilhe comigo o que tem ali, suas lembranças, os momentos que viveu com ela, o que ela te ensinou da cultura dela...

— Poxa, eu me sinto um pai falho...

— Está tudo bem, nunca é tarde.

— Eu vou melhorar nisso, prometo. — Douglas beijou a testa da filha. — Mas sobre o Kung Fu...

— Honestamente, eu entrei para tentar me conectar com minha mãe, mas agora realmente me apaixonei pelo esporte.

— Estou tentando te entender, filha. Prometo que estou, mas isso não muda o fato de que o que você fez foi errado. Você desobedeceu, mentiu e fez o seu primo mentir. Isso soa certo para você?

— Não — Lana respondeu, sentindo a culpa das suas ações pesar nos ombros. — Eu ia te contar, não estava planejando mentir para sempre.

— O que seria um plano não muito inteligente... — Douglas apontou, tentando aliviar a tensão.

— Pois é... — Lana fez uma careta. — Eu só estava esperando o momento certo.

— Você é inteligente, meu amor. E ainda é jovem, vai aprender muito nesta vida, por isso quanto mais cedo as lições vierem, mais sábia você vai se tornar.

— Que jeito bonito de avisar sua filha que está de castigo.

— Concordo. — O pai sorriu e logo ficou sério novamente. — Duas semanas só podendo sair de casa para a escola e para a igreja. A Adriana reclamou das notas vermelhas do Dudu em matemática, e já que você queria *tanto* ensiná-lo... — Douglas acrescentou com sarcasmo — ... ele vai vir para casa com você após a escola.

— Ah, pai! O Dudu é muito lerdo, preciso explicar a mesma coisa mil vezes — Lana choramingou.

— Devia ter pensado duas vezes antes de prometer que o ajudaria com o estudo. Agora será de verdade.

— Está bem — Lana levantou-se. — Essa conversa toda me deixou com fome. Vou fazer um lanche.

— Ah, mais uma coisa. A gente vai precisar trancar sua matrícula no Kung Fu por enquanto.

— Pai! — Lana sentou-se no sofá ao seu lado novamente. — Eu ensino o Dudu o ano inteiro se for preciso. Mas me deixa continuar no Kung Fu, por favor! Eu acabei de ganhar uma medalha, trabalhei tão duro.

— Com muito amor, a minha resposta é não.

Lana suspirou fundo. Não tinha o que fazer. Precisava aceitar a decisão do pai com humildade. Afinal, ele estava certo, aquela era a consequência de seu ato. No entanto, essa constatação não aliviou a tristeza de deixar de lado o amado esporte recém-descoberto.

Sem palavras, ela se levantou e caminhou lentamente para a porta.

Seu pai também se levantou do sofá e voltou a se sentar atrás de sua mesa.

— Vai fazer o seu lanche que eu preciso terminar uns documentos.

Mas o apetite a havia deixado.

— Você acha mesmo que vai aparecer alguém? — Dudu perguntou sentado na grama no horário do intervalo. O sol naquele dia estava a pino, e a frondosa árvore oferecia um espaço agradável sob o qual se abrigar.

— Não sei, mas mesmo que não apareçam hoje, eu não vou desistir — Lana afirmou sentando-se ereta e estalando os dedos.

— Será que a diretora vai brigar com a gente?

— Dudu, temos o direito de liberdade de expressão como alunos, só estamos exercendo esse direito. E pode ficar calmo que eu avisei para a diretora antes e ela disse que não via problema.

— Entendi, que bom então... — Dudu assentiu roendo as unhas.

— Fica calmo que vai dar certo. Confia.

— Você não me parece muito calma... — Dudu apontou para as mãos dela enrolando mechas do cabelo.

— E não estou! Meu coração parece que vai sair pela boca... Mas não vou desistir! — Ela repetiu, fitando estudantes ao redor, todos os olhos voltados para o cartaz com os dizeres "Clube de Jesus".

— Será que devíamos ter escolhido outro nome?

— Será? — Ela olhou fixamente para o cartaz de cartolina e o analisou mexendo nervosamente no cabelo.

— Talvez... Porque quando as pessoas leem "Jesus" no título, vai ser difícil ter coragem de parar e sentar, principalmente depois de você... sabe, no Instagram e tudo mais.

— É, Dudu, eu sei, eu sei. Não precisa me lembrar.

— Eu só estou dizendo que... — Dudu parou a frase no meio ao ver uma pessoa se aproximando e sentando-se ao lado de Lana.

— Luís? — ela exclamou como se estivesse vendo uma miragem. Fazia um mês que havia parado de ir para o Kung Fu, de modo que só o via na escola de vez em quando. Em geral se cumprimentavam, mas não conversavam muito.

— Sim, ué — ele falou meio sem graça, coçando a cabeça. — Estou atrasado?

— Não! — Lana exclamou alto demais, ficando envergonhada logo em seguida. — Quer dizer, de jeito nenhum. Íamos começar agora, né, Dudu?

— Sim, sim.

— Posso perguntar qual é o plano de vocês? — Luís olhou ao redor sabendo dos olhares curiosos e, em seguida, focando sua atenção em Lana.

— Só queremos criar um espaço onde possamos exercer nossa fé e nos apoiar uns aos outros.

— Uau, isso soou bonito, hein, prima — Dudu assobiou, admirado, e Luís sorriu.

— Para de bobeira, Dudu. Eu estou falando muito sério...

— Eu sei! Não tô de bobeira, de verdade... Confesso que estou meio desconfortável e nervoso com tantos olhos voltados para cá. Mas ouvindo você explicar assim, faz sentido.

— Eu também precisei reunir coragem para vir, mas sei que é o certo. E no final, juntos somos mais fortes, como diria Dudu — Luís completou.

— Isso! — Lana sorriu, sentindo uma dose de ânimo a preenchendo.

— Então vamos começar que daqui a pouco a campainha toca — Dudu disse.

— Verdade. Muito bem. Eu pensei em ler alguns versículos juntos, aí podemos comentar o que achamos e depois orar... O que vocês acham? — Lana olhou ansiosa de Dudu para Luís.

— Seria legal demais se tivesse alguém que tocasse violão, ukulele, cavaquinho ou sei lá, que cantasse bonito, porque a Lana é uma tristeza... — Dudu foi interrompido por um tapa atrás de sua cabeça. — Ai! Essa doeu — ele resmungou massageando o local. — O que eu queria dizer era que seria bacana ter música.

— Nosso grupo mal tem gente, só se por um milagre o Luís tocasse ou cantasse... — Lana gracejou.

— Lá vem você, me julgando novamente sem saber... — Luís deixou um sorriso brincando nos lábios. — Eu conheço um cara que toca, posso ver com ele.

— Isso seria incrível! Espero que ele tope. — Lana comemorou, animada.

— Total! — Dudu completou.

— Está bem, mas por hoje vamos com o que temos... — Luís checou o horário na tela do celular.

— Sim! Na verdade, eu fiquei inspirada com um podcast que ouvi, sobre o capitulo seis de Efésios, e achei que seria perfeito para treinar o nosso "exército" para a batalha — Lana fez aspas com os dedos.

— Massa — Luís vibrou, abrindo seu aplicativo da Bíblia. Eles dividiram a leitura dos versos.

— Ah, eu gosto dessa passagem — Dudu comentou.

— Eu também... Nunca havia pensado sobre essa coisa de batalha. Sempre que ouvia a respeito disso na igreja, me fazia lembrar os tempos antigos, tipo do rei Davi, quando ele ia para a guerra com seus soldados, ou então pessoas que eram presas ou até mortas por sua fé em países do Oriente Médio, por exemplo. Mas talvez tenha uma razão para essa passagem ter chegado até nós... Não pode ser por acaso que Paulo descreveu a armadura do cristão, não concordam? — Luís olhou de Lana para Dudu.

— Eu pensei a mesma coisa, e cheguei à conclusão de que mesmo vivendo num país livre os cristãos ainda têm suas batalhas, não fisicamente, mas espiritualmente — Lana completou olhando ao redor e observando alunos caminhando, interagindo e, vez ou outra, lançando olhares curiosos para eles.

— Sim... verdade. Faz sentido. Isso significa que nós também precisamos de proteção especial, porque vamos passar por batalhas e até guerras. — Dudu completou, acompanhando o olhar de Lana.

— Isso!

— Batalhas são duras, podemos ser atingidos, e vai doer... E mesmo que pareça difícil no momento, é importante lembrar que o Rei está conosco, e ele não nos envia para lutar sozinhos. Ele é um rei bom que vai para o campo de batalha com seus soldados — Luís completou.

Lana sabia que Deus estava se revelando a eles através de sua Palavra. Um misto de ansiedade e animação a invadiu.

— Eu estou chocado! — Dudu exclamou três dias depois que começaram o clube ao ver Luís se aproximando. No segundo dia, uma aluna do primeiro ano se juntou a eles, e agora ela tinha vindo novamente, assim como Esther, que só faltou saltar de alegria quando viu o cartaz e se juntou a eles sem pestanejar. Aquilo fez Lana sentir que faziam a coisa certa.

— Não acredito... — Lana murmurou, tão surpresa quanto o primo.

— Eu te disse para parar de julgar sem saber — Luís brincou, sentando-se na roda e tirando um violão da capa.

— Cara, você é um faz-tudo! Não vai dizer que fala chinês também! — Dudu riu de sua própria brincadeira, fazendo Luís balançar a cabeça. Lana revirou os olhos.

— E não é que falo? — Luís entrou na brincadeira.

— Então você é o "cara" que toca? — Lana fez aspas com as mãos.

— Sim. Quer dizer, eu estava meio enferrujado, mas nada que duas noites praticando não resolvessem.

— Acho que alguém precisa fazer um pedido de desculpas... de novo — Dudu disse, soltando um assovio.

— Aaah... — Lana balbuciou. — Foi mal, Luís. De novo. Preciso parar de te julgar sem saber.

— Está desculpada! Agora vamos começar.

Ele tocou uma música que falava do amor de Deus mesmo que as pessoas não o merecessem. Lana fechou os olhos e se permitiu sorver a mensagem que a música trazia. Ela era amada, por isso foi chamada para amar outros. De repente, estar sentada no pátio da escola, demonstrando publicamente sua fé, não a deixava tão desconfortável. Ela sentia propósito naquilo, em simplesmente viver a vida que Deus lhe tinha dado. Não era fácil, mas pertencer a ele valia a pena.

Ao abrir os olhos, viu que outros estudantes haviam se aproximado. A maioria não se juntou à rodinha, mas estavam atentos a uma certa distância. Ela olhou para Luís, focado nas notas da segunda música, e soube que Deus também unia propósitos.

15

"Passo aí em cinco minutos."

Lana leu a mensagem de Luís e calçou o tênis de qualquer jeito, apressada. Foi só comentar que estava voltando para os treinos, que Luís garantiu que passaria em sua casa na ida para a academia.

— Você vai cair desse jeito, menina! — vó Fa a alertou, recebendo um beijo estalado na bochecha.

— Tchau, vó! — disse ela sem se dar ao trabalho de repetir pela milésima vez que estava voltando para o Kung Fu.

Após semanas, com o semestre quase no fim, o pai havia cedido a suas lamentações. Finalmente o dia tinha chegado.

— Não acredito que estou de volta! — exclamou, saltando em frente à Academia Mestre Li com Luís ao seu lado.

— Você fez falta — comentou Luís, deixando os chinelos no compartimento na entrada.

— Sei que sim! — Lana respondeu com um sorriso travesso.

Quem diria que após meses de convivência na academia e na escola os dois se tornariam tão bons amigos. E o clube bíblico havia sido o meio que os tinha unido ainda mais. Lana estava grata a Deus por isso.

— Muito bem, senhorita humildade. Retiro o que disse — disse ele, tomando um soquinho de Lana em seu ombro. — Ei, essa doeu — ele resmungou massageando o braço.

— Ah, fala sério. Ou eu estou muito forte ou você virou um fracote, Luís. — Lana empinou o nariz e colocou as mãos na cintura como se o desafiasse.

Luís se preparou para contra-atacar, mas seu pai apareceu na porta.

— Os dois vão ficar aí de namorico o dia inteiro ou vão fazer alguma coisa, seus molengas?

Lana correu até ele com um sorriso largo quase chegando nas orelhas e deu um abraço apertado no mestre, que devolveu por um segundo e se afastou.

— Pensei que não voltaria mais — ele exclamou, tentando esconder o contentamento em vê-la.

— E ficar sem o meu mestre durão que não dá folga? De jeito nenhum!

Foi impossível aquele senhor de maxilar quadrado e cara fechada prender o riso. Lana sorriu junto e Luís a fitou abismado.

— Garota, você é mesmo única. Agora mexe essas pernas preguiçosas. Quero ver dez voltas na quadra para aquecer, como nos velhos tempos.

Lana deu um sorrisinho fraco.

— Ops, acho que falei demais!

Ele sorriu e se virou, voltando para dentro da quadra.

— Lana, só você para ter coragem de falar assim com ele — Luís a empurrou para dentro do espaço com os tatames.

— Seu pai, você quer dizer, né.

— Aqui ele é meu mestre e chefe — Luís avisou e mandou que ela se trocasse e andasse logo antes que recebesse o dobro da ordem.

— Ok, tô indo.

— Lana — Luís a chamou, e ela se virou. — É bom ter você de volta. — Ele sorriu com simplicidade, fazendo o coração dela errar uma batida.

"A escola, afinal, não era tão ruim assim", Lana pensou ao entrar pelos portões e ser atingida pela realidade de que seu tempo como estudante de ensino médio estava se findando. Sua vida adulta estava mais perto do que imaginava. O tempo havia passado rápido demais.

— Agora é com você, primo. Vou te apoiar sempre! — Lana tentou soar animada ao constatar que em poucos dias seria sua colação de grau e o clube bíblico ficaria nas mãos de Dudu.

— Para de drama, Lana! — ele caminhou ao seu lado. — Vai dar tudo certo. Alguns alunos já até vieram conversar comigo querendo se envolver mais.

Lana se emocionou.

— Deus é bom! — ela não resistiu dar um abraço apertado nele.

— Verdade, mas vamos parar com essa melação que não combina com a gente. — Dudu sorriu para ela.

— Eu nem acredito que você é o mesmo do ano passado, que perdia a língua toda vez que o assunto "fé" entrava em cena.

— Nem eu acredito. Será que isso tudo é um sonho? — ele questionou, parando e olhando ao redor.

— Será? — Lana comentou sorrindo.

— Se for, não me belisca que eu não quero acordar.

Lana gargalhou alto.

— O que é tão engraçado? — Luís comentou se aproximando.

— Ei! — Lana o recepcionou dando um abraço em Luís, que fez cara de surpresa.

Dudu levantou os ombros.

— Ela está em crise de pré-graduação — o primo informou e recomeçou a caminhar. Avistou um grupo de estudantes, que já estavam sentados embaixo da *Árvore da Bênção*, como eles passaram a chamá-la.

Lana parou por um segundo e olhou ao redor.

— Vou sentir saudades.

Ela mal podia acreditar em tudo o que havia acontecido em menos de um ano. Nunca imaginou que sofreria perseguição por sua fé, que começaria um clube bíblico e que amaria tanto Kung Fu, tudo praticamente de uma vez.

— Está na hora — Luís anunciou, pegando o violão e dando um leve empurrão com seu braço no dela.

Lana o fitou com timidez. Também não imaginava que fosse se aproximar de um rapaz chinês, o único em sua escola, fazer uma amizade sincera e terminar pensando nele mais vezes do que podia controlar.

Epílogo

Estar de volta ao esporte só confirmou o desejo que vinha crescendo em seu íntimo. Ela queria se tornar professora de Kung Fu para crianças. Por isso, já havia feito matrícula na Universidade Estadual do Piauí, a mesma que Luís havia selecionado no Enem. Ambos no curso de Educação Física.

No início, Lana começou a praticar o esporte de luta por querer se conectar com suas raízes após encontrar o diário de sua mãe. Depois, ao passar pelo drama na escola, pensou que seria muito válido estar preparada para sair no braço caso alguém tentasse atacá-la fisicamente. No fim, porém, percebeu que o esporte era mais que isso para ela. Sim, ela se sentia mais conectada com suas raízes, principalmente após seu pai começar a compartilhar mais coisas a respeito de sua mãe. Mas, não, ela não esperava usar suas técnicas contra alguém do colégio.

Ela amava tanto os princípios de disciplina, perseverança e trabalho árduo que gostaria de transmiti-lo para crianças. E ela sabia que poderia glorificar a Deus usando a paixão que tinha pelo Kung Fu. No fim, não dizia respeito à profissão ou a si mesma, mas ao que Deus podia fazer através da sua vida, não importasse onde ou como.

Sua identidade estava em Cristo. Sentimentos de autoaceitação não definiam quem ela era, e também não precisava ir atrás de coisas para preencher o espaço dentro de si, como esportes, amizades, família... Ela havia descoberto que o espaço em seu coração tinha o tamanho exato de Deus, e só ele podia preenchê-lo.

Foi com esses pensamentos que ela se dirigiu a uma sorveteria no Açude Grande, um lago com uma área bonita e arborizada. O sol estava a pino, e nada como um sorvete geladinho para refrescá-la na ida para o trabalho no período da tarde. Antes de sair de casa enviou uma mensagem de texto para Luís, perguntando se ele compartilhava de sua ideia. Sem decepcioná-la, ele respondeu que a encontraria lá.

— Sorvete na casquinha ou no copo? — Lana perguntou a Luís enquanto esperavam a vez de fazer o pedido. Ao que parecia, muita gente teve a mesma ideia naquela tarde de sol.

— Vai mudar algo dependendo da minha resposta?

Lana girou os olhos e bateu o pé em impaciência.

— Deixa de ser chato, só responde.

— Por quê?!

— Ai ai ai... Como eu fui terminar com um namorado tão chato?!

— Porque eu sou um *oppa* irresistível...

Lana gargalhou alto, fazendo as pessoas na fila olharem em sua direção com curiosidade.

Luis trouxe a mão dela até os lábios e deu um beijo rápido, fazendo-a gargalhar mais.

— Um *oppa* romântico — ele completou, gargalhando junto.

— Isso eu preciso concordar...

— Casquinha ou copo? — o atendente olhou para os dois e perguntou, parecendo um pouco irritado pela demora do casal para escolher os sabores.

— Casquinha! — os dois disseram ao mesmo tempo, e riram.

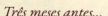

Três meses antes...

— Você é muito teimosa, sabia?! — Luís comentou ao sair do treino com Lana e Dudu. Os três com o cabelo molhado após a ducha.

Lana insistira antes do treino sobre o jeito correto de desferir um golpe, e os outros dois discordaram dela.

— Sei sim — Lana disse e piscou o olho para ele. — Que bom, porque eu estava mesmo certa.

— Essa daí é mais teimosa que burro de carga — Dudu implicou, logo recebendo um peteleco na orelha. — Ai. Tá aí a prova.

Lana se aproximou dele para dar outro peteleco e ele correu, montando rapidamente em sua bicicleta.

— Está na minha hora! Boa sorte, Luís! — ele acenou se afastando dos dois.

— Ele se safou dessa — Lana comentou.

— Eu vou com você — disse Luís, que sempre ria da interação dos primos. — Mas, sério, nunca conheci uma garota tão obstinada como você. Não desiste nunca!

— Quem me dera! — Lana sorriu, pensando no quanto estava longe de ser a pessoa que Luís descrevia. — Você não tem ideia do quanto já chorei sozinha querendo desistir, das noites que orei e pedi a Deus por socorro. Eu não sou essa valentona que por vezes tento transparecer.

— Por isso mesmo acho que é tão obstinada. Mesmo com todas essas dificuldades você se manteve de pé, não desistiu. Isso se chama resiliência. Admiro muito isso em você. — Luís fez uma pausa ao olhar para o lado e ver o sorriso no rosto dela. Ele limpou a garganta e completou: — Você tem se saído muito bem como assistente do nível dois. Acho que não vai demorar muito para receber uma vaga de tempo integral.

— Você está sendo muito positivo, agora que completei dois meses no cargo.

— Que nada, um passarinho me disse que você está se saindo bem.

— Luís! — Lana agarrou o braço do rapaz, fazendo-o parar. — Quem foi esse passarinho?

Luís gargalhou e voltou a andar.

— Não vou contar.

— Não é justo! Começou, termina! — ela pôs as mãos na cintura, mas Luís nem viu, pois estava caminhando em sua frente.

Lana correu para dar um peteleco na orelha dele como sempre fazia com Dudu, mas foi surpreendida antes de concluir seu feito. Luís a agarrou pelos pulsos e olhou dentro de seus olhos, seu rosto próximo ao dela.

Lana mal respirava. O coração acelerado. Era fato que ela descobriu poucos meses atrás que gostava de Luís, e gostava muito. Mas ele nunca foi claro sobre o que sentia por ela.

Luís soltou uma de suas mãos e agarrou a outra firmemente na própria mão.

— Será que você pode parar de ser apressadinha e esperar mais um pouco? — ele pediu, voltando a caminhar, mas sem soltar a mão dela.

Lana perdeu a fala e só pôde seguir caminhando ao seu lado.

Ao chegarem diante da casa dela, Lana viu o pai e a avó na janela, por isso tentou, sem sucesso, soltar a mão do rapaz. Só que ele a segurou ainda mais firme.

— Luís, o que você está fazendo? — Lana sussurrou, nervosa.

— Ei — ele falou com um tom de voz que passava tranquilidade. — O senhor Douglas e eu tivemos uma conversa.

— Ai, meu Deus! — Lana exclamou levando as mãos à boca, finalmente se libertando da mão de Luís. — Ele foi atrás de você?! Está vendo de onde vem minha obstinação? Meu pai me mata de vergonha. Luís, me diz o que ele te falou que eu vou ter uma boa conversa com ele. Eu já tenho dezoito anos, poxa vida!

Luís abriu um lindo sorriso que acentuou sua covinha, deixando Lana confusa.

— Ele disse, após um longo sermão, que sim.

— Sim o quê, Luís?! Isso só piora. — Lana sentiu as bochechas esquentarem. Ela olhou novamente na direção da casa. Nem sinal de seu pai ou da vó Fa na janela.

— Ele disse que me dá permissão de namorar você.

O queixo de Lana caiu alguns centímetros. Não era o que ela esperava ouvir.

— Permissão de quê?!

— Isso se você quiser, é claro. Mas eu queria checar primeiro com ele. Não quero estar na mira de um comandante do exército — disse ele, claramente tentando aliviar o momento.

Lana piscou algumas vezes e fixou seu olhar nos olhos puxados e sorridentes de Luís.

— Perdeu a fala pela primeira vez na vida, dona Lana? — ele questionou após vários segundos de silêncio que mais pareceram horas.

— Sim, quer dizer, não, é que...

— Me dê a sua mão... — ele pediu gentilmente.

Luís colocou uma linda pulseira em seu pulso. Um pequeno pingente em formato de espada com uma frase cravada em pequenas e delicadas letras.

— E-efésios seis... — Lana leu em voz alta, quase engasgando de emoção, e olhou para ele.

— Lembra do primeiro encontro do clube na escola, quando estávamos só o Dudu, você e eu? — Lana fez que sim com a cabeça. — Você leu Efésios seis, e comentou que Deus estava te mostrando a realidade das batalhas espirituais e como você não se sentia forte o suficiente, mas que mesmo assim queria obedecer como um bom soldado, ou soldada — Luís lembrou, fazendo-a rir.

— Eu nem me lembro de ter falado isso...

— Mas falou, e eu nunca esqueci, porque foi naquele dia que passei a olhar ao meu redor, para a minha vida, a escola, os relacionamentos, e em toda parte eu procurava entender como Deus estava me desafiando a pegar a espada da fé e lutar... Parece que meus olhos se abriram e passei a ter consciência do meu chamado, para lutar e para ser sal e luz neste mundo.

Lana estava tocada com o que ouvia. Nunca imaginou que um simples compartilhamento de suas questões interiores poderia despertar outros.

— Luís, eu só posso agradecer a Deus por ter trazido você naquele dia. Eu confesso que tinha ranço de você no início, principalmente após ouvir uma conversa no banheiro da academia sobre uma tal de Nicole. Mas nisso Deus também trabalhou em mim.

Luís fez uma careta.

— Não acredito que até você ouviu sobre isso. Essa garota, que nem está mais na academia, pediu para ficar comigo, e quando eu disse não, ela espalhou boatos sobre mim. Fim da história.

— Ah — Lana exclamou. — Que bom saber! Então você sempre teve uma quedinha por mim, né?

O garoto gargalhou.

— Não foi bem assim... Confesso que também não estava muito animado por uma aproximação. Muitos preconceitos pairavam sobre minha mente.

— Na nossa — Lana ressaltou.

— Mas isso é passado. Te dar essa pulseira representa um tempo novo. Este pingente é um lembrete de como você é uma guerreira lutando por um reino eterno.

— Assim você vai me fazer chorar. Não é justo... — Lana respirou fundo e fez um biquinho para evitar lágrimas. — Só Deus sabe como tenho lutado, e eu quero continuar, dia após dia. Obrigada pelo lembrete. — Ela o abraçou, fungando.

Luís a separou após alguns segundos e olhou nos seus olhos.

— Então, qual a sua resposta?

— Primeiro, eu quero saber porque você não me perguntou antes de perguntar ao meu pai. — Lana levou as mãos à cintura em sua pose padrão, o que tirou um novo sorriso dos lábios de Luís.

— Você sempre querendo ser diferente... Ok, o motivo é que eu queria fazer tudo certo do início. Sei que seu pai é protetor, e eu queria garantir para ele que as minhas intenções são de longo prazo.

— Longo quanto? — Lana indagou, segurando a mão de Luís novamente.

— Você é mesmo teimosa, precisa saber de tudo, cada detalhe, né?

— Você acha que aguenta uma teimosa para sempre?

— Acredito que Deus pode me dar uma mãozinha nisso. — Lana sorriu e Luís acariciou sua bochecha. — Então, será que a senhorita teimosia vai me dar uma resposta hoje ou preciso voltar em uma semana?

— Sem dúvida nenhuma é um sim! — Lana confessou com alegria.

— Posso te dar um beijo? — ele pediu, o que fez Lana gargalhar. Luís ficou sério e perguntou inocentemente. — O que foi?

— A minha avó vai te amar! Se prepara, *oppa!* — Lana viu a confusão no rosto do rapaz e completou: — Pode sim!

Fé sobre ondas
Queren Ane

1

— Ariela, você esqueceu que temos uma reunião?!

A voz brava do meu pai reverberou pela casa enquanto eu arrumava às pressas meu amontoado de cachos ruivos. Com três grampos na boca, não pude responder "estou indo", numa inútil tentativa de acalmar o mar revolto que era o meu pai. Encará-lo furioso logo cedo era uma terrível maneira de começar o dia.

E eu nem pude fazer o meu devocional. Lamentei ao ver minha Bíblia intocada em cima da penteadeira. Além disso, não poderia nadar com Enzo, outra parte favorita da minha manhã às quartas. Meu pai atrapalhou totalmente minha rotina a fim de me arrastar para mais uma reunião tediosa na academia.

Era a terceira vez naquela semana, e só fazia pouquíssimos dias que eu havia entrado de férias. Mesmo morando de frente para a praia, quase não conseguia estar com o mar que tanto adorava. Não duvidava que meu pai tivesse planejado de forma detalhada cada movimento meu durante as férias, dada a sua incorrigível natureza controladora.

— Ariela!

Lá estava ele me berrando, de novo, do primeiro andar.

— Está na hora de você ter mais responsabilidade com os assuntos da academia.

Desci o último degrau com um longo suspiro sem querer ouvir seus argumentos costumeiros. Vestida em uma saia jeans verde até as canelas, blusa lilás, tênis brancos para combinar e no ombro a ecobag de algodão estampada com a frase "*O mundo acima é um lugar maravilhoso. Mas todos sabem que a verdadeira magia reside no fundo do mar*". Como eu daria tudo para dar um mergulho no mar naquele instante.

— Podemos ir, Ariela?

Com passadas duras papai pegou a chave do carro no aparador do hall.

Permaneci quieta. Seria loucura dizer até mesmo um "bom dia".

Meu pai tinha um porte atlético difícil de ser ignorado e era bastante intimidante. Ele assumiu os fios brancos acinzentados e os deixou compridos na altura do pescoço. Em seu rosto ostentava uma barba grisalha bem aparada que era motivo de muito orgulho do senhor Tito. Suas feições marcantes e bonitas, somadas a todo o pacote, faziam do meu pai um dos solteiros mais desejados da cidade.

— Tenho outro compromisso após a reunião, vou à prefeitura. Você me atrasou bons minutos.

— Desculpa — pedi baixinho.

Por culpa do atraso, tive que escutar meu pai resmungar durante todo o trajeto até a academia. Assim que desci do carro, meu celular vibrou com uma mensagem. Era do grupo de jovens da igreja e nossa líder confirmava o horário do encontro mais tarde.

— Desliga esse celular e me acompanha, Ariela.

Fiz uma oração mental, implorando por ajuda divina, ou perderia a paciência que procurava manter. Inspirei o mais fundo que pude o cheiro salgado do mar, que sempre me acalmava, e segui meu pai através das portas de vidro.

A Academia Atlântida foi fundada por meu avô e herdada por meu pai quando uma lesão o tirou do surfe profissional. Durante muitos anos, vovô e papai administraram juntos e expandiram as fronteiras da Atlântida, que de escola de natação se tornou um centro de atividades físicas. Uma das academias mais conceituadas da região e patrocinadora dos maiores eventos culturais que aconteciam em nossa cidade litorânea, na Costa do Sol do Rio de Janeiro. E era mais uma reunião de "patrocínio" que nos aguardava.

Na sala do meu pai, sentei-me à redonda mesa de seis lugares, de frente para a vidraça que possibilitava uma vista e tanto da piscina de raia. Esperava que Enzo nadasse. Se eu não pudesse estar com ele, ao menos observaria. A única recompensa de estar naquela sala.

Em poucos minutos, as pessoas esperadas subiram e a reunião teve início.

— Ariela?

— Hum?

— Você tomou notas? — meu pai perguntou assim que ficamos sozinhos.

— Aham.

Sei que por "notas" ele não quis dizer rabiscos de conchas, estrelas do mar e frases aleatórias. No entanto, foi apenas o que anotei. Em minha defesa, ver meu pai bajular pessoas intragáveis, porém relevantes na cidade, que detêm o poder de colocar a academia no evento do ano, foi entediante.

— Quero ver suas anotações.

O pedido me deixou em alerta. Esbocei um sorriso frouxo e fechei meu caderno com rapidez quando ele se aproximou de mim. Atirei o caderno no fundo da bolsa.

— Ariela, Ariela... — papai suspirou dando a volta na mesa e parou de braços cruzados de frente para a vidraça.

— O que foi, pai?

— Quantas vezes eu preciso chamar sua atenção? Acha que não vi você olhando para a piscina durante todo esse tempo? — Então ele se virou me perfurando com o olhar afiado. — Quando digo que precisa ter responsabilidade, é disso que estou falando. Você precisa aprender como funciona a administração da academia, essas reuniões são importantes. Aprenda a tratá-las com seriedade.

— Você quer que eu aprenda a bajular gente chata?

Papai endureceu sua expressão.

— Sim. Faz parte dos negócios. É essa gente chata que ajuda a nossa academia a avançar. São essas pessoas que estarão no seu futuro. Então, sim, você precisa aprender a lidar com elas. Não se trata de gostar ou não, e sim do que a academia precisa. Tenha isso em mente.

Bem, eu tinha um futuro diferente em mente. Um em que administrar a academia não fazia parte. Queria ser cientista, não empresária. Meu pai não entendia, e eu nem sabia como contar que seria bióloga marinha, e não sua sucessora na Atlântida. Mais uma vez ele ficaria decepcionado e chateado comigo, como foi quando desisti de ser nadadora profissional. Não estava preparada para enfrentar aquele maremoto de novo.

Como que para me livrar daquele momento tenso, meu celular tocou em cima da mesa. Papai verificou o visor e soltou um grunhido. Gemi e apaguei a tela às pressas. Péssima hora para a pessoa que meu pai mais odeia neste mundo estar me ligando: minha mãe.

— Vou à prefeitura — ele anunciou com rispidez. — Quero que você se atualize sobre nossos compromissos, Ariela. Peça ajuda ao Sebastian. Na verdade, pedi que ele ensinasse algumas coisas a você durante essas férias. Falamos sobre isso depois — ele pontuou pegando sua carteira e o celular. — Não se esqueça que temos um jantar hoje na casa do Loyola às sete. Vê se não se atrasa, minha filha, por favor.

— Pai, o senhor sabe que hoje tenho encontro com meus amigos da igreja. Você tinha me dado permissão, lembra?

Meu pai apertou os lábios, e notei em sua expressão que tinha se esquecido.

— Filha, esse jantar é bem mais importante. Aposto que terá outros encontros com seus colegas... Não sei para que tanto culto.

E abriu a porta para sair.

— Pai, nós tínhamos combinado muito antes de você me comunicar sobre esse jantar.

— Ariela, não me tire a paciência. Estou atolado de trabalho, meu dia está cheio. Preciso de você no jantar comigo. Sem mais discussão.

— Pai!

Ele teve a ousadia de me dar as costas e descer as escadas.

Liberei o gritinho mais silencioso que consegui e pressionei os olhos sentindo o sangue fluir para o meu rosto.

Por que meu pai tinha que ser tão mandão? Por que nunca me escutava? Por que sempre tinha que me obrigar a fazer aquilo que deseja sem considerar a minha opinião?

— Ari.

O apelido denunciou a chegada de Sebe, o secretário do meu pai. Por alguns instantes me esqueci que a sua mesa ficava na entrada da sala do chefe.

— Você já tomou café? Posso preparar um expresso se quiser, e aí podemos começar a trabalhar.

Virei para encontrar Sebe em seu habitual uniforme, calça social preta e camisa social clara. Ele usava óculos redondos sobre o nariz sardento, o cabelo ruivo domado por gel, e estava munido de seu inseparável tablet. Em seus olhos azuis encontrei um pouco de compaixão que eu sabia que não duraria muito, porque Sebastian era um supervisor exigente, como o chefe.

Nem parecia que era meu amigo de infância. No trabalho, ele entrava no modo profissional insuportável. Sendo assim, meu amigo adorável se tornou uma concha quebrada no meu sapato e o segundo motivo do meu estresse, já que papai era o primeiro.

— Só vou trabalhar depois que nadar — avisei por sobre um ombro.

— Seu pai pediu que...

— Só depois do meu mergulho, Sebe.

Desci os degraus depressa.

Sabia que só conseguiria encarar aquele dia após dar bons mergulhos.

2

Ser uma estrela na cidade não era nada fácil. Apesar de não competir havia quase três anos, ainda era considerada a nadadora prodígio que trouxe atenção e reconhecimento à região. Meu rosto estampou comerciais de tevê, folhetos de supermercado, outdoors de turismo e muitas outras coisas.

Quando competia e dava entrevistas, eu gostava de enaltecer nossa costa e a academia, além dos inúmeros patrocinadores que me apoiavam. Essas pessoas foram importantes para que eu avançasse na carreira de atleta enquanto perseguia o sonho de ser como minha irmã, ganhar campeonatos mundiais e colecionar medalhas.

De vez em quando, em jantares como o de mais cedo, o peso das expectativas frustradas dos outros caía sobre mim. Comentários como "queria te ver no mundial", "você teria se saído bem", "tem planos de voltar a nadar?", pesavam no meu coração. Parte de mim sentia que devia muito a eles, enquanto a outra metade permanecia firme na ideia de deixar o nado profissional na busca de descobrir o que eu realmente queria e, sobretudo, quais eram os planos de Deus para minha vida. Mesmo assim, doía saber que decepcionei tantas outras pessoas além de meu pai e minha irmã.

Desde que saímos do jantar, papai permaneceu calado no carro. Eu podia sentir a tensão no ar. Não queria que ele tocasse na conversa sobre "minha antiga carreira", pois seria desconfortável e poderíamos brigar. E fazia um bom tempo desde que tocamos naquele assunto.

Por isso, preenchi o silêncio ao ligar o rádio. Baixei a janela para a brisa da maresia bagunçar meus cachos.

— Queria que você participasse do festival de verão em janeiro — meu pai soltou, de repente. Diminuiu o volume do som e me olhou de lado.

— Pai...

— É só o festival da cidade, filha. Seria ótimo para a academia se você participasse em nosso nome, afinal somos um dos maiores patrocinadores do evento. A equipe de marketing do festival acredita que você conseguiria despertar o interesse em muitos jovens. Sabe que o festival e o circuito são ótimos para a saúde, e sua geração precisa de incentivo à atividade física.

Seria mentira dizer que eu não gostava do festival de águas abertas. Eu adorava, e já havia ganhado algumas vezes. Desisti de participar por causa dos anseios do meu pai e por querer me distanciar dos campeonatos. Se eu continuasse participando, as pessoas continuariam me associando à natação e voltariam a ter expectativas.

— Pode ser intimidante para alguns saber que eu vou participar, pai. Competir com uma antiga campeã pode gerar ansiedade e desestimular.

— Nada disso. Será excelente, você vai ver. Vou avisar à equipe do festival sobre sua participação. Todos vão ficar empolgados, filha.

Papai apertou meu joelho com entusiasmo. Sua felicidade momentânea foi o motivo de eu não ter reclamado ao dizer que não concordei em participar. Preferi aproveitar a calmaria e pedir permissão para ir ao próximo culto da juventude na igreja.

Quanto antes comunicasse meu pai sobre os cultos e eventos seria melhor, já que ele não era um apoiador de minha jornada de fé. Foi veementemente contra quando decidi seguir Jesus, quase três anos atrás. Vez ou outra ele tecia comentários azedos e tentava me dissuadir de meus compromissos na igreja.

Ser a única cristã na família também não era nada fácil.

— O que vocês tanto fazem nesses encontros, Ariela? — ele perguntou após me ouvir.

— Talvez você devesse ir algum dia para descobrir.

Escutei sua risada seca.

— Esse dia nunca vai chegar, minha filha, sabe disso.

— Vamos ver.

Ele aumentou o som, dando por finalizada a brevíssima conversa.

— Filha, eu marquei uma reunião com uns amigos — ele anunciou, de repente. — Te deixo no prédio e saio. Prometo que vou dormir em casa.

— Que bom, porque eu detesto quando você fica bêbado e passa a noite fora — comentei destravando meu cinto de segurança. — Onde vai ser a reunião? — perguntei, e ele me respondeu onde ficava.

Como havia combinado de encontrar os amigos no Boulevard, pedi para tomar um sorvete e andar um pouquinho no calçadão, a noite estava bonita. Também queria ligar para mamãe, mas ele não precisava saber. Assim que estacionamos em frente ao bar, estalei um beijo em seu rosto e pedi "por favor, pai, não beba tanto" e ouvi de volta "não caminhe para muito longe". Papai me deu algumas notas, para minha alegria, e atravessei a rua para caminhar.

O Boulevard Canal era um dos meus lugares prediletos para passear à noite. Havia muitos restaurantes ao longo do calçadão, uma bonita vista para a Lagoa de Araruama e incontáveis barcos ancorados. A iluminação amarelada, os altos coqueiros e o deque de madeira davam um charme especial para a orla. Não andei muito até encontrar um banco vazio, apesar do calçadão repleto de gente. Verifiquei as horas no celular e pedi uma chamada de vídeo com mamãe.

Sabia que ela só havia me ligado porque eu tinha reclamado na noite anterior, por mensagens, que não falava com ela havia semanas. Desde que se mudou para o Paraná com o novo namorado, andava sempre ocupada. E usava a mesma desculpa de anos. Soltei um suspiro e ela me atendeu. Abri um sorriso enorme. Não via mamãe havia tanto tempo... e como eu sentia sua falta! Ela era muito bonita, com seu rosto redondo, olhos pequenos e maçãs salientes. Foi dela que herdei os fios encaracolados castanhos — que eu coloria de ruivo —, a pele preta e o timbre agudo da voz.

Como eu lamentava a distância! E doía não saber quando a veria de novo. Afinal, mamãe se mudava com frequência toda vez que arranjava um namorado.

Esse pensamento me tornava um pouco melancólica, e tratei de não deixar transparecer enquanto conversava com minha mãe. A ligação durou poucos minutos, como sempre. Nos despedimos com a promessa de um tour virtual por sua nova casa. Desejei felicidades e o visor se apagou, bem como meu sorriso.

O coração ficou pequeno. Ouvi meu suspiro desanimado e me levantei do banco com o intuito de ir até a sorveteria mais à frente. Entretanto, um latido alto me colocou em alerta e, tão rápido quanto o som, um Golden Retriever pulou em minha cintura me afundando no banco outra vez.

— Max! — exclamei assim que o reconheci.

Soltei uma risada escandalosa ao afagar as orelhas de Max, que latia e lambia meus braços.

— Como você está, garoto?

Eu ri ao sentir Max lamber meu queixo. Cocei sua barriga quentinha.

— Isso tudo é saudades, hein?

Max exigiu mais afago. Acariciei seus pelos dourados dizendo que também senti saudades. Sua cabeça roçava minha cintura e suas patas faziam um pequeno estrago no meu vestido. Não me importei, eu adorava o Max.

E se ele estava aqui...

Inclinei a cabeça para a frente com o coração ansioso e procurei por seu dono no calçadão.

— Você veio com o Enzo? — perguntei ao cão massageando seu focinho. — Onde ele está?

Assim que perguntei, uma voz macia surgiu por detrás do banco:

— Procurando por mim?

3

— Enzo!

Tive um sobressalto ao vê-lo dar a volta no banco e se acomodar ao meu lado. Um sorriso travesso surgiu em seu rosto e esbarrei em seu ombro, brigando com ele por me pegar de surpresa.

Enzo tinha os cabelos úmidos penteados para trás, onde um cacho insistente se pendurava na testa. O frescor cítrico de seu perfume encheu o ar quando ele se curvou para deslizar os dedos no longo tronco de Max. Sua presença repentina tornou meu coração um pouco agitado.

— Max te viu antes de mim. Ficou alucinado até que eu soltasse a coleira.

— Ele sempre me encontra. Nós temos uma conexão, não é, Max?

— Você é pesado, garoto, vai devagar — Enzo repreendeu Max, que tentava me escalar. — O que faz aqui a essa hora?

Enzo ergueu seu olhar para o meu.

— Fui a um jantar com meu pai. Saímos faz pouco tempo e ele foi beber com os amigos aqui perto... — Torci os lábios. — E como está quente eu quis tomar um sorvete. E você?

— Cheguei da faculdade, tomei um banho e não consegui ignorar o pedido de Max para passear — contou. — Onde vai tomar sorvete? Posso te acompanhar?

Fiz que sim. Ocultei um sorrisinho de satisfação ao caminhar no deque ao lado de Enzo. À nossa frente, Max bisbilhotava o caminho com seu rabo para lá e para cá.

— Não te vi hoje cedo. Por que não foi nadar? Fiquei te esperando.

Saber que ele sentiu minha falta fez um sorriso enorme forçar passagem no meu rosto. Disfarcei ao mordiscar o lábio inferior fitando as ondulações prateadas na lagoa.

— Desculpa, nem consegui te avisar que não iria. Meu pai me levou para mais uma reunião — lamentei. — Depois, passei o dia, de novo, na academia e de noite fui a esse jantar.

— O Rei tá pegando pesado? — Enzo perguntou usando o apelido do meu pai.

Papai era conhecido como "Rei do Surfe" em sua época como campeão. Sua fase no esporte havia passado, mas o apelido permaneceu ao longo dos anos.

Eu enruguei os lábios em um bico.

— Bastante. Me quer na academia todos os dias, e até colocou o Sebe como meu supervisor, acredita? — encarei o menino indignada. — Ele me sufocou com planilhas e acha que é o meu chefe. Ainda nem pude aproveitar o começo das férias — lamentei com um beicinho.

— Eu não gostaria de ter o Sebastian como chefe.

— E olha que você é amigo dele — nós rimos.

Em poucos passos chegamos à sorveteria. Revezamos para escolher nossos sorvetes e dar uma olhadinha em Max. Depois nos sentamos num banco próximo com vista para a lagoa. Entre mordidas em nossas casquinhas, Enzo e eu conversamos sobre a sua semana na faculdade e os meus dias na Atlântida. Após me ouvir, ele se virou de lado para me encarar com atenção.

— Quando você vai contar sobre a faculdade de biologia marinha, Ariela?

Faz semanas que Enzo me aconselhava a contar para o meu pai sobre a faculdade. E eu vivia dizendo "vou falar, em breve", e esse "breve" nunca chegava. A verdade é que eu tinha medo da reação do meu pai, e Enzo sabia disso.

— Esse é o seu último ano, Ari. Você vai prestar vestibular daqui a poucos meses. Tem que conversar com o seu pai.

— Contar quando eu tiver feito a matrícula na faculdade seria muito ruim? — brinquei.

Enzo sacudiu a cabeça em desaprovação.

— É melhor você contar antes.

— Eu sei — falei cabisbaixa remexendo a colherinha no sorvete de pistache. — Ele vai odiar, Enzo. Vai ser duro vê-lo decepcionado comigo outra vez. É triste saber que eu sou a filha que sempre decepciona.

— Lamento que você se sinta assim, Ari. Sei o quanto o apoio do seu pai é importante, mas eu não acho que ele pense que você é uma decepção. O Rei te ama. Ele tem o jeito dele, mas eu acredito que ele só quer ver você trilhar um bom caminho.

— Ele tem altas expectativas, Enzo, e isso me frustra. E aí eu fico com medo de frustrá-lo também. O que ele quer de mim vai além do que posso oferecer. É horrível me sentir pressionada o tempo todo, e isso faz com que eu queira distância da academia.

— Vocês têm objetivos diferentes e precisam conversar sobre o futuro. Tem que ter coragem de conversar com ele, de ser honesta. Se ele descobrir depois que você se matricular vai ser pior, e não acredito que seja uma decisão sábia — Enzo aconselhou. — Pede sabedoria ao Senhor que ele vai te dar.

Acenei ao refletir sobre suas palavras. Era tão bom conversar com Enzo. Ele me ouvia com interesse e se mostrava disposto a me aconselhar com paciência e gentileza. Era um amigo incrível por quem eu começava a ter sentimentos ainda mais especiais em meu coração, e eu orava em segredo por isso.

Continuamos conversando até Max vir nos chamar para brincar. Voltamos a caminhar pelo deque.

— O que vai fazer sábado de manhã? — Enzo perguntou.
— Ainda não sei... Por quê?
— O que acha de dar um passeio na Ilha Sereia? — Ele me fitou com expectativa.

Enzo sabia o quanto eu amava a ilha.

— Você disse que não está curtindo as férias...
— É lógico que eu aceito!
— Beleza. Vou planejar e marcar com a galera.
— Combinado, então.

Acenei ao sentir a ansiedade fazer cócegas na barriga.

4

— Juízo, pequena. Por favor, tenha cuidado. Nada de ficar se aventurando por lugares perigosos. Sabe que me preocupo.

Meu pai continuou ditando suas orientações, e eu acenei para elas mesmo que não estivesse prestando atenção de fato. Com o celular em mãos, respondi à mensagem no grupo de amigos. Enzo havia digitado que em poucos minutos chegaria com o pessoal para me buscar. Senti a barriga dar piruetas e terminei às pressas o café da manhã.

No portão de casa, com minha bolsa no ombro, um boné sobre a cabeça e o meu pai de um lado, esperava o jipe de Enzo cruzar a esquina. O sábado despertou sem nenhuma nuvem no céu azul, o que prometia um dia ensolarado.

— Filha, na semana que vem vou dar uma entrevista em nome da academia para a rede de televisão local e quero que você me acompanhe — papai falou teclando em seu celular.

Apertei os lábios para não demonstrar minha insatisfação.

Ele vai mesmo me arrastar para todos os compromissos da academia durante minhas férias?

— Pai, você conhece o significado da palavra férias? — ergui uma sobrancelha.

Papai deu risada e puxou a aba do meu boné para baixo.

— Ai!

— É só uma entrevista, Ariela. Nada cansativo.

O som da buzina espantou o amargor da conversa. Abri um sorriso espoleta.

Mal o jipe estacionou e meu pai foi cumprimentar o Enzo — filho de um de seus amigos e, graças aos céus, alguém de que meu pai gostava e em quem confiava, assim como o Sebastian. Papai também sorriu e fez gracinha para meus outros amigos enquanto eu me perguntava onde sentaria no carro lotado.

Após me despedir do meu pai, eu me acomodei no jipe, sentada no colo da irmã de Enzo. Fomos rindo da situação apertada até a marina.

De todos os meus amigos um pouco mais velhos, Enzo era o único com carro, além dos nossos líderes, é claro. Infelizmente eles não iriam conosco no passeio porque viajavam.

Na marina, encontramos mais amigos e um convidado. Nossos passeios sempre se tornavam uma excursão e uma grande bagunça, o que eu adorava.

Subimos na lancha quando ouvi uma voz conhecida gritar:
— Gente, me espera!

Lina surgiu ao final do píer de madeira correndo como louca, atrasada como sempre. Os curtos fios escuros de seu cabelo com mechas azuis grudavam-se no rosto preto corado. Lina era um ano mais velha que eu, baixinha, sorridente e a melhor amiga que eu poderia ter.

— Vamos zarpar! — um amigo brincou.
— Espera a Lina subir — Sebe disse.
— Deixe ela aí para aprender a ser pontual — Andressa falou.

Seu comentário me fez bufar.
— Parem de graça. Vem amiga, dá tempo — falei.

Sebe estendeu a mão assim que Lina se aproximou da lancha e a ajudou a entrar.

— Senhoras e senhores, com vocês a nossa querida atrasilda — Andressa implicou, e o pessoal foi na onda.

— Quer água? — Sebe ofereceu, e Lina aceitou.

— Que bom que chegou a tempo, amiga — eu disse sentada ao lado de Lina.

— Quando eu não chego, né?

Ela abriu o sorriso espertalhão se abanando com a viseira que tinha na bolsa.

— Gente, que calor! — Lina exclamou.

— O sol tá aí pra isso, amore — Andressa comentou em tom ácido, retocando seu gloss do outro lado da lancha.

Lina ignorou e eu mudei de assunto. Aturar Andressa era sempre um desafio.

— Amiga, eu vi os vídeos que você fez no Peró ontem — falei.
— Que inveja! Os tubos estavam perfeitos! Queria ter surfado com você. — Fiz beicinho.

— Ari, nós combinamos de surfar juntas durante as férias, além do cineminha e do nosso programa de garotas, lembra? Você está quebrando os planos.

Gemi e deitei a cabeça em seu ombro.

— Eu sei, mas a culpa não é minha.

— É, nós sabemos. Tio Tito e seus tentáculos.

Rimos as duas.

— Eu vou ligar pra ele, pode deixar. Vou pedir para te liberar uns dias da academia pra curtir comigo. Você sabe que seu pai me adora.

Lina abriu um sorriso convencido de canto.

— Adora mesmo.

Continuei fazendo planos com minha amiga, torcendo para meu pai não frustrá-los.

Com tudo organizado na lancha, finalmente zarpamos.

A Ilha Sereia se localizava a trinta minutos de distância da costa. Era composta por uma cadeia de montanhas repleta de vegetação verde com os típicos cactos gigantes e arbustos retorcidos. As laterais da ilha eram adornadas por pedras cinzentas e irregulares de onde eu adorava saltar. Do píer, era possível ter uma vista parcial da ilha e do antigo farol branco que se destacava em um dos montes.

Ainda em cima da lancha, com os cabelos esvoaçantes por causa do vento forte, saquei o celular do bolso e registrei a paisagem. Não importava quantas vezes eu passeava aqui, sempre tirava muitas fotos.

Cresci vindo à ilha com minha família. Aqui, fiz meu mergulho de batismo com meu pai e foi uma de minhas memórias mais preciosas.

Para ir até a praia, era preciso ancorar o barco no píer, na lateral da ilha, atravessar a curta trilha e enfim encontrar o paraíso de águas transparentes e areia branquinha.

Após atracarmos, começamos a descer do barco e, conforme pisávamos na plataforma de madeira, percebi que o primo de Andressa, Fred, agarrava o corrimão prateado como se sua vida dependesse dele. Durante a travessia, munido de um colete salva-vidas laranja, ele parecia muito assustado. Não trocamos muitas palavras, mas era notório que o garoto tinha medo do mar.

— Quer ajuda?

Ofereci porque a maioria havia saído e fazia uma pequena algazarra mais à frente no píer.

Fred acenou e eu estendi minha mão. Com cuidado o ajudei a firmar os pés na plataforma. Ele me agradeceu e começou a andar todo amedrontado pelo píer. Fred escolheu permanecer com o colete e foi motivo de deboche de alguns, em especial de sua prima.

— Gente, o medo dos outros não é motivo de piada — briguei.

— Falei que não era para você ter vindo se ficaria assim todo medroso — disse Andressa com a voz ríspida.

Fred se encolheu sem dar nenhuma resposta. Toquei seu ombro com gentileza.

— Que bom você ter vindo, Fred. Esta é uma das minhas ilhas prediletas e tem a praia mais perfeita de todas. A água é calma, apesar de tão fria que gela os ossos — falei com tom engraçado e consegui tirar um riso de Fred. — Você vai ver como é linda, cristalina e sem ondas. Sei que vai aproveitar muito o passeio.

— Valeu.

Cheguei um pouco mais perto para segredar:

— E pode ficar tranquilo que Enzo é o melhor nadador de todos. Você está em boas mãos.

— Ela é a melhor nadadora de todas.

Virei o pescoço para encontrar Enzo atrás de mim.

Pelo visto não cochichei tão bem assim.

Enzo arrumou a grande mochila sobre um ombro e se colocou do meu lado. Fred andou um pouco mais rápido para tentar acompanhar Andressa, que, pendurada no braço de Caio, o novo integrante da juventude, apontava para algo entre as bromélias que ladeavam a trilha.

— O que você trouxe aí, hein? — perguntei para Enzo, indicando a bolsa com o queixo.

— Te mostro em breve.

Ele me lançou uma piscadela divertida e manteve um riso contido no canto dos lábios, como se guardasse um bom segredo, até chegarmos na entrada da praia. Não demorei muito para cair na água com meus amigos.

O mar de um azul-turquesa tão vívido me convidava a permanecer dentro dele pelo restante do dia. Nada se comparava a um banho de mar, o sal grudando-se à pele, o som único das ondas se quebrando, mergulhar nas águas cristalinas e emergir revigorada.

Enquanto rodeada pela imensidão azul, sentia-me pequena e privilegiada. Toda vez que estava no mar eu pensava no Senhor. Estar aqui fazia com que eu me sentisse mais próxima de Deus. Fiz orações mudas com um sorriso pacífico que logo se transformou em gargalhadas quando, de repente, Enzo se aproximou para me fazer cócegas. Tentei persegui-lo nas ondas e ele sumiu de vista para, em seguida, me erguer pelas pernas e me atirar para trás. Caí num baque estrondoso.

Permanecemos um bom tempo ali aos risos e mergulhos.

— Trouxe os equipamentos para snorkeling. Quer fazer comigo? — Enzo perguntou, os olhos ansiosos conforme tirava o cabelo úmido da testa. — Quer dizer, trouxe equipamento para seis. — E deu um sorriso de canto.

— É claro que eu quero mergulhar com você — concordei desembolando meus cachos. — Podemos ir um grupo por vez, o que acha? Assim todos podem aproveitar.

Enzo assentiu e eu não controlei o entusiasmo.

Eu amava mergulhar com equipamento!

Minutos mais tarde, Enzo, eu, Lina, Sebe, Andressa — que fez questão — e Caio atravessamos o pequeno caminho de cactos para chegar ao ponto de mergulho.

Subimos nas pedras para colocar a máscara, o snorkel e as nadadeiras. Mergulhamos. Parte do mundo mágico que me encantava se revelou para nós. Nadamos pelos corais coloridos observando a diversidade marinha com suas formas, tamanhos e cores. A bancada de corais exibia tanta beleza e riqueza que em pensamentos eu agradecia a Deus por poder estar em contato com aquela parte da criação.

Encontramos tartarugas pequenas, ouriços, cardumes que me rodearam e me fizeram rir, tantos peixes bonitos e um minúsculo cavalo marinho.

Quando emergimos, agradeci ao Enzo por aquele momento precioso. Eu sentia saudades de mergulhar e Enzo me prometeu que, antes de minhas férias terminarem, ele nos levaria para um mergulho de cilindro, o que era uma grande e profunda aventura submersa. Era uma maravilha ter um amigo instrutor de mergulho.

Em uma conversa descontraída, retornamos para a praia. Enzo levou o próximo grupo para mergulhar e fiquei com as meninas na areia sobre a canga. Tomamos água e abrimos um pacote de batatinhas. Andressa virou o restante da água na boca e atirou a tampinha na areia, para minha indignação. Peguei a tampinha da garrafa e depositei na lixeira.

— Andressa, não joga lixo na praia. Sabe que isso é terrível para o ecossistema marinho.

— É só uma tampinha, Ariela — ela revirou os olhos.

— Nunca é. Não faz parte nem da praia, nem do mar. Sabe o que acontece com os animais marinhos por causa de uma tampinha?

— Aff, lá vai ela bancar a defensora dos pobres bichos do mar.

— Enzo trouxe essa lixeira — mostrei o saquinho. — É só colocar aqui, tá? E todo mundo fica bem.

Andressa torceu os lábios.

Realmente eu não tinha muita paciência com ela, que implicava comigo desde que éramos pequenas e estudávamos juntas. Andressa tinha uma personalidade difícil, adorava tecer comentários ácidos, causar briguinhas dentro do grupo e compartilhar informações dos outros. Era por isso que eu me afastava dela sempre que podia.

— Ariela, eu tenho uma coisa pra te contar — Andressa soltou, de repente, com olhos brilhantes. — É um babado. Nossa! — E mostrou o sorrisinho malicioso. — Por essa nem eu esperava. Você vai cair para trás.

— Por ora, eu vou cair no mar.

— É sério, Ariela!

Dei as costas e ignorei com um "aham", e fui para o mar aproveitar a manhã maravilhosa na ilha.

6

— Você não vai ao almoço na casa de sua irmã?

— Pai, hoje é domingo e o senhor sabe que tenho culto pela manhã e de noite.

— Se vai de noite, não precisa ir agora. Sabe que esse almoço é importante para sua irmã.

Papai, encostado na soleira da porta do meu quarto, me fuzilava com seu olhar enquanto eu me arrumava para o culto. Busquei ser cuidadosa com as palavras porque aquele era um território frágil como areia movediça. Se eu me mexesse sem pensar acabaria soterrada.

Abri um sorriso sincero e terminei de prender metade do cabelo em um coque trançado.

— Pai, eu estou muito feliz porque minha irmã está expandindo o restaurante. Se ela tivesse marcado o almoço de comemoração em outro dia, é claro que eu iria, mas hoje é domingo.

— Seu Jesus vai ficar chateado se você deixar de ir ao culto uma vez?

Ignorei o tom provocativo e respondi:

— Não gosto de deixar de ir aos cultos, a não ser que seja um imprevisto. Amo estar com meus irmãos na igreja e cultuar.

— E com sua família de sangue? Não se importa com isso? Parece que às vezes você prefere as pessoas da igreja que a nós.

Tive que apertar os lábios porque seria fácil responder que em certos momentos, sim, eu preferia mesmo. Em especial em almoços que acabariam em bebedeira desenfreada com todos ficando bêbados enquanto eu me sentiria um peixe fora d'água.

— Sabe que eu me importo e faço questão de estar presente em nossos almoços de família. Várias vezes eu saio da igreja e corro para estar com vocês. E já deixei de ir à igreja por conta de viagens nossas e saídas.

Papai nada respondeu. Continuei:

— Hoje eu não posso, pai. Estou na escala no louvor das crianças, depois vou dar aulinha para eles, e após o culto temos o almoço beneficente. Vou ajudar na cozinha. Dei minha palavra. Não posso simplesmente enviar uma mensagem e cancelar.

De comprometimento, meu pai entendia bem. Ouvi sua respiração afiada por entre os dentes.

— Pode, ao menos, ir depois que terminar suas obrigações?

Não eram obrigações e sim um serviço feito por amor. Mas ele não entenderia.

— Posso tentar, não prometer.

Papai aceitou minha resposta e me deixou sozinha, para meu alívio.

※

Depois do culto da manhã eu fui para a cozinha ajudar a servir o almoço. Verifiquei as horas e vi que não teria como ir até a casa de Adriana. Por isso, pedi desculpas por mensagens. Minha irmã mais velha despejou sua chateação e não perdeu a oportunidade de me alfinetar por causa de minha fé.

Em nosso grupo de família, ainda recebi um pequeno sermão

de Amanda porque faltei a um compromisso importante de Adriana. Logo Amanda, que estava a um oceano de distância, na Coreia do Sul. Tudo porque disse que iria ficar na igreja em vez de ir ao almoço.

Teclei respostas indignadas para Amanda. Puxa vida! Fazia dias que ela não me ligava, e quando se lembrava da irmã caçula era para dar sermão? Fiquei muito chateada com ela e nos desentendemos por mensagens.

E, para me entristecer ainda mais, mamãe postou uma sequência de fotos com o namorado. Sorrisos felizes e na legenda palavras que reduziram meu coração ao tamanho de uma ameixa seca: "Nunca fui tão feliz como sou com você".

Quanto mais eu relia, mais sentia a faca invisível cortando dentro de mim. Controlei o choro que pedia passagem e tratei de me ocupar com o serviço na cozinha da igreja.

Após o almoço eu fui para casa e dormi o restante da tarde até voltar para o culto da noite. Lá, no templo, louvando e aprendendo mais sobre o Senhor, pude recuperar a alegria que tinha se esvaído e também senti meu espírito mais fortalecido. Retornei para casa com o coração leve.

Eram quase onze horas da noite quando meu pai finalmente chegou, bêbado.

— Se não é a minha pequena sereia — disse ele, cambaleando para dentro do apartamento.

Um tom avermelhado dominava seu rosto assim como os olhos. Mesmo sem querer, me aproximei para ajudá-lo a tirar os sapatos. O cheiro forte de álcool ardeu meu nariz. Com certeza ele deve ter misturado todas as bebidas possíveis. Meu coração encolheu pela segunda vez no dia.

— Você prometeu que iria e não foi.

Papai afundou a mão no topo de minha cabeça e bagunçou meus fios. Suspirei e o ajudei, com muito custo, a sentar no sofá.

— Todos sentiram sua falta — ele falou com a voz grogue. — Eu senti mais.

E abriu um sorriso meio frouxo.

— Você sabe o quanto eu te amo, Ariela?

Bufei. Papai bêbado ficava muito sentimental.

— Pai, para de beber assim. Isso não te faz bem.

Ele bocejou seu hálito alcoolizado na minha cara. Torci o nariz.

— Promete que vai ficar comigo? — a voz saiu enrolada.

— Eu já estou bem aqui com você — grunhi.

Ficamos em silêncio até eu perceber que ele tinha apagado, sentado. Empurrei seu corpo para baixo e coloquei uma almofada sobre sua cabeça. Tirei suas meias porque papai era muito calorento e liguei o ar. Puxei a carteira e o celular de seu bolso e os depositei na mesinha de centro.

Pronta para ir para o meu quarto, papai me segurou pelos dedos.

— Canta uma música para eu dormir, filha.

— Você já está dormindo, pai.

Ele puxou minha mão espremendo meus dedos em sua palma quente. Apertei os olhos sem a menor vontade de cantar e me ajoelhei na beirada do sofá. Permaneci quieta só esperando que ele dormisse de vez, mas papai pediu de novo que eu cantasse.

A única música que eu tinha na cabeça era a que tinha escutado mais cedo. Bom, se eu tivesse que aturá-lo no modo bêbado ele teria de escutar música cristã. Cantarolei partes da canção "Me leva pra casa", de Israel Subirá. Conforme eu cantava, ouvi minha voz embargar e logo as lágrimas começaram a empoçar meus olhos.

Como eu queria que meu pai experimentasse a liberdade em Jesus. Sonhava em cultuar junto com ele como acontecia com as famílias dos meus amigos. Vê-lo bêbado só me lembrava o quanto a minha realidade estava longe do que eu gostaria.

Em momentos assim, eu me sentia tão pequena e insignificante. Minha fé era motivo de confrontos e piadas. E eu sentia que não conseguia revelar Jesus como deveria e que não fazia diferença para minha família.

Limpei um pouco das lágrimas que deslizavam pelas bochechas enquanto orava ao Senhor. Meus pensamentos começaram a ser invadidos por inúmeros versículos que me lembraram da minha esperança viva.

E por mais que eu me sentisse meio inútil, irrelevante, ainda que parecesse que nada acontecia ao longo dos anos, eu sabia que não deveria me deixar levar por sensações ou circunstâncias. Tinha que me apegar à palavra do Senhor e continuar orando por minha família. Era minha forma de aproximá-los de Deus.

Tinha certeza de que minhas orações eram ouvidas e que ele responderia no devido tempo. Isso trazia tanta calmaria ao meu coração que agradeci ao Senhor por sempre me ouvir. Respirei fundo, cantei o refrão mais uma vez e, quando percebi que meu pai havia entrado no sono profundo, fui para o meu quarto.

— Finalmente, amiga. Conseguimos!

Lina fincou sua prancha na areia, ao lado da minha, e veio fazer um *high-five*.

— Que delícia de mar! — exclamei.

— Estávamos precisando pegar umas ondas. Isso me deixa tão relaxada. — Sorri para ela, molhada como eu, e encarei a extensão esverdeada da Praia do Forte.

Apreciei o cheirinho de sal grudado na pele e nos cabelos trançados. Fazia um bom tempo que eu não surfava, e como meus dias se resumiam a permanecer na academia, os planos de desbravar as ondas em cima da prancha ficaram esquecidos.

Ainda bem que bati o pé na noite de terça e afirmei que só iria para Atlântida na quarta de manhã depois de pegar umas ondas. Meu pai teria uma reunião logo cedo e eu não queria comparecer. Precisava aproveitar as férias que escorriam pelos meus dedos como areia fina.

— Estou morrendo de fome. O que você trouxe?

Lina sentou-se na canga e começou a fuçar minha bolsa.

— Tem sanduíches, salgadinhos e gatorade — avisei.

Apertei a trança para tirar o excesso de água e me acomodei ao lado de Lina. Ela me entregou um sanduíche embalado no alumínio enquanto às pressas devorava o que estava em suas mãos.

Arregalei os olhos, para seu desespero, e depois ri. Era Lina sendo ela mesma.

— Obrigada por ter aceitado vir surfar comigo, amiga — falei.

Encostei meu ombro no dela por debaixo do bodysuit. Conversamos entre mordidas e risadas conforme eu observava a praia encher mesmo com o sol escondido por entre as nuvens.

Lina e eu viemos para a praia assim que o dia raiou. Munidas de nossas pranchas, cangas e Bíblias, combinamos de, além de surfar, fazer o devocional juntas. Foi um momento tão precioso, que me lembrou o quanto minha amiga me ajudou no começo da caminhada. Com a Lina eu descobri o prazer do devocional e de usar marcadores coloridos para grifar os versículos prediletos.

— Amiga, vamos tentar fazer um novo estudo bíblico juntas? — perguntei. — Hoje percebi o quanto eu senti falta de estudar com você.

— Nossa, Ari, eu também. Foi tão prazeroso, não é?

Fiz que sim.

— Pode deixar que eu vou pensar em um estudo legal, e temos que ser intencionais ou nunca vamos conseguir colocar esse objetivo em prática.

Acenei outra vez. Depois de falarmos ao mesmo tempo sobre vários assuntos, Lina disse:

— Queria... ahn... falar uma coisa com você. Quer dizer, pedir um conselho.

— Conselho? Amiga, esse é seu papel na amizade.

Começamos a rir.

— É sério, Ari.

Lina apoiou os braços nos joelhos e brincou com o canudinho reutilizável dentro de sua bebida.

Peguei outro sanduíche e mordi um pedaço.

— Tá. Sobre o que é? — perguntei.

— Meu coração apaixonado.
Engasguei.
— Quê?!
Tossi tanto para cuspir o pedaço do pão que minha garganta ardeu.

— Ai, Lina, não precisa empurrar meu pulmão pela boca — exclamei ao receber seus tapas fortíssimos nas costas.

— Desculpa.

— Nossa!

Tomei um gole do gatorade para ajudar.

O burburinho na praia e o som das ondas desmanchando-se na areia não foram mais altos que meus pensamentos agitados.

Lina disse que estava apaixonada?

— Amiga, me explica de novo — pedi dando toda minha atenção para ela.

— Se for pra você morrer engasgada é melhor deixar pra lá.

— Desembucha.

— Estou gostando do Sebastian.

Meus pensamentos ficaram mudos.

— Você... do... Sebe?! — repeti sem entender direito. — Hein?

— É tão chocante assim?

Lina apertou os olhos em minha direção. Ela parecia ansiosa.

— É! — falei alto. — É muito chocante.

— O fato de eu estar apaixonada ou ser pelo Sebastian?

— Pera aí.

Pedi uma pausa com a mão para tentar assimilar tudo o que havia acabado de ouvir.

Após uns segundos minha resposta foi:

— Os dois.

— Aconteceu. Sei lá!

Lina jogou as mãos para o alto e depois escondeu o rosto.

— Você sabe como aconteceu ou foi sei lá?
— Ariela!
— Lina? — Ergui uma sobrancelha e esperei.
Minha amiga bufou.
— Não sei bem como foi, mas de uns meses pra cá eu comecei a ter sentimentos por ele.
— Há uns meses? E como eu só estou sabendo agora?
— Esse não é o ponto da questão, Ari.
— É claro que é! Você está gostando do Sebe há meses e só me contou agora?
— E você que gosta do Enzo e nunca nem sequer mencionou isso comigo?
— Como assim isso virou sobre mim?
— Rá! — Lina gritou e apontou um dedo na minha cara. — Então você admite que gosta dele?
Abri a boca e perdi meus argumentos.
— Amiga, vamos falar de você primeiro, tá legal? — pedi — Então...
— É isso. Aconteceu e eu sei lá como.
Lina quicou os ombros. Eu tapei a boca com a mão.
— Não ria de mim.
— Amiga, fica difícil.
— Conheço o Sebe há anos e eu nunca pensei nele como uma possibilidade. Talvez tenha sido o fato de começar a trabalhar com ele na mídia e ter que interagir mais, trocar mensagens, bolar projetos... sei lá.
Lina bagunçou os úmidos cabelos curtos. Parecia angustiada de verdade.
— Vamos analisar toda a questão. Amiga, não dá pra saber como você se apaixonou e tal, mas considerando o Sebe como um todo...

— Não faça piadinhas, Ariela, por favor — Lina choramingou.

— Não estou fazendo, juro. Vamos considerar assim, o pacote Sebastian, tirando ele no trabalho porque é um chato.

— Eu o acho muito profissional — Lina comentou com o olhar distante. — Gosto quando ele usa aquelas blusas sociais, os óculos e o cabelo ruivo penteado de lado.

Fiquei quieta pensando em quanto o Sebastian parecia um velho daquele jeito.

— Quer dizer que todas as vezes que eu te mandava foto do Sebe pra fazer meme você apreciava?

Lina beliscou meu braço.

— Au!

— Pois é isso, ele fica lindo no trabalho.

— Seu caso é mesmo sério — afirmei.

— E o seu não é? — ela devolveu com um olhar espertalhão.

— Então, voltando... — estalei os lábios — O Sebe num todo é excelente. Quero dizer, ele é ótimo rapaz. É responsável, dedicado, trabalhador, é um bom filho, meio ranzinza, mas ok. E sobretudo, o Sebe é um cristão de verdade. E você sabe o quanto é difícil encontrarmos rapazes da nossa idade realmente comprometidos com o Senhor.

— É isso que mais pesa, amiga, ele seria o namorado ideal. É estranho e ao mesmo tempo confuso e incerto. Incerto porque esses sentimentos são apenas meus. Amor não correspondido é como uma ladeira rumo ao sofrimento.

— É, eu sei.

— Sabe nada, Ariela. Você gosta do Enzo e ele gosta de você.

Abri a boca inconformada com meus sentimentos secretos atirados na minha cara.

— Onde que isso não é correspondido, amiga? — Lina completou.

— Não é bem assim, Lina — apertei os lábios e resolvi confessar. — Tá, eu tenho sentimentos pelo Enzo e ainda estou aprendendo a lidar com isso. Enzo é meu amigo e não sei se ele gosta de mim da mesma forma, entende? Também não quero ficar ansiosa por causa disso. Tenho tantas coisas na cabeça agora... Mas eu tenho orado sobre esses sentimentos. Quero que Deus conduza cada área da minha vida.

— Vamos nos unir em oração, amiga. Foi por isso que eu te contei do ruivinho.

Não consegui segurar meu sorriso.

— Você já tem até apelido, Lina.

Ela choramingou escondendo o rosto nas palmas das mãos.

Afaguei seu braço.

— Não fica assim. Eu estou do seu lado. Vamos colocar cada sentimento aos pés do Senhor e pedir direção. Conta comigo.

Fiz um beicinho e abracei Lina de lado.

Continuamos falando sobre questões do coração até que o celular da Lina apitou vezes seguidas e foi impossível ignorar. Assim que encarou o visor, ela voltou os olhos arregalados para mim. Me entregou seu aparelho e eu encontrei mensagens do meu pai. Procurei meu celular esquecido no fundo da bolsa. Estava no modo silencioso.

Gemi ao ver dezenas de ligações e mensagens do meu pai e Sebastian.

O que tinha acontecido?

Liguei para ele depressa.

— Onde é que você está, Ariela?

Sua voz soou tão feroz que me assustei.

— Pai, o que houve? Você está bem?

— Onde você se enfiou que esqueceu a entrevista?

— Que entrevista?

— Ariela!

Ele berrou, eu afastei o celular, mas quando papai citou o nome do programa de tevê a minha ficha caiu.

Eu tinha feito uma grande burrada.

8

Os oceanos tempestuosos não eram tão aterrorizantes quanto meu pai em seu pior. Tentei me preparar, mas foi em vão. Papai estava uma fera, e eu reconheci tarde demais o meu erro. Bastou cruzar o limiar de sua sala para receber o tsunami.

— Você estava esse tempo todo na praia?!
— Pai, eu sinto muito — sussurrei com o rosto contorcido.
— Acha que isso é uma brincadeira?!
— N-não, pai, eu...
— Você não tem responsabilidade?! — me apontou seu dedo. — A jornalista ficou te esperando, Ariela! Quanta falta de respeito!
— Desculpa, pai, eu...
— Desculpa não resolve! — falou entredentes.

Mordisquei o lábio inferior e temi me aproximar de sua mesa.

— Você fez isso de propósito? — a voz de papai soou perigosamente baixa.
— Claro que não! — exclamei depressa. — Eu apenas me esqueci. Fui cedo para praia. Eu te avisei, lembra? Pretendia vir para a academia depois de surfar, mas eu perdi a hora e me esqueci da entrevista.
— Sabe o quanto você me envergonhou?
— Não fiz por mal, apenas não recordei do compromisso.

Minha enxurrada de desculpas parecia não surtir efeito no

meu pai, que tinha as sobrancelhas apertadas, o maxilar trincado e os olhos injetados de raiva.

— Já não é mais nenhuma garotinha, tem que crescer... Ano que vem você estará aqui comigo e eu já estou te treinando para isso. É assim que você vai tratar nossos parceiros? Com tamanha falta de respeito? É isso que eu te ensino?

— Não, pai.
— Quando você vai encarar a empresa com seriedade?!
— Pai, eu sinto muito.
— Para de dizer que sente muito!

Ele bateu na mesa e dedilhou os cabelos com força. Apenas permaneci calada recebendo seu furor.

— Você acha que a vida é uma grande aventura? Não pode trocar suas obrigações pelo mar sempre que der vontade, Ariela. É assim que vai administrar a academia?

Suspirei começando a ficar irritada.

Papai continuou bravo enquanto me repreendia. Aguentei calada. Rebater só pioraria as coisas. Cometi um erro e tive que aguentar as consequências.

Quando finalmente me liberou para ir embora, deixei sua sala com toneladas sobre os ombros. Sebe me encarou com pena e me ajudou a descer com a prancha. Era provável que a academia inteira tivesse ouvido a bronca do chefe. Aquilo me encheu de vergonha e foi motivo suficiente para eu ir embora o quanto antes.

No dia seguinte, não trocamos uma palavra. E no outro papai ainda parecia muito chateado, enquanto eu sufocava com a necessidade de revelar minhas escolhas para o futuro. Já não aguentava mais ouvi-lo dizer que eu administraria a academia e a pressão de ser obrigada a ir trabalhar todos os dias nas férias, quando eu deveria estar descansando.

Na tarde de sexta, repassei meu discurso e entrei na sala de papai. A coragem desmanchou sob meus pés como sol sobre a neve ao deparar com seu semblante duro feito mármore e sua voz ainda severa. Inventei uma desculpa sobre algo em sua agenda, ele me respondeu seco e eu fechei a porta atrás de mim.

Apenas tolerei o restante do dia, afundada em minha mesa. Sebe tentou tornar o clima mais leve com piadinhas, porém nuvens carregadas pairavam sobre minha cabeça e as paredes de Atlântida pareciam blocos de concreto se fechando ao meu redor. Meu coração estava inquieto e pesado.

Por isso, quando Sebastian veio com a ideia de reunir nossos amigos na sorveteria depois do expediente, aceitei de primeira.

Após o dia cansativo, eu finalmente me vi livre para espairecer. Por sorte, meu pai me deixou ir. Enzo nos encontrou na porta da academia e nos deu carona. Não demorou muito para estacionar o carro no Boulevard Canal. Avistei nosso grupinho ainda do calçadão.

Lina me viu e veio correndo me abraçar.

— Você tá com uma carinha desanimada, amiga.

— É o reflexo do estado de espírito.

Notei Enzo me encarando com um ponto de interrogação na testa, mas ele não disse nada. Lina deu um abraço rápido em Enzo e Sebe se preparou para receber o mesmo cumprimento, mas ela apenas deu um aceno sutil em resposta. Sebe apertou as sobrancelhas com estranheza e eu quis rir.

Dei o braço com a Lina e deixamos os meninos para trás.

— Você foi meio brusca — sussurrei em seu ouvido.

— Jura?

Fiz que sim e ela me olhou com o rosto cabisbaixo.

— Não sei mais como agir com ele.

— Seja você mesma.

— Preciso proteger meu coração — ela cochichou.

— Você está certa, amiga. Só tenta não parecer que tá indiferente.

Na sorveteria, escolhemos uma mesa no deque ao ar livre. O laranja do entardecer tornava o clima bonito e aconchegante. O ventinho do fim de tarde me embalava com a brisa do mar que tanto me acalmava. Inspirei e permiti que meus cachos ruivos fossem empurrados para trás. Apoiei o queixo na palma da mão e fitei um dos barcos ancorados no canal que balançava suavemente sobre as águas. Os pensamentos correram com leveza e sorri para mim mesma.

Passei os olhos por meus amigos na mesa, que riam e se divertiam uns com os outros, até que parei em Enzo, sentado de frente para mim. Ele me encarava. Perceber sua atenção tornou meu rosto quente. Disfarcei ao brincar com o guardanapo, mas sentia cócegas na barriga.

— Aqui, moça. Seu banana shake.

Um atendente surgiu e colocou o copo de milkshake na minha frente.

— Eu não pedi — apertei as sobrancelhas.

— Eu quero então — Andressa falou, sentada três cadeiras à esquerda.

— É seu, Ari.

Enzo deslizou o copo bonito na minha direção.

— Meu?

— Pedi pra você.

— Ah!

Foi tudo o que falei, e as cosquinhas na barriga se intensificaram.

— Obrigada.

Sorri para ele, que devolveu o sorriso. Banana shake era o meu preferido.

— Podia ter pedido um pra mim também, Enzo — Andressa reclamou.

Enzo ignorou e puxou o cardápio para o seu rosto.

Controlar meu sorriso foi muito, muito difícil.

Lina deu uma cotovelada no meu braço. Ela me olhava como quem dizia "não te falei?". Ignorei transformando o sorriso num bico e tomei minha bebida deliciosa.

Uma hora depois, a conversa da mesa fluía e as risadas nos rodeavam. Como era bom estar com meus amigos. Eles tinham o poder de aliviar o peso de dias difíceis. De fato, quem tinha amigos possuía um tesouro.

Depois de um tempo, fui sentar com Lina num dos bancos do calçadão. Tombei a cabeça em seu ombro. Ficamos em silêncio por alguns minutos, daquele tipo confortável próprio de amigas que se conhecem bem, até que eu me abri:

— Amiga, não posso mais esconder a faculdade do meu pai. É insuportável guardar isso só pra mim. Tenho que conversar com ele, mas esses dias foram tão complicados, tivemos algumas brigas e eu sei que quando eu contar, vai ser horrível.

— Ô, amiga... — Lina acariciou minha cabeça e me deu consolo. — Acho que por mais difícil que seja, você não pode adiar mais. Vai ter que passar por isso, mas o Senhor vai estar com você. O tio Tito pode não entender o quanto você ama o mar e o motivo de sua escolha, mas Deus sabe.

— Meu coração arde, Lina, quando penso em me dedicar a estudar os oceanos e toda a vida marinha... Isso me enche de alegria.

Pensar na universidade, nos momentos de pesquisas e das visitas aos oceanos, nos aquários, só de me imaginar fazendo o que ardia em meu coração já me enchia de um ânimo novo.

— Muitos podem achar que você trocou uma carreira grande e promissora por algo pequeno e escondido. E talvez seja isso mesmo. Deus tem me ensinado que ele não vê como o mundo vê. O que ele tem para mim é o melhor, mesmo que seja pequeno e escondido. E honestamente... — Lina me encarou com um sorriso meigo — ... eu quero os planos de Deus, sejam eles quais forem, altos ou baixos, visíveis ou escondidos.

— Lina, você é baixinha, mas o que tem de sábia te faz gigante.

Nós duas rimos, e eu a tomei em um abraço apertado.

— Obrigada pelo encorajamento, amiga.

— Agora eu vou indo que acho que alguém está querendo se aproximar.

Lina indicou com o queixo algo atrás de mim.

Girei o pescoço para encontrar Enzo. Ele caminhava na direção em que estávamos. Tinha uma sacola nos dedos. Assim que Lina saiu, ele ocupou seu lugar no banco. De lado, Enzo nivelou seu olhar com o meu, como se analisasse meu rosto.

— Você está bem, Ari?

Eu gostava de como Enzo se preocupava comigo e percebia quando as coisas não estavam bem mesmo sem que eu precisasse verbalizar.

— A semana está tão cansativa — suspirei. — As questões com meu pai, você sabe. Mas não quero falar disso — fiz um beicinho. — Não quero te encher com os meus problemas, de novo.

Enzo tocou meu ombro com cuidado e me fez encarar seu rosto.

— Você nunca me enche, Ariela. Me importo muito com você.

Encontrei carinho e gentileza honesta em seus olhos.

— Não posso dizer que está tudo bem, mas também não quero falar porque vou acabar chorando — falei num tom de brincadeira para aliviar o clima.

— Se quiser chorar, meu ombro tá aqui.

Ele soou adorável, e eu nem soube o que responder.

Para mudar o assunto, eu disse:

— Obrigada pelo milkshake, Enzo.

— Por nada. Você não parecia bem e eu queria te alegrar. Consegui?

— Você sempre consegue — falei baixinho, fitando minhas mãos.

— Então, quer dizer que eu tenho um dom? — ele deu um risinho.

Apenas acenei em resposta.

— Vamos comprovar.

E ele me estendeu a sacola que segurava.

— Trouxe algo pra você — revelou.

Arfei, surpresa.

Enzo sorriu de canto e me empurrou a sacola. Depressa peguei e logo abri. Havia um chaveiro com um pingente lindo. Era uma cauda de sereia lilás com a letra A em azul.

— Ai que lindo, Enzo! — exclamei admirando o chaveiro nas mãos.

— Então eu tenho mesmo um dom — ele fez graça.

Meu sorriso cresceu. Seu presente trouxe a alegria que me faltava.

— Eu adorei, Enzo. Obrigada! É muito bonito.

— Quando vi, soube que teria que ser seu. Que bom que gostou, Ari.

Enzo me deu um de seus sorrisos calorosos. Ele contava onde tinha comprado quando Andressa surgiu como um vento indesejado se enfiando entre nós dois.

— Sobre o que estão falando?

Enzo se retirou para conversar com Sebe e os outros amigos, que o chamaram. E eu, por insistência de Andressa, mostrei o chaveiro para ela, que o segurou por meros segundos antes que o deixasse cair no chão, para o meu horror.

— Ops.

— Puxa, Andressa. Tenha cuidado! — briguei me apressando para guardar meu presente na bolsa.

— Foi mal, Ariela.

Moldei um bico sem esconder minha irritação. E voltei para a sorveteria, onde meus amigos se organizavam para ir embora.

De repente, Andressa segurou no meu cotovelo.

— Ariela, preciso falar uma coisinha com você.

Ela me puxou para um cantinho de arbustos iluminado. Suas unhas cutucaram meu braço.

— Aii, suas unhas, Andressa.

— Desculpaaa — ela deu uma risadinha. — É que aumentei o tamanho e ainda estou me acostumando. Olha que lindas! — Andressa esticou as mãos para me mostrar suas longas unhas roxo-escuras com desenhos de tentáculos de polvo preto. — Estou obcecada! Se quiser te indico o salão, você precisa mesmo melhorar suas unhas... — E desceu seu olhar desdenhoso para minhas mãos.

— Andressa — bufei. — O que você queria falar?

— Ah, sim... — Ela me mostrou um sorriso astuto e remexeu na concha dourada em seu cordão. — Tenho uma informação sigilosa. Você não faz ideia do que descobri.

— Olha, Andressa, eu não quero saber de fofoca nenhuma. Sabe que não gosto desse tipo de coisa.

Ameacei me afastar, mas a escutei dizer em tom baixo e ardiloso:

— Nem mesmo se o assunto for seu pai?

9

Aquilo foi o suficiente para me fazer apertar as sobrancelhas e girar nos calcanhares.

— Meu pai?

— Sim, é sobre seu pai. É um *ba-ba-do*, Ariela, dos grandes.

— O que tem meu pai, Andressa?

Cruzei os braços no peito e exigi que ela me contasse.

Andressa mordiscou o lábio inferior parecendo degustar do "babado" que conhecia.

— Juro que te conto, mas...

Ela deixou a frase morrer e eu liberei uma bufada bastante exagerada.

— Mas o quê? — bati o pé no chão.

— Eu vou querer uma coisinha em troca.

— Sério?

Que a Andressa adorava compartilhar informações dos outros eu já sabia, mas que agora cobrava um preço pela fofoca era novidade.

— É uma coisinha simples.

Quase ri de seu pedido vaidoso e infantil quando ela me contou seu preço.

— Certo, Andressa. Você pode cantar minha música no próximo culto jovem.

Éramos do ministério de louvor da juventude e Andressa vivia dando chilique quando eu recebia os solos que ela gostaria de cantar.

Ela bateu palminhas, animada. Devaneou sobre a música, seu tom de voz, o meu e todo aquele papo que não me interessava.

— Anda, Andressa, fala o que sabe do meu pai.

— Ele tem uma namorada.

Contou de imediato me deixando muda e com os pensamentos suspensos. Como eu ainda estava assimilando a informação, Andressa se apressou em continuar:

— Se eu te contar quem é... Tenho até fotos para comprovar porque eu mesma vi.

— Quem é?

Meu pai com uma namorada? Bom, eu sabia que ele vivia tendo encontros com mulheres aqui e ali daquela forma que eu reprovava. Ele dizia não querer compromisso e só aproveitar a vida.

Então com quem ele estava namorando? Por que não me contou?

— Veja com seus próprios olhos, Ariela.

Andressa sacou o celular da cintura e me mostrou as fotos. Cobri minha boca com a mão. Aquilo era montagem? Emoções conflituosas tomaram conta de mim. Nem consegui falar direito. Andressa apenas deslizou o dedo na tela me mostrando mais imagens de papai e da mulher. Dei zoom nas fotos, incapaz de compreender e aceitar quem estava com ele.

De todas as mulheres que ele poderia sair, por que meu pai tinha escolhido aquela?

— É ou não é um babado? Seu pai não perde tempo.

Andressa despejou risadinhas ácidas.

Senti meu rosto esquentar.

— Vamos, Ari?

Ouvi Enzo me chamar lá na frente da calçada.

Com a mente embaralhada, pedi que Andressa me enviasse aquelas fotos e não comentasse com ninguém, o que no fundo eu sabia que ela já devia ter feito. Entrei no carro com o coração envolvido por uma capa gelada. As fotos povoaram minha mente como flashes de um paparazzo indevido.

Era mesmo o meu pai naquelas imagens aos beijos com a mãe da Lina? *Da Lina?!*

Para confirmar que sim, meu celular vibrou na bolsa e verifiquei mensagens de Andressa. Ela havia me enviado as fotos. Apertei o celular com força esperando ansiosamente para chegar em casa.

Como meu pai teve coragem de sair com a mãe da minha amiga? Por que não pensou em mim? Em Lina? Na nossa amizade e no que aquilo significaria para nós? Tia Joyce não era apenas mais uma mulher com quem ele podia se divertir e descartar logo em seguida, como fazia com todas as outras. Ela era mãe da minha amiga! Isso devia ter sido respeitado.

No entanto, papai provou que não se importava, que fazia o que queria.

Enfurecida, apertei o botão do elevador.

Em casa, encontrei meu pai atrás do balcão da cozinha. Ele estava de avental e remexia algo dentro da panela em cima do fogão. Quando me viu, deu as costas e voltou ao que fazia sem esboçar nenhuma expressão contente.

Larguei minha bolsa no aparador com um barulho.

— Cheguei — falei.

Meu pai nada respondeu.

— Está fazendo a janta?

— Sim.

Me sentei em uma das banquetas pretas. Endireitei os ombros para me preparar.

— O que está cozinhado?

— Comida.

Se ele estava monossilábico daquele jeito era porque buscava domar o temperamento. Que ótimo! O meu estava na borda.

— Pai, preciso ter uma conversa séria com o senhor.

— Engraçado. — Ele riu sem humor. — Eu também queria conversar com você. Quando cheguei da prefeitura, por um lapso esqueci que você tinha saído com seus amigos, e fui te procurar no seu quarto.

— E?

Não entendi a importância disso até papai virar as costas para o fogão e me encarar com seriedade.

— Vi coisas interessantes na sua mesa.

Apertei as sobrancelhas. O que teria de interessante na minha me... Ai, não!

Uma sensação gélida irradiou no meu peito.

— Quer dizer que você vai prestar vestibular para biologia marinha?

10

Por um momento eu só fiquei em silêncio.

Não era para ele descobrir dessa forma, e definitivamente não era a conversa que eu gostaria de ter com ele naquele instante. Ainda assim, não recuaria na minha decisão e não tinha como fugir do assunto agora.

— Sim, pai — falei baixinho — Vou cursar biologia marinha.

— Você quer ser bióloga?

A palavra escorregou de sua boca como se não valesse muita coisa.

— Sim, é o que escolhi — repeti, com mais firmeza desta vez.

— Bióloga, Ariela?

O jeito como ele desprezava o curso fazia com que eu me sentisse rejeitada por ele. Doía. Mas ergui o queixo com confiança.

— Sim. É isso que quero.

— Não aprovo — papai alterou a voz jogando o pano de prato na pia com força. — Essa não é a faculdade certa para você. Seu potencial é muito maior, Ariela, não pode desperdiçá-lo assim.

— Não estou desperdiçando nada, pai. Esse é o meu sonho.

— Sonho? — ele arquejou e me apontou um dedo firme. — Você vai ganhar uma merreca! Não posso deixar você se aventurar nesse sonho imaturo.

— Isso é o que você acha.

— Você é muito talentosa, filha, é uma nadadora excepcional. Pode conquistar coisas maiores, se você voltar a nadar...

— Não volto! Quantas vezes eu já te falei que não quero ser atleta, pai? Por que você não me ouve?!

— Ariela...

— É, você nunca escuta — apontei um dedo para seu peito. — Se tivesse ouvido teria entendido que eu falei sério quando desisti das competições. Você queria aquilo para mim, não eu. Isso é o que eu quero pra mim. Só porque meu sonho não é o que você quer, não significa que ele não seja importante e valioso pra mim. É tão difícil assim me apoiar?

— Você quer que eu te apoie a perseguir algo tão pequeno?

Meus olhos se encheram de água enquanto eu engolia em seco.

— Meu papel como pai é te guiar pelo melhor caminho — ele grunhiu.

— Você fez isso! — agitei as mãos. — Você me mostrou algumas opções, e foi ótimo! Sou grata pelo que aprendi com você, de verdade, mas preciso fazer minhas próprias escolhas.

— E quer que eu cruze os braços? — Ele espalmou as mãos no balcão. — Que eu veja você fracassar nessa faculdade? Que observe minha filha desperdiçar seu futuro brilhante?

— Eu vou ser uma bióloga brilhante! — gritei de volta. — Por que você não consegue ver as coisas como eu vejo? Por que não pode me apoiar? Por que eu sempre tenho que ser uma grande decepção pra você, pai?

Meu queixo tremeu.

— Ariela...

Papai tentou se aproximar, mas saltei da banqueta e ele deu alguns passos para trás.

— Não sou como Amanda, não consegui as medalhas que você tanto desejou, não vou ocupar seu lugar na Atlântida como também esperava, você não se orgulha de mim... Ainda teve que ficar comigo quando minha mãe não me quis, eu sei, só problema.

Espantei as lágrimas traiçoeiras com as palmas das mãos.

— Isso não é verdade — ele sussurrou.

— É, sim, eu sei e nem precisa falar o contrário, mas sabe de uma coisa, pai? Você anda me decepcionando também. Como você pôde sair com a mãe da Lina?

Meu pai arregalou os olhos.

— É, eu descobri.

— Ariela...

— Ela é a mãe da minha melhor amiga, pai! Por que teve que escolher ela para ter um caso?

Seu rosto perdeu a expressão dura e ele tentou se aproximar. Me afastei mais.

Ele parou, erguendo as palmas abertas em defesa e meneando a cabeça.

— Não é assim, Ariela.

— Não?! — Um sorriso de nojo esticou minha boca. — Você é sempre assim. Tive que descobrir através de uma colega da igreja. Sabe como me senti, pai? Com vergonha de você. Vive com mulheres por aí por pura diversão. Odeio que você seja assim! Trata as mulheres como coisas com as quais se pode brincar.

— Ariela!

— Você as usa e depois as descarta. Acha que Deus se agrada disso? De ver você tratando as filhas dele como objetos? E agora fez o mesmo com a tia Joyce. A Lina é minha melhor amiga há anos, e você sabia disso.

— Não é assim que...

— Por que não considerou minha opinião? — Solucei, aos prantos. — Sabe como vai ser esquisito olhar na cara da minha amiga sabendo que o meu pai está se divertindo com a mãe dela?

— Você está enganada! — papai gritou de volta. — As coisas entre mim e Joyce dizem respeito só a nós dois. Somos adultos e maduros. E nós não estamos...

— E quanto a mim? E a Lina? O que pensamos não importa?!

— Importa... — Ele pressionou os olhos com os nós dos dedos, suspirando. — Importa no devido tempo.

— Não. A verdade é que nada do que penso importa pra você.

Minha voz falhou. Esfreguei o nariz e tentei de novo:

— Minha opinião, aprovação, meus sonhos, minha fé... nada! Você não valoriza nada! Como espera que eu fique com você se tenta me sufocar de todos os lados? Um dia eu vou me cansar e vou embora como minha mãe. Você vai poder me culpar?

As lágrimas nublaram a minha visão. E antes que ele respondesse, eu dei as costas e corri pelo corredor.

Fui para o meu quarto chorar oceanos inteiros.

11

— O próximo barco sai daqui a pouco, menina.

Acenei para Itamar, um senhor baixinho com traços indígenas e dono de um olhar acolhedor. Ele era um velho amigo da minha família, e dono da Estação de Barcos, que realizava passeios por nossa costa litorânea.

— Você vai sozinha?

— Vou sim, seu Itamar.

Dediquei um sorriso breve e agradeci por ele me dar uma carona.

Não era a primeira vez que eu pedia um lugar em um dos barcos de seu Itamar. Adorava pegar "caronas" para ir até a Ilha Sereia dar um mergulho ou apenas passear. E, naquela manhã, eu precisava muito da minha praia favorita.

Depois da briga horrível com papai tive uma noite péssima, e somente as águas da ilha para me relaxar e esquecer de tudo, ao menos por algumas horas.

Ainda sentia o latejar insistente na testa quando sentei em um dos bancos perto do píer. O sol estava fraco, mas os poucos raios dourados incomodavam. Puxei a aba do boné e pluguei os fones. "Captain", do Hillsong United, penetrou os meus ouvidos e trouxe calmaria ao meu coração agitado.

A briga se repetia na minha cabeça enquanto eu repassava as palavras impensadas. Estive com tanta raiva do meu pai... Ainda me sentia tão chateada, triste, mas também culpada. Ter dito que eu me cansaria e iria embora como minha mãe foi injusto e cruel.

A verdade é que por mais difícil que meu pai fosse, mamãe partiu porque queria, em suas palavras, ser livre. Ela deixou claro que a relação com papai tinha se desgastado ao pedir a separação. Meu pai relutou o máximo que pôde, talvez com armas ruins como seu autoritarismo e controle, no entanto mamãe estava decidida a seguir sua jornada sozinha em busca da tal liberdade que procurava.

O término deles foi um caos, e doloroso para todos nós. Papai passou a odiá-la, minhas irmãs cortaram relações com ela, mamãe foi viver a solteirice que desejava e eu tive que aprender a nadar naquelas águas escuras e turvas.

Sou a única filha que ainda falava com ela. Ou ao menos tentava.

Encarei o visor do celular. Sem notificações.

Com dois cliques abri a conversa com mamãe. Sem mensagens novas.

Ontem eu escrevi para ela.

"Oi, mãe. Tudo bem? Queria falar com você."

"Mãe, você pode me atender?"

"Sinto sua falta."

Eu procurava seu consolo, mas encontrei o costumeiro desinteresse.

Meus olhos voltaram a se encher de água ao reler o que ela digitou de volta:

"Tudo ótimo por aqui, filha. Queria falar com você, mas estou muito ocupada. Assim que puder eu te ligo."

Era assim toda vez.

Sua indiferença machucava as partes já esmagadas do meu coração. E eu me perguntava por que mamãe tinha que ser daquele jeito.

Por que ela teve que me deixar sem olhar para trás? Por que ao deixar de amar meu pai ela teve que parar de me amar também? Por que não podia ser uma mãe normal que amava e se preocupava com a filha?

Minha mãe fazia com que eu me sentisse indesejada e descartável. E eu odiava aquelas sensações.

Tirei a lágrima do nariz e puxei uma respiração para me controlar.

Uma notificação subiu na tela.

Era uma lembrança de anos. Uma foto minha e de meu pai com roupas de mergulho. Meu sorriso era radiante. Foi a primeira vez que mergulhei com cilindro para explorar o fundo do mar.

Na foto, papai também sorria. Aquela imagem trouxe as recordações de um tempo em que nossa relação era leve e descontraída, em que éramos amigos. Bem antes das competições se tornarem algo sério e exigir pódios. Gostaria que voltássemos a ser como antes. Saber que eu o desapontava esmagava o meu coração.

Era pedir muito que ele pudesse valorizar meus sonhos? Desejar compressão e apoio era pedir demais? Por que meu pai tinha que ser tão autoritário? Gostaria que ele fosse diferente. Que se orgulhasse de mim e ficasse feliz por minhas conquistas. Que parasse de se divertir com mulheres. Sua forma de viver me enchia de vergonha e indignação. E agora ele tinha se envolvido com a tia Joyce.

Como eu teria coragem de olhar para minha melhor amiga? O que eu diria para Lina? Pedidos de desculpas não seriam suficientes. Papai estragou tudo. Se Lina nunca mais quisesse falar comigo eu jamais o perdoaria.

O apito do barco soou. Após ter combinado com o condutor o horário de ir embora, parti com os turistas rumo à tranquilidade da Ilha Sereia de que eu tanto necessitava.

O barco levava um grupo diversificado de turistas, ávidos para chegarem à ilha, apesar do sol escondido pelas nuvens um pouco acinzentadas. Uma pena. O dia ensolarado na ilha era um dos mais bonitos.

Ao chegarmos à praia, percebi que estava quase deserta àquela hora. Havia apenas o nosso grupo e outro um pouco mais longe. O pessoal se dispersou e eu escolhi um lugar perto da duna. Coloquei minha bolsa na canga e corri para o mar.

Após um tempo prazeroso nas águas frias, avistei o topo do antigo farol branco que se destacava na mata verde. Pensei em uma possível ida ao mirante, ao lado do farol. Admirar a ilha lá de cima era de tirar o fôlego.

Fiquei empolgada para subir. Havia trazido água, biscoitos, minha Bíblia, as inseparáveis canetinhas e o caderninho de anotações. Seria um ótimo lugar para ler e meditar. Decidida a ter aquele momento, deixei a água.

Pelo visto, eu não era a única interessada em subir a pequena trilha até o farol. Alguns turistas se animaram a percorrer o caminho de madeira ladeado por arbustos retorcidos e cactos enormes. Escutei uma mulher perguntar se alguém era familiarizado com a trilha, porque ela tinha muito medo de mato e bichos.

Contei que eu visitava a ilha desde pequena e conhecia cada canto daquele lugar paradisíaco. Foi o bastante para tranquilizar a moça e fazer várias pessoas me perguntarem sobre a história da ilha.

Animada, e me sentindo a própria guia turística, contei de forma resumida tudo o que sabia conforme subíamos pela trilha de madeira. Ao alcançar o topo, com muitos deles ofegantes e sedentos, paramos na fonte da sereia de pedra para beber água limpa. Apontei as placas que continham informações sobre o farol abandonado. Eles tiraram muitas fotos e vídeos ali e no mirante.

Quando decidiram descer, eu resolvi ficar mais um pouco.

Debruçada no parapeito de pedras do mirante, com o vento esvoaçando meus cachos, observei o mar. O ruído das ondas se quebrando nas ilhotas mais abaixo parecia música aos meus ouvidos. Fechei os olhos e absorvi o som, o cheiro do sal, o verde ao redor e o piar dos pássaros. Tudo o que Deus tinha feito era mesmo incrível. E cada elemento revelava sua grandeza, criatividade e amor.

— Ah, Senhor, quanta beleza — declarei.

Debaixo de toda água azulada, existia um mundo quase mágico, com suas cores e espécies, criadas para ficarem submersas, escondidas como um tesouro a ser encontrado. Para ser contemplado, deslumbrado e preservado, como tudo que Deus fez.

Pensar no quanto eu gostaria de estudar essa parte da criação me aquecia por dentro. Emocionada, pedi que o Senhor me guiasse por aquela jornada.

A letra de "Captain" piscou em minha mente. Parecia que aquela música tinha sido escrita para mim. Jesus era o meu capitão, e eu queria seguir sua voz e seu comando pelas águas não mapeadas da minha vida. Suas palavras eram as estrelas que me guiavam pelo caminho e alinhavam minha viagem.

Essa reflexão me fez lembrar da Bíblia que carregava na bolsa.

Quando acordei mais cedo, tudo o que eu precisava era do mar. Depositei no meu lugar de conforto a confiança de me trazer descanso e alegria. E ele trazia, de certa forma. Mas eu sabia, porque já havia experimentado tantas vezes, que a minha fonte de descanso, paz e alegria era o Senhor. E na sua Palavra eu encontraria toda a direção de que realmente precisava.

Por isso, fui sentar em um dos bancos de pedra ali perto para ler a Bíblia.

Dei continuidade à leitura da Segunda Carta de Paulo a Timóteo. Quanto mais eu avançava, sentia cada frase falar comigo. Encontrei um versículo que se destacou.

> *O servo do Senhor não deve viver brigando, mas ser amável com todos, apto a ensinar e paciente. Instrua com mansidão aqueles que se opõem, na esperança de que Deus os leve ao arrependimento e, assim, conheçam a verdade.**

Foi impossível não pensar nas últimas brigas que havia tido com papai. Lembrei de imediato das orações em que pedi ao Senhor que me ajudasse a ter as palavras certas quando conversasse com meu pai sobre meu futuro. E também das vezes que orei para ter oportunidades e estratégia para falar de Jesus para ele.

Apertei os olhos com pesar ao me dar conta de que aconteceu tudo ao contrário. O que meu pai fez foi inaceitável, e eu ainda sentia a fagulha da raiva correndo por meu corpo. Ele me magoou muito com suas atitudes e palavras. Não fazia ideia de como encararia a situação com tia Joyce e Lina dali para a frente.

Porém eu me deixei levar por minhas emoções. Sei que também o magoei com o que eu disse. Nossa conversa deveria ter sido diferente, e não aos berros.

---

*2Timóteo 2.24-25.

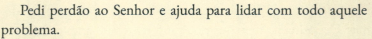

Pedi perdão ao Senhor e ajuda para lidar com todo aquele problema.

E, daquela vez, eu queria mesmo ouvi-lo e seguir sua voz.

Conforme seguia na leitura, anotava curtas orações nas páginas e usava as canetinhas colorindo todo aquele capítulo. Absorta, só me dei conta do tempo quando a primeira gota despencou em cima da página aberta. A próxima gota atingiu meu braço. Fitei o céu cinza e comecei a juntar tudo e guardar na bolsa.

Quando vi as horas no celular quase sufoquei.

O barco sairia em cinco minutos! Céus!

Uma quentura apertou meu coração. O receio fluía por meu corpo conforme eu sentia as gotas finas caírem sobre mim. A descida da trilha era de vinte minutos, contados no relógio, mas preferi não deixar o desespero me paralisar. Mesmo de chinelos de dedos eu descia veloz a trilha de madeira, o ar rasgando passagem pelos meus pulmões.

Tentei controlar o desespero. O barco me esperaria. Eles sabiam que eu tinha ido com eles. Não havia como me deixarem para trás.

No entanto, assim que toquei os pés na areia molhada e vi a praia deserta, permiti que o pânico governasse. Desesperada, corri até o píer apenas para encontrá-lo vazio.

12

Pude ver parte do barco muito distante, cortando caminho pelas águas agitadas. A chuva começou subitamente a se intensificar, martelando gotas grossas na madeira do píer, fazendo as ondas se chocarem contra os rochedos. O bramido era estrondoso. Eu piscava os cílios úmidos, sentindo a água escorrer pelo rosto.

Parecia que tudo acontecia ao meu redor e não comigo. Berrando em pensamentos, saí do meu torpor e agitei os braços, pulei no píer e gritei. Nada.

O barco sumiu de vista e eu ali, abandonada na chuva.

O mar agitado me cercava, empurrando meu coração para a angústia. O vento fazia a chuva parecer mais fria. Estremeci, apertando a bolsa contra o peito. O tecido se encharcava conforme o bolo do choro se acumulava em minha garganta ressecada.

O que eu faria ali sozinha? Como iria embora?

Minha mente estalou e sai do píer correndo de volta para a curta trilha coberta. As gotas escorriam pelos galhos finos, molhando-me da mesma forma. Enfiei a mão no fundo da bolsa e encontrei meu celular. Sem sinal. Soltei um rugido como de um animal ferido.

Como eu avisaria meu pai que estava sozinha na ilha? Eu havia ficado tão irritada que saí de casa sem falar com ele. E ninguém sabia onde eu estava porque eu queria ficar sozinha.

— Céus!

Meu coração batia tão veloz que eu fui tomada por um medo profundo.

Pensa, Ariela, pensa no que fazer agora.

Puxei um fôlego e tornei a correr para a trilha do farol. Minha melhor opção seria ficar lá em cima.

A cada pegada meus chinelos faziam *plac-plac* com areia grudando em minhas solas e me obrigando a ir mais devagar. Em todo instante eu tirava o celular da bolsa, a tela cheia de respingos, para verificar se uma barrinha do sinal apareceria.

— Senhor, me ajuda, por favor — choraminguei.

Parei na metade da trilha, deslizando os dedos com sofreguidão pela tela embaçada. A resposta de minha oração surgiu inesperadamente. Duas barrinhas do sinal apareceram. Arfei e cliquei nas mensagens de sms, era tudo o que eu tinha. Procurei meu pai e me vi escrevendo "tô sozinha, na ilha" seguido da palavra sereia, mas um emoji foi adicionado. Enviei e meu celular descarregou.

Debaixo da minúscula marquise do farol eu me protegia da chuva incessante. Os braços arrepiados, o corpo estremecendo assim como a força do vento que sacolejava a mata ao meu redor. O barulho do meu queixo tremendo zumbia nos ouvidos.

Nunca eu poderia prever estar naquela situação, nem sentir tanto medo num lugar que eu conhecia desde menina.

Gotas finas e quentes deslizaram por minhas bochechas, e não eram da chuva.

Por estar tão aborrecida com meu pai, não avisei aonde iria. Não pensei em mais nada além de em mim mesma e fiz tudo errado. Saí de casa sem comunicar meu pai, não verifiquei a bateria do celular, perdi o horário do barco... como fui imprudente.

"*É bom ter um espírito aventureiro, Ariela, mas aprenda a ser prudente.*"

"*Você tem que ser mais responsável.*"

Papai me aconselhou incontáveis vezes. E, da pior forma possível, eu finalmente entendi.

Ai, Deus! Eu lamento tanto, me perdoa...

Escondi o rosto nas mãos e chorei.

Permaneci encolhida murmurando orações ao Senhor. Não sabia quantos minutos ou horas haviam se passado até que o uivo do vento cessasse e a chuva se tornasse uma garoa.

Arrisquei ir até o parapeito do mirante. Vi o mar menos agitado e um barco se aproximando em direção ao píer. Meu coração galopou. Quando reparei na bandeira esvoaçante presa ao mastro, reconheci de imediato o símbolo azul que me cercou a vida inteira.

Com urgência, tomei a trilha para a praia pela quarta vez naquele dia, certa de que seria a última.

Quase terminando, vi a figura familiar que me fez chorar de alívio misturado com tristeza. Papai corria, todo molhado, pelo caminho de madeira. Assim que me viu, gritou meu nome:

— Ariela!

Em um segundo eu descia como foguete, e em outro me vi cercada pelos braços fortes do meu pai.

— Filha!

Ele lamentou em meus cabelos úmidos, eu o abracei mais apertado.

— Deus meu! Quase morri de preocupação.

— Desculpa, pai, desculpa, desculpa — foi tudo o que consegui balbuciar.

Meu pai dizia meu nome como um mantra, e eu entoava um cântico de desculpas.

— Você está bem? Machucou?

Papai alisou meus braços, varreu seus olhos por meu corpo à procura de um machucado. Fiz que não, garanti que estava bem.

— Graças a Deus. — Ele me abraçou outra vez.

Seu braço pesado circundou meus ombros, mantendo meu corpo preso ao seu.

Ele nos conduziu à praia murmurando o quanto estava grato por eu estar bem. Ao pisarmos na areia, percebi um rastro vermelho escarlate ficando para trás. Notei com horror filetes de sangue escorrendo pela perna esquerda do meu pai.

— Pai, sua perna! — exclamei e parei de andar.

Ele seguiu meu olhar alarmado e se inclinou para verificar o ferimento.

Havia um corte longo na sua panturrilha. Meu pai revelou que não sentia nada. Vendo-o tirar a camisa para estancar o sangue me senti mil vezes pior.

Às pressas, meu pai e eu andamos pela areia ensopada até o píer. Entramos no barco e ele nos conduziu de volta para a costa.

13

No hospital, após eu insistir muito, meu pai tratava seu ferimento, que precisou de pontos. Sentada em uma das cadeiras de alumínio no corredor, eu o aguardava com o peso da culpa esmagando meus ombros. Se não tivesse agido movida pela chateação, não teria ficado ilhada, e meu pai não teria ido ao meu resgate e se machucado no processo.

— Amiga!

A voz de Lina me encontrou ali no corredor frio. Ergui o queixo para vê-la andar apressada até mim com Enzo e Sebastian ao seu lado. Apertei as sobrancelhas. Enviei uma mensagem para Lina narrando o acontecido assim que meu celular carregou um pouco. Ainda bem que papai tinha um carregador no carro. Como os meninos souberam, eu não fazia ideia. Talvez Lina tenha contado para eles.

— Que loucura, amiga. Você está mesmo bem?

Fiquei de pé para receber o abraço quente de Lina.

— Você se machucou? — Enzo perguntou com os olhos ansiosos. Parecia preocupado.

— Estou bem — garanti.

Nos sentamos os três nas cadeiras. Lina explicou que quando enviei a mensagem para ela, estava dentro de uma loja, por causa da chuva, e viu o carro de Enzo estacionado do outro lado da calçada. Ele estava com Sebe, e Lina pediu carona para me encontrar aqui no hospital.

— Fui tão estúpida — admiti, com os cotovelos nos joelhos. — Meu pai se feriu por minha culpa.

Quis chorar. Lina passou um braço por meus ombros tentando me reconfortar. Contei para eles o motivo que me levou até a ilha e todas as dificuldades que eu mesma havia criado. Envergonhada, escondi o rosto nas palmas. Lina pescou uma de minhas mãos, entrelaçando nossos dedos. Tombei a cabeça no seu ombro, dando um suspiro deprimido.

— Amiga, você fez mesmo uma escolha ruim. Quando deixamos nossas emoções governarem tudo vira uma bagunça. Precisamos dar atenção redobrada à direção de Deus. Agir por nossa própria conta sempre nos coloca em apuros.

Torci os lábios em um beicinho tristonho.

— Você cometeu um erro e eu sei que você aprendeu com o que aconteceu, Ari. Com certeza o Espírito Santo te ensinou alguma coisa. Ele não desperdiça nada — disse Enzo.

Assenti porque ele tinha razão. O Senhor me fez refletir sobre muitas coisas naquela manhã conturbada. Lições que certamente eu levaria para a vida toda.

— Você podia ter se machucado feio hoje, Ari — Sebe falou com a voz séria. — Seu pai deve ter enlouquecido.

Imaginei o desespero que ele deve ter sentido. Mais uma vez agradeci a Deus por minha mensagem ter chegado a tempo. Nem quero pensar no que poderia ter acontecido.

— Vivi um milagre... Vocês sabem que não tem sinal na ilha — falei.

— O sinal da oração nunca falha — Lina falou e me tirou uma risadinha.

— Verdade.

Meu pai surgiu no corredor, mancando, com a perna enfaixada. Nas mãos, segurava receitas e caixas de remédio.

— Por favor, senhor Marinho, sem fazer pressão na perna. Espero o senhor em sete dias para retirar os pontos.

O médico acompanhou meu pai, dando as orientações para que se recuperasse bem. Papai olhou confuso para meus amigos.

— Que recepção — murmurou. — Não estou tão doente assim — brincou.

E logo bufou ao ouvir mais recomendações do médico.

— Pode deixar que vamos fazer tudo certinho, doutor — prometi, indo pegar as receitas e os remédios da mão de papai.

Sebastian se apressou em dar suporte para ele.

— Não pode dirigir — o médico acrescentou ao ver o paciente puxar a chave do carro.

Papai revirou os olhos que nem uma criança birrenta.

— Eu levo vocês para casa — Enzo se ofereceu. — Depois estaciono o seu carro lá, Rei.

Papai agradeceu e concordou entregando a chave para Enzo.

— Ele vai precisar de repouso por, no mínimo, uns quinze dias. Se cuida, senhor Marinho, nos vemos semana que vem.

O médico retornou para a sala. Meu pai começou a resmungar. Lina desejou melhoras, dizendo que pediria a sua mãe — que era enfermeira em outro hospital — dicas para que eu ajudasse meu pai com os curativos.

Apertei os lábios em uma linha fina.

Se ela soubesse que meu pai e sua mãe estavam juntos... Eu teria que contar para ela, mas não seria naquele momento.

Seguimos os cinco pará fora do hospital.

No quarto do meu pai, eu ajeitava as almofadas contra as costas dele. Depois de seu banho, ele engoliu o remédio e se recostou. Meus amigos foram embora, e eu agradeci toda a ajuda que me deram.

Em seguida, tomei um banho quente, vesti pijamas e fui preparar uma sopa de abóbora que papai adorava. Servi com torradas embebidas de azeite e alecrim. Insisti em levar a colher cheia até sua boca enquanto ele reclamava que o machucado era na perna e não nas mãos.

Assim que ele terminou, eu tomei a sopa da minha tigela sob seu olhar atento. Esperei a cada minuto que ele me desse a bronca que eu merecia e, no fundo, gostaria de ouvir. Diante de seu silêncio perturbador, devolvi a tigela à bandeja e falei:

— Pai, eu realmente sinto muito... por tudo. — Fitei sua perna enfaixada. — Você se machucou por minha causa... me perdoa. Agi sem pensar, como você sempre fala. Fui muito estúpida.

— Quando a chuva começou aqui, eu te liguei porque vi que seria forte. Queria confirmar se você estava em casa ou na rua. Você não me atendia, fiquei preocupado. Estava saindo da academia quando sua mensagem apareceu. A chuva apertava e eu morri de preocupação ao imaginar o pior.

Baixei os olhos para minhas mãos sussurrando mais um "me desculpa".

— Nunca mais, Ariela — ele falou áspero, seu olhar intenso me atravessou. — Nunca mais faça isso. Está me ouvindo? Me prometa que nunca mais se colocará em risco. Prometa.

Seus olhos estampavam um medo quase palpável.

— Juro, pai. Te prometo.

— Você está proibida de ir àquela ilha por um bom tempo. Na verdade, está proibida de ir a qualquer ilha sem mim. E nem adianta reclamar.

Apertei os lábios e não argumentei. Eu faria tudo que ele me pedisse.

— Você precisa aprender a ser mais prudente. Pense mais antes de agir, seja cautelosa. Quantas vezes eu não te falei isso?

Seu dedo em riste estava diante do meu rosto.

— Nunca mais saia sem me avisar, isso é inadmissível.

Concordei com um sutil aceno, ainda calada.

— Não quero mais você pegando caronas lá no Itamar. Você tem noção do perigo em que estava? E se a mensagem não tivesse chegado, Ariela? Passaria a noite sozinha naquela ilha escura. Quantas coisas terríveis poderiam te acontecer, filha...

A dor tomou suas feições, e sabia que não era por causa da perna.

— Me desculpa, papai. Eu errei, eu sei. Lamento muito. Não pensei direito. Eu estava tão chateada por causa de ontem e acabei não... — balancei a cabeça segurando as lágrimas. — Desculpa não ter avisado aonde iria, e desculpa ter feito você se machucar. É tudo minha culpa.

— Não foi sua culpa.

— Foi sim.

Comecei a chorar.

— Vem aqui, filha.

Ele me chamou com a mão e deitou minha cabeça em seu peito.

— Foi um acidente, filha, mas eu me machucaria quantas vezes fosse necessário para te resgatar.

Suas palavras me atravessaram, e eu chorei ainda mais.

— Mas, por favor, não se coloca em perigo, está bem? Meu coração não aguenta.

Soprei um riso em meio ao choro.

— Você é tudo o que eu tenho de mais precioso. Não posso te perder.

— Você não vai — falei, e meu coração se encheu de amor.

14

— Ari, você leva essa pasta para o seu pai?

Sebastian deslizou uma pasta transparente pela mesa mogno da sala do chefe. Chefe esse que permanecia de repouso enlouquecendo os meus nervos, de Sebe e de mais alguns funcionários. Como papai tinha muitas reuniões, documentos, planilhas, pagamentos e outras burocracias para gerir, passei a vir todos os dias para a Atlântida em horário integral.

— Diga para ele que refiz o contrato e alterei a porcentagem do desconto corporativo como ele pediu — Sebe avisou. — Peça que assine nas linhas que marquei de lápis.

— Certo, chefinho — brinquei fazendo uma continência para Sebe, e meu amigo sorriu torto.

Depois de debatermos sobre a agenda e nossas próximas obrigações, me despedi de Sebastian e parti para casa. Havia um doente à minha espera.

Na última semana o trabalho foi intenso. Além de lidar com os assuntos do escritório, resolvi questões de eventos e comecei a dar aula de natação para uma turma infantil, porque a professora havia ficado doente. Percebi o quanto a academia precisava de ajuda.

O trabalho que antes eu fazia forçada e com reclamações, aprendi a fazer de coração e boa vontade. Queria muito ajudar a Atlântida.

Os dias anteriores me fizeram refletir bastante sobre minha situação com meu pai, a academia, meus sonhos, nossas brigas... Entendi que eu também não estava sendo justa.

Em razão do desejo de trilhar meus sonhos a todo custo, não consegui entender que suas intenções eram boas, que de fato ele queria o melhor para mim porque me amava. Por mais que pensássemos e víssemos as coisas de perspectivas diferentes, ele só queria o meu bem.

Entendi que precisava ser mais compreensiva com meu pai em muitos aspectos. Passei a meditar nas palavras de Paulo a Timóteo e nelas encontrei muito encorajamento. Meu exemplo deveria ser o de Jesus. Sendo a única referência de cristã próxima a ele, e tendo em vista que papai já possuía uma resistência enorme à fé, eu deveria refletir Jesus através das minhas palavras e ações, da minha vida. Orava ao Senhor para que me ajudasse a ser como ele e dar bom testemunho.

Também orava para ser mais corajosa e pedir perdão ao meu pai, e para que pudéssemos ter, enfim, uma conversa pacífica sobre o meu futuro.

Em casa, tomei um banho e, em seguida, fiz o jantar. Enquanto comíamos à mesa, papai lia mais um dos contratos que eu havia trazido. Estalei os lábios em repreensão e pedi que ele fizesse aquilo mais tarde, no escritório. De tanto eu insistir, ele empurrou os papéis para o lado, não muito contente.

— Sabe que tenho que colocar o trabalho em dia — murmurou.

— Ler, analisar, aprovar, assinar... — fui listando suas tarefas.

— É, eu sei. Mas, pai, Sebastian e eu estamos dando duro para dar conta do serviço. Sebe é excelente, você sabe. Ele não esquece de nada. Fique tranquilo, você o treinou bem.

— Amanhã vou tirar esses pontos, graças aos céus. Não suporto mais ficar inútil. Nem malhar eu posso — grunhiu entre os dentes. — Recebi um e-mail da organização do festival de janeiro. Você leu?

— Siiim — estendi a palavra. — Sebe e eu estamos cientes e vamos à reunião semana que vem. Relaxa, estou envolvida com os assuntos do festival que tanto te preocupa. Está tudo sob controle, pai.

Joguei mais um punhado de batatas e brócolis em seu prato.

— Vê se come, hein.

— Vejo que você está se esforçando bastante.

— Claro! Quero que você se recupere bem.

— Falo da academia. Sei que você não quer estar lá — ele pontuou com desânimo.

— O trabalho burocrático é cansativo, mas eu estou pegando o jeito. Na verdade, — confessei porque sabia que o deixaria contente — estou gostando.

— Não o suficiente para permanecer.

Pousei o garfo dentro do prato e o encarei com cuidado.

— Pai, eu queria mesmo conversar com o senhor sobre isso... — mordisquei o lábio. — Eu entendo que você pensou coisas para o meu futuro e hoje vejo que você deseja apenas o melhor pra mim porque me ama. — Esbocei um pequeno sorriso. — Considerei suas opções, mas eu quero outros planos — falei com cuidado.

Esperei que ele se chateasse como da última vez, porém papai permaneceu com o rosto brando. Isso me deu segurança para continuar:

— Sempre que a academia precisar e eu puder, estarei disponível. A grande questão para mim — pronunciei as palavras devagar querendo que ele entendesse — não é a academia, mas sim as suas expectativas. Se você não exigir, mandar, pressionar, brigar, eu estarei lá de coração.

Aguardei que ele fosse falar algo, porém ficou quieto. E terminamos a refeição daquele jeito. Ainda era doloroso saber que eu o desapontava.

— Senta comigo no sofá? — papai pediu quando comecei a retirar nossos pratos. — Quero conversar com você sobre algumas coisas.

Temi que brigássemos outra vez. Meu pai insistiu, e eu me vi concordar resignada. Após levar toda a louça suja para a pia, me sentei próxima a ele no sofá macio. Fiz orações mudas pedindo ajuda ao Senhor.

Papai esticou a perna enfaixada no pufe e ficou de lado para me fitar. Seu rosto parecia sério.

— Você me disse algumas coisas naquele dia. Queria ter a chance de corrigir suas perspectivas. — Molhou os lábios para dizer: — Você não é um problema que sua mãe me deixou, Ariela.

Não esperava que ele fosse tocar justo naquele ponto. Nem soube o que dizer.

Diante do meu silêncio, ele prosseguiu:

— Quando ela foi embora e avisou que sairia da cidade, eu implorei para ficar com você. Quero que entenda que sua permanência comigo não aconteceu porque sua mãe me obrigou e eu não tive escolhas. Muito pelo contrário, eu exigi que ela deixasse você comigo. Sei que muita coisa você não consegue compreender.

Papai apertou os lábios numa linha fina.

— Talvez até me culpe por não ter permitido que fosse com ela, mas eu conseguia ver com clareza que não seria o ideal para você, filha.

— Não te culpo, pai — murmurei cabisbaixa. — Teria sido mais doloroso morar com ela.

— Sabe que eu lamento a nossa família ter ruído — sua voz parecia frágil. — Mas há coisas além do nosso controle. Sua mãe seguiu um caminho e eu fiquei em outro.

— Eu entendo, pai. De verdade, entendo.

— Eu não suportaria te perder, Ariela. É o meu tesouro, pequena, não um problema. Nunca foi um problema — ele falou com ternura. — Não pensa mais assim, filha. — Sua mão buscou a minha. — É um privilégio ter você comigo.

— Desculpe ter dito coisas horríveis pra você — confessei bastante envergonhada. — Não deveria ter falado que iria embora como minha mãe. Foi cruel.

— Filha, esquece isso.

— Não dá — sacudi a cabeça. — Me desculpa, eu estava chateada. Não foi justo ter dito aquilo. O que ela fez não é uma boa referência para mim. Nunca vou embora como ela, pai — assegurei. — Também sinto muito ter falado aquelas outras coisas, eu passei dos limites com você.

— Ariela...

Ergui uma palma aberta pedindo que me deixasse concluir.

— Você vive de uma forma que eu não aprovo — falei de modo suave. — Não tenho direito de exigir que mude para me agradar. Não tenho que te acusar ou fazer exigências...

Ponderei raspando as unhas nos fiapos da almofada para ter coragem de encará-lo.

— Sei que te magoei, que fui desrespeitosa, pai. Me perdoa, por favor.

— Está desculpada, filha. — Ele deu duas batidinhas na minha mão.

— Queria falar sobre outra coisa — ele mudou de assunto pouco depois. — É verdade que eu esperava que você tivesse trilhado uma carreira como sua irmã e até maior. Sempre foi muito habilidosa, Ariela. Eu via tanto potencial em você...

— Pai...

Foi sua vez de levantar uma mão pedindo que eu o deixasse continuar.

— Se eu disser que me conformo com sua escolha de faculdade, vou mentir. Queria lugares mais altos para você. — Papai apertou os lábios coçando a barba por fazer. — Por mais que eu tenha outros planos, não posso te obrigar a fazer o que não deseja. É difícil pra mim te ver trilhando um caminho contrário. Mas eu sempre vou querer sua felicidade, filha. Meu papel como pai é dar todo o suporte que você precisar nesse caminho.

Meu coração ficou cheio de expectativas.

— Teste essa faculdade, experimente e vamos ver no que dá. De toda forma, estarei aqui para o que precisar. Você sempre tem para onde voltar. E, só para deixar claro, você não é uma decepção, Ariela. Nunca foi. Me orgulho muito da mulher que você está se tornando.

Àquela altura eu já tinha atirado meus braços ao redor de seu pescoço.

— Obrigada, papai — declarei emocionada.

— Ainda precisa melhorar no tópico prudência — ele fez questão de comentar com humor. — Espero que faça progressos nesse aspecto da vida, peça para o seu Jesus ajudar, mas no geral você está indo bem, filha. É meu orgulho, sim. Nunca se esqueça disso e do quanto eu amo você, pequena.

Salpiquei seu rosto bronzeado de beijos mornos. Meu pai me daria o seu apoio, era tudo de que eu precisava. Foi como tirar uma âncora do coração.

E naquele ambiente leve, ele perguntou os motivos de eu ter escolhido biologia marinha. E eu pude com alegria revelar meus argumentos.

Permanecemos no sofá conversando bastante sobre meus planos. Era bom, na verdade, muito bom ver meu pai interessado em me ouvir e me dar sua opinião sincera. Como eu queria que ele se envolvesse e entendesse o meu mundo. Aquele momento era único e importante, e me vi muito grata por ele.

Epílogo

Um ano depois...

— Ariela, você não acha que já fez o suficiente?

A voz do meu pai me encontrou debaixo da tenda branca. De chinelos na areia fina, eu montava os kits de garrafinha de água e toalha de rosto com o logo da Atlântida. Dava os últimos toques para o festival de inverno que começaria na manhã seguinte. A nossa tenda era enorme, já que a academia era um dos principais patrocinadores do evento.

— Ariela!

Lá estava o meu pai, impaciente, me chamando outra vez.

— Ainda não terminei, pai.

Respondi por cima do ombro reparando no brilho dourado do pôr do sol, naqueles derradeiros minutinhos do dia, que conferiam um charme único à praia, repleta de tendas, banners, trabalhadores agitados e um palco que receberia muita música e atrações naquele fim de semana.

— Posso começar minha missão de resgate?

O timbre de alguém que fazia meu coração andar a galope me fez virar.

Enzo se aproximou pela areia, de chinelos, bermuda azul e camiseta branca. Estava mais bronzeado que o normal porque havia ficado debaixo do sol o dia inteiro ajudando a organizar a tenda do centro de mergulho, onde daria aulas gratuitas.

— Missão resgate?

Apertei as sobrancelhas.

— Estou te tirando do trabalho, e com a aprovação do seu pai — Enzo esclareceu.

— Pode levar, Enzo — papai disse de braços cruzados no peito.

Franzi a testa e olhei meu pai, que encarava Enzo. Papai deu um longo suspiro, porém a sombra de um sorriso brotou no rosto firme. Ele se inclinou para depositar um beijo rápido na minha testa.

— Vá com cuidado, rapaz.

— Pode deixar.

— Oi? — Fiquei confusa.

— Nada além do que combinamos, Enzo — pontuou meu pai.

— Sim, senhor.

— Enzo? — questionei, mas ele apenas riu conforme me empurrava com gentileza para fora da tenda.

— Para onde vamos?

— Dar uma volta.

No jipe, com a capota aberta, Enzo dirigia pelas ruas abarrotadas de carros. Minha mente não parava de pensar em cada detalhe para o evento e nas minhas responsabilidades.

No último ano, passei a ser funcionária oficial na academia. Descobri o prazer de trabalhar no que gostava de fazer. Entrei para a equipe de eventos, além de ajudar a dar aulas de natação sempre que necessário.

Também ingressei na faculdade tão desejada e vivi um dos capítulos mais empolgantes da minha vida acadêmica. Tudo era novidade e me deixava curiosa por mais. Cursei o primeiro semestre com tanta euforia que lamentei quando o período de férias chegou. Por outro lado, foi ótimo para eu conseguir organizar o festival de inverno com a equipe.

Sorri e fechei os olhos para apreciar a brisa geladinha do mar que bagunçava os meus cachos.

— Este é o terceiro outdoor que vejo com você hoje — Enzo comentou.

Gemi meio rindo ao ver meu rosto na orla.

— O Rei não economizou na publicidade.

— Pois é — falei. — Eu queria que fosse outra pessoa, mas como sou da equipe de eventos e ando com o marketing...

— Além de todos te conhecerem por aqui...

— A modelo ideal.

— Você ficou ótima no outdoor, Ari.

— Rá! — brinquei — Minha cabeça parece duas vezes maior.

— Parece nada.

— Você está sendo bonzinho.

— Sou sempre verdadeiro.

— Mas também é meu amigo.

— Um amigo de verdade.

Começamos a rir.

Estar com Enzo era tão leve e me fazia tão bem. Nossa conversa descontraída tirou a ansiedade daquele dia.

— Obrigada por estar me levando para sei lá onde — comentei com graça.

— Sei lá onde chega em breve.

— Engraçadinho.

Dei um tapinha em seu ombro.

Meu celular vibrou. Era uma mensagem da Lina.

"*Oi, amiga. Amanhã estarei na praia com você. Desculpe não ter ido hoje. Acabamos de sair do Rio. A prova do vestido demorou demais.*"

Escrevi: "*Queria ter ido com vocês :(me manda foto*"

Um *plim* e a foto chegou. Tia Joyce em um lindo vestido de noiva.

"*Ela chorou, acredita?*", Lina digitou.

— Ownn — falei alto.

— O que foi? — Enzo perguntou.

— Acabei de ver a tia Joyce vestida de noiva — contei.

— Cadê?

Mostrei o celular para ele.

— Ficou tão bonita — admirei e Enzo concordou.

Voltei a escrever para Lina.

"*Ela está perfeita, amiga. O vestido ficou tão lindo. Fala para ela que eu amei.*"

"*Ela chorou um bocado, Ari. Acho que a ficha está começando a cair.*"

Digitei de volta:

"*Nem acredito que em breve vamos morar juntas. AHH!*"

Ainda parece um sonho saber que vou morar com minha melhor amiga.

Aquilo que achei ser mais um caso passageiro de papai, na verdade, era o começo de um compromisso sério. Ele me surpreendeu ao revelar suas reais intenções com a tia Joyce. Lina aceitou o namoro assim que soube. Eu levei um tempo.

Porém, com o passar dos meses percebi o quanto eles se gostavam e faziam bem um ao outro. Fiquei feliz porque os dois estavam recomeçando juntos. E ainda mais surpresa quando papai, três meses atrás, veio pedir minha permissão para se casar com a tia Joyce.

Ver meu pai apaixonado e comprometido a ponto de querer casar novamente foi mesmo chocante. Pensei que ele nunca mais fosse se casar depois de sua história com minha mãe.

É lógico que "dei minha bênção" e fiz que ele me prometesse dar um casamento de princesa para sua futura noiva. Tia Joyce nunca havia se casado, o pai de Lina apenas a engravidou e foi embora. Ela merecia ter um casamento lindo e, no que dependesse de mim e de Lina, assim seria. Que bom que meu pai nos permitiu investir no que fosse necessário.

Outra mensagem de Lina surgiu.

"Já saiu com Enzo?"

Como ela sabia?

"Já... como você sabe?"

"Aproveita e me agradeça :D"

"Lina, o que é? Ele não falou para onde vamos."

E ela me enviou uma figurinha de carinha esperta.

"Respondeee!"

"Vamos sair depois do culto de domingo à noite? Sebe queria comer pizza."

Estalei a língua nos dentes e escrevi de volta:

"Já falei pra você que eu não sou vela."

Desde que eles começaram a namorar viviam me chamando para sairmos juntos. É claro que eu amava estar com os dois, mas eram um casal e eu ficava sem graça em alguns momentos.

"É a nossa velinha favorita. Pensa e me responde. Bjos."

Suspirei e apaguei o visor.

Olhei para o rosto de Enzo parcialmente iluminado pelo dourado da tarde.

Ai, tão bonito...

Enzo tinha as mãos no volante, concentrado no trânsito, os cabelos ondulados bagunçados ao vento. Meus sentimentos afetuosos por ele só cresceram com o tempo, como uma planta fincando raízes profundas e expandindo suas folhas.

Permiti que os meses me mostrassem a veracidade dos meus sentimentos e se eles eram recíprocos. Continuei em oração e observei atentamente como Enzo se comportava comigo. Apesar de ele ser muito cuidadoso, percebi que gostava de mim, embora nunca tenha dito nada. Sabia, por causa dos nossos anos de amizade, que Enzo só daria um passo se estivesse seguro para prosseguir. Mesmo ansiosa, eu esperava pelo momento em que nossos sentimentos pudessem ser ditos com honestidade um para o outro.

Céus! Eu queria mesmo ser sua namorada.

— No que está pensando? — Enzo perguntou, de repente.

— Coisas...

Meu rosto corou. Tornei a fitar a paisagem da orla.

— Para onde está me levando? — mudei de assunto.

Enzo me lançou uma piscadela divertida e apenas revelou:

— Barco.

— Vamos sair de barco? — fiquei empolgada.

Ele meneou a cabeça num mais ou menos com o rosto sorridente e não disse mais uma palavra.

Na marina, Enzo nos conduziu até um dos barcos de sua família. Notei que estava vazio.

— Cadê o pessoal? — perguntei, porque sempre saíamos em grupo.

— Somos só nós dois hoje.

Fiquei sem saber o que responder. Como assim só nós dois?

Senti meu corpo inteiro ficar quente e agitado. Enzo subiu a bordo e eu o segui.

Aquilo era um piquenique?

A mesa do barco estava repleta de petiscos deliciosos.

— Nossa! — arfei.

Procurei respostas para minha pergunta interna no rosto de Enzo. Ele parecia feliz, mas viajou as mãos para os bolsos e se balançou em seu eixo, parecendo um tanto desconcertado.

— Surpresa.

— Você fez tudo isso pra mim?

Absorvi cada detalhe especial, como o cordão de luzinhas amarelas sobre nossas cabeças.

— Fiz. Queria celebrar seu primeiro ciclo na faculdade e te proporcionar um momento de tranquilidade, já que tem trabalhado muito pelo festival e, ahm... — Ele deslizou uma mão pela nuca como se buscasse as palavras certas: — Queria conversar sobre outro assunto.

Suas palavras foram suficientes para fazer meu coração batucar nos ouvidos. Esse "assunto" seria o que eu imaginava? De repente, me vi tão nervosa que duvidei da capacidade das minhas pernas. Meu interior se aquecia, embrulhava e gelava, tudo ao mesmo tempo.

— Senta, Ari. Você está com fome?

Enzo indicou meu lugar e se movimentou pelo barco.

Pensei que ficaríamos ali, ancorados na marina, mas ele colocou a lancha em movimento e nos guiou para o mar. Admirei o horizonte em um dourado intenso como se ouro líquido tivesse sido derramado no céu. Mesmo no inverno, a costa não perdia seus dias de sol.

Quando Enzo voltou, com seu jeito atencioso, pude relaxar. Nos deliciamos com os aperitivos e falamos sobre inúmeras coisas naquela conversa amigável que sempre tivemos um com o outro.

— Trouxe algo para você — Enzo falou.

De dentro de um dos bancos ele retirou uma caixa quadrada azul e me entregou. Abri depressa e encontrei uma vela rosa com detalhes de conchas douradas, uma caneca lilás para acompanhar a frase que eu adorava, *"O mundo acima é um lugar maravilhoso. Mas todos sabem que a verdadeira magia reside no fundo do mar"*. E por último, uma minigarrafinha com um barco e um papel enrolado dentro.

— Enzo, eu estou apaixonada! Obrigada!

— Depois agradeça a Lina, que me ajudou a escolher os itens e a arrumar a caixa.

Abri um sorrisinho. Então era por isso que ela tinha me escrito aquilo.

— Tem uma mensagem no papel — Enzo indicou com o dedo.

Depressa virei a garrafinha e o papel caiu. Desenrolei. A letra cursiva de Enzo surgiu e meu coração quase parou de bater, para, em seguida, correr sua própria maratona.

"Aceita namorar comigo?"

Reli cada letra, cada palavra.

Com o rosto quente, fitei Enzo, que me encarava com os olhos faiscando.

— Amo você, Ariela. Amo você há um bom tempo. Por mais que eu estivesse louco para te contar como eu me sentia, preferi orar por nós e esperar o momento ideal para abrir meu coração e ser responsável por minhas palavras e atitudes. Você precisava estudar para o vestibular, tinha as questões da academia, da faculdade...

Acenei conforme ouvia. Sabia que Enzo tinha seus motivos para esperar. E eu agradeci por ele ter esperado o melhor momento para nós dois.

— Amo muito você — ele declarou com intensidade. — Quero um compromisso com o objetivo no casamento, Ariela. Esse é o meu propósito.

Pensei que iria derreter ali mesmo. Era aquilo que eu queria para o futuro também.

— Eu pedi permissão ao seu pai semana passada — ele contou um tanto envergonhado. — Foi uma conversa e tanto com o Rei.

— Ele mostrou o tridente pra você? — brinquei, nervosa.

Enzo liberou uma risada gostosa, e foi impossível conter o meu sorriso.

— Também amo você, Enzo, e há bastante tempo. É claro que aceito namorar você.

Talvez o meu sorriso só não tenha sido maior que o dele, mas eu podia jurar que os nossos corações batiam na mesma frequência quando Enzo me abraçou. Oramos em seguida. Minutos depois, ele se afastou apenas para brindar minha testa com um beijo suave. Permanecemos assim, abraçados e apaixonados, admirando o sol se pôr.

Quando cheguei em casa, com duas estrelas no lugar dos olhos, encontrei meu pai no sofá.

— Oiii, papaiii!

Meu comprimento foi tão fora do comum que ele ergueu uma sobrancelha, curioso. Larguei a bolsa no chão e afundei ao seu lado. Enlacei seu pescoço e suspirei com um sorriso que não deixava meus lábios.

— Pelo visto você disse sim — papai comentou ao virar o documento que lia.

— Aham.

— Enzo te tratou bem?

— Muuuito beemm. Eu estou tão feliz!

— Eu vejo — ele soprou um riso baixo.

— Obrigada, pai.

— Só permiti porque ele gosta mesmo de você e eu confio no Enzo.

— Sorte a minha então que meu namorado é maravilhoso.

— Namorado... — ele grunhiu. — Vou ter que ouvir isso de agora em diante.

— Vai — dei uma risadinha.

Eu já adorava chamar Enzo de namorado.

— Você é o sogrinho mais lindo deste mundo.

Apertei uma de suas bochechas, e meu pai afastou minha mão.

— Não pressiona, Ariela.

Estalei um beijo em seu rosto e me levantei.

— Quando será sua apresentação na igreja?

Franzi a testa.

— Quê?

— A apresentação em que você disse que cantaria.

Ele falou sem me olhar, ainda encarando os papéis.

— Quero confirmar a data para poder ir.

Ele tinha dito aquilo mesmo?

— Você vai? — perguntei sem acreditar.

Papai confirmou com um aceno sutil.

— Quero te ver cantar e depois vou embora.

Ele nunca havia aceitado nenhum dos meus convites para ir à igreja. Nem mesmo quando eu participava do coral ou cantava com o teatro. Resolvi convidá-lo para a minha próxima apresentação, mas não tinha expectativa de que ele fosse aceitar. Minha surpresa foi tamanha que levei um tempinho para responder.

— Vou adorar que você esteja lá, pai. Significa muito pra mim.
— Eu sei — ele disse.

Pressionei os lábios para segurar meu sorriso.

Informei a data e me retirei para tomar banho.

Só Deus sabe o quanto gritei em pensamentos de tanta felicidade. Aquela era a resposta das minhas orações. Eu tinha certeza. Meus olhos se encheram de lágrimas. Agradeci a Deus e orei para que, de alguma forma, a peça apresentada falasse com meu pai.

Nossa relação melhorou muito no último ano. O Espírito Santo me ensinava a ser amável e paciente. Aprendi que não se tratava de eu estar certa e forçar meu pai a aceitar minha fé, mas sim de fazer o certo ao seguir o exemplo de Jesus, que era manso e humilde de coração. Eu não mudaria meu pai, nem a ninguém, e essa não era minha tarefa. Não salvava a mim mesma, e muito menos os outros.

Minha missão era amar meu pai como Deus o amava, orar por ele e aproveitar todas as oportunidades para falar da minha fé com amor. E fazia o mesmo por minha família. Eu nunca deixava de orar por todos. Inclusive pela minha mãe, por quem passei a orar com mais intencionalidade. Eram as orações mais difíceis. Entendi que a melhor maneira de amá-la era orar por ela.

E quando eu sentia as garras do abandono e da tristeza arranharem o meu coração, o Senhor me lembrava do quanto era amada. Que suas promessas eram reais, que ele nunca me deixaria, jamais me esqueceria. O amor de mãe podia me faltar, o de pai, irmãos, familiares, mas o do Pai celeste nunca teria fim. Era abundante e eu era sua filha amada. Não havia privilégio maior do que ser chamada de filha do Altíssimo.

Tendo Jesus como capitão do meu barco, não importava quais mares eu desbravaria, estava certa de que ele sempre estaria ao meu lado. Poderia confiar em sua voz e em sua palavra. Aquele que segurava as estrelas com as mãos sustentava toda minha vida. E era com ele que eu seguiria minha jornada.

Cores da liberdade

Arlene Diniz

1

Só respirar não é viver.

Fiquei um tempo olhando para o papel em minhas mãos. A garota colorida em aquarela estava igual a mim. Blusa bata lilás, calça jeans, cabelo dourado trançado nas costas. Ela parecia dançar com suas partes do corpo meio desproporcionais. Na verdade, tudo parecia meio desproporcional naquela pintura. E era exatamente isso que deixava a coisa toda especial.

— Você está melhor a cada aula, Poli. Estou orgulhosa.

— Desenhei você. — O sorriso com metade dentes e metade gengiva tomou o rosto da menina. — Considere como meu presente de aniversário adiantado.

— Eu amei — sorri. *Só respirar não é viver* — reli as palavras escritas em cima da menina dançante, desta vez em voz alta, e cutuquei a costela magra de Poliana com meu cotovelo. — Desde quando você virou poeta?

— Essa frase não é minha. Apesar de ultimamente eu estar numa vibe bem reflexiva. *Privilégios* de estar doente, né? — Poli brincou, ao mesmo tempo que revirava os olhos.

Observei sua cabeça tão lisa como uma lâmpada e meu coração apertou. Sim, estar doente faz a pessoa pensar em um montão de coisas.

— De quem é, então? A frase — quis saber.

— Eleanor H. Porter — disse ela em um tom de importância. — O livro de onde tirei a frase leva o meu nome, sabia?

— Hum, então deve ser um livro bem bonito.

Ela piscou de forma exagerada, fazendo graça, e notei que todos os outros alunos já tinham, junto com seus acompanhantes, deixado a sala. O silêncio ecoou pelas coloridas paredes da sala de artes do Hospital do Câncer Infantil de Porto Alegre. Poliana sempre mostrava sua pintura por último. Ela gostava de conversar, e de enrolar ao máximo para voltar ao seu quarto.

Guardei a pintura já seca de Poli com cuidado entre as páginas do meu "caderninho dos sonhos", um moleskine velho e quase todo preenchido que me acompanhava aonde quer que eu fosse, e o coloquei dentro da caixa em que tinha levado alguns materiais para a aula. Como a professora oficial precisou faltar, decidi levar minhas tintas e pincéis especiais para mostrar aos alunos opções diferentes e novas técnicas.

Abracei a caixa e rumei para a porta, sentindo logo depois a mão de Poliana passar pelos fios da minha trança.

— É tão macio — ela suspirou. — Já te disse que meu sonho era ter um cabelo da cor do sol igual ao seu? Mas a bendita genética me deu um tão preto quanto a noite. Quem sabe quando ele começar a crescer não venha loiro? Dizem que raspar a cabeça pode mudar a estrutura do cabelo, sabia?

— Filha, não sei se a mudança de estrutura seria tão radical a esse ponto. — Chegamos ao corredor iluminado e a mãe da Poli se aproximou com o celular nas mãos. Isabel tinha um sorriso mais aberto que de costume. — Desculpe, tive que sair para atender uma ligação. Vamos para o quarto, meu bem? Daqui a pouco você tem medicação.

— Estava falando com o Gegê? Faz dois dias que ele não me liga. — Poli projetou um bico nos lábios.

— Você sabe como ele é ocupado. Se não te ligou, é porque teve um bom motivo.

E, como se não tivesse demonstrado nenhuma chateação no segundo anterior, Poliana virou-se para mim com o rosto reluzindo. E eu sabia *e-xa-ta-men-te* o que viria pela frente.

— Você *precisa* conhecer meu irmão. O Gegê é gentil, doce, engraçado e, ainda por cima, lindo igual à irmã!

Dei uma risada.

— Se ele não morasse tão longe, tenho certeza de que vocês dariam um belo casal.

— Poliana! — Isabel fitou a filha com firmeza. — Olha como a Rachel ficou vermelha!

Eu tinha ficado vermelha? Por algo dito por uma menina de onze anos? *Não seja ridícula, Rachel.*

— Qual o problema, mãe? A Rachel precisa arrumar um namorado, fazer uma coisa mais empolgante que doar o tempo dela para crianças com câncer.

— Que horror! — Isabel e eu falamos ao mesmo tempo.

— Não tem problema nenhum em você doar seu tempo pra gente, tá bom? Mas me diz uma coisa: quando foi a última vez que você fez alguma coisa divertida na sua vida? Sei lá, flertou com algum garoto? Você já vai fazer dezoito anos!

Agora sim eu tinha ficado vermelha. Sem sombra de dúvidas.

— Você não acha que é muito nova para ficar falando em flertes e namorados com a Rachel? — Isabel engachou o braço da filha. — Vamos logo, antes que você a faça desistir do trabalho voluntário aqui no hospital.

As duas desceram pelo saguão, e eu segui na direção contrária com um sorriso incrédulo no rosto. Antes que apertasse o botão do elevador, ouvi a voz fina de Poliana mais uma vez e olhei para trás.

— Só respirar não é viver. Lembra disso. — Elas viraram no corredor que levava ao quarto e desta vez um riso escapou pelos meus lábios. A minha vida era tão sem graça assim?

Entrei no elevador pensando que, verdade seja dita, Poliana tinha razão. Mas não era como se eu não quisesse viver coisas empolgantes. Eu queria tanto que às vezes sentia vontade de chorar, daquele jeito bem dramático, escorregando atrás da porta e tudo. E era por isso que a operação *Starting Rachel's Life* tinha que dar certo. Desci no térreo e balancei a cabeça, confiante.

Um dia minha vida vai começar. E, se depender de mim, vai logo.

Fui recebida pela brisa fresca do outono quando alcancei o lado externo do hospital. Inspirei, apreciando os sussurros serenos que as árvores altas e os canteiros de plantas bem cuidados davam entre si, quando meu celular vibrou dentro da bolsa de algodão cru.

>Maya: *E aí, vai colocar a Starting Rachel's Life (que título brega!!!) em ação hoje, finalmente?*

Abri um sorriso.

>Rachel: *Vou falar com minha mãe daqui a pouco. Fica na torcida, pfv!*
>Maya: *Até que enfim. O festival está logo ali!*

Cortei caminho entre dois canteiros a fim de pegar a saída para o portão e continuei a digitar com a mesma mão que segurava o celular, já que com a outra carregava a caixa, quando senti um baque derrubá-la do meu braço e me arremessar para trás. Não consegui ver em que ou em quem colidi. Meu cotovelo esquerdo bateu e arrastou no chão áspero. No entanto, a dor maior não foi essa.

Os dois estojos com minhas aquarelas em pastilhas se abriram e os quadradinhos de tintas se espalharam para todo canto, deixando rastros coloridos pelo chão. Os pincéis e outras tintas em tubos também compunham o show de horrores.

Projetei o corpo para cima e corri até os estojos. Eu só os usava em pinturas muito especiais, porque haviam custado os olhos da cara.

— Ei, você tá bem?

Parei com a mão estendida e, ajoelhada, olhei para cima. O garoto atrás de um dos canteiros parecia ter saído de uma maratona. Seu peito subia e descia. Ele era alto e seu cabelo preto estava com alguns fios desalinhados de um jeito engraçado. Eu teria rido se a situação toda já não fosse tão embaraçosa.

— Me desculpe, não vi você — continuou ele, engolindo um pouco o ar enquanto dividia o olhar arregalado entre mim e algo adiante. Virei para olhar na mesma direção. Só havia o portão aberto do hospital e mais nada. Aliás, ao que parecia, só havia nós dois ali naquele momento.

— Por que está tão ofegante se quem caiu foi eu? — Franzi as sobrancelhas e virei um dos estojos. Uma pontada acertou meu coração. Estava rachado ao meio. *Céus, eu não tenho dinheiro para comprar outro!*

— É que eu entrei correndo e...

— Misericórdia! Quem entra correndo em um hospital?! — Juntei tudo que poucos minutos atrás eram minhas tintas preferidas e coloquei aquele resto sujo e melecado dentro do estojo partido. O garoto se abaixou e começou a pegar os pincéis espalhados, sempre com os olhos atentos para o portão.

— É verdade, me perd...

— Podia ser uma pessoa na cadeira de rodas, ou numa maca, ou ainda alguém muito debilitado tomando um ar aqui fora.

— Você tem toda a razão, me des...

— O que você tanto olha lá pra fora? — Aquilo já estava me deixando nervosa. Ele estava sendo perseguido ou algo assim?

— Nada! — apressou-se em responder e abriu um sorriso forçado. — Não é nada.

Coloquei o segundo estojo também quase completamente perdido dentro da caixa e então meus olhos bateram no caderninho dos sonhos e na pintura da Poli que escapara de dentro dele. Uma bisnaga de tinta estava sobre eles. Aberta. Jorrando líquido vermelho.

Será que eu não tinha fechado a tampa direito?

O esbaforido pareceu perceber ao mesmo tempo que eu. Ele foi até o moleskine e a pintura e, com as próprias mãos, tentou retirar o excesso de tinta. O que só fez tudo ficar pior.

— Não precisa fazer isso! — Puxei os dois. — Você já estragou tudo mesmo.

Ele soltou o ar pelo nariz.

— Olha, eu sei que errei feio aqui, mas você também não estava olhando para a frente, garota.

Garota? Coloquei uma mão na cintura e olhei para ele. Os dois ajoelhados. Uma imagem bem patética, no mínimo.

— E não olhar para a frente pode se comparar com entrar correndo? Ah, tá. — Joguei os últimos pincéis na caixa e me levantei, passando direto por ele.

— Me passa seu contato. Vou ressarcir as tintas que você perdeu. E o caderno também. — Eu já havia percorrido alguns passos quando ouvi a voz baixa. — O desenho acho que não tem como...

— Esse caderno não é algo que possa ser substituído — virei devagar. — E eu não vou passar meu número para um estranho.

— Ah, é? — Ele levou as mãos à cintura e só lembrou que elas estavam sujas de tinta quando as encostou na camisa. Tirou as mãos depressa e vi seu maxilar saltar. — Então como espera que eu vá resolver isso?

— Qual é o seu e-mail? Eu entro em contato.

— E-mail? — Ele deu uma risada. — Quem é que se comunica por e-mail hoje em dia? Me fala qual é o seu Instagram. Eu passo um direct.

— Minha conta é privada. — Empinei o queixo.

Ele deu mais um riso e balançou a cabeça antes de soletrar o e-mail que eu digitei no bloco de notas do celular.

2

— Vamos, Rachel, você precisa fazer um curativo nisso aí. — Minha mãe abriu a porta do carro e segurei o braço dela.

— Mãe, eu disse que estou bem. Fica tranquila.

— Esse ralado pode infeccionar!

— É só passar uma pomada. Não tem nada demais aqui. — Ergui o cotovelo para dar uma olhada. Estava ardendo um bocado, mas ela não precisava saber disso.

Estávamos paradas numa rua lateral ao hospital. Minha mãe colocou o cinto de volta e girou a chave na ignição. Quando ligou a seta para sair da vaga, seus olhos pousaram sobre a caixa em meu colo e ela balançou a cabeça, fazendo seu cabelo loiro opaco e curto mexer de um lado para o outro.

— O garoto que trombou em você precisa pagar todo esse prejuízo.

— Eu já disse que vou entrar em contato com ele por e-mail.

— E quem falou que ele passou o e-mail certo? Eu vou lá dentro procurar esse sujeito!

— Mãe! Não! — Segurei o braço dela de novo e algo me sobreveio, me fazendo perder o olhar lá fora. — Vai ver ele está com algum parente no hospital e recebeu uma notícia ruim.

Ela hesitou, entendendo o que eu queria dizer. Em seguida, girou o volante e entrou na avenida, acompanhando o fluxo de

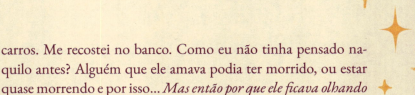

carros. Me recostei no banco. Como eu não tinha pensado naquilo antes? Alguém que ele amava podia ter morrido, ou estar quase morrendo e por isso... *Mas então por que ele ficava olhando para o portão sem parar?*

— Pelo menos seu celular está inteiro. Eu não teria como te dar um novo agora. — Ela mal terminou de falar e um ruído estridente vindo do carro irrompeu do nada. Levei os dedos aos ouvidos. Logo que passamos pela curva, o barulho cessou. Ela seguiu olhando para a frente, como se nada tivesse acontecido.

— Não é perigoso andar com o carro desse jeito? Esse barulho fica cada vez pior.

— O mecânico disse que o Maximus ainda vai rodar por uns meses assim.

Sim. O carro da minha mãe tinha um nome. Quando alguém está prestes a completar dezoito anos, considera-se que tem muita vida pela frente. O mesmo não se pode dizer sobre certas coisas. Tipo aquele corsa verde-escuro que minha mãe tinha desde que eu havia nascido. Falando em nascimento...

— Você sabe que dia vai ser daqui a uma semana? — Olhei para ela com expectativa.

Minha mãe estreitou um pouco os olhos, pensando.

— Já que você parece não estar lembrando, vou contar. — Cruzei as mãos embaixo do queixo. — Vai ser o meu aniversário! *Tã-rã*!

Ela deu risada.

— Claro que eu sei que seu aniversário está chegando, Rachel. Foi em um vinte de abril que a minha vida mudou para sempre. Como eu poderia esquecer?

Sorri e encostei a cabeça no ombro dela, apertando as mãos. Tinha ensaiado aquelas palavras umas vinte vezes. Operação *Starting Rachel's Life* ativar.

— É que eu estava pensando e, bem, eu vou fazer dezoito agora e, ah, nesse aniversário o que eu queria... Aliás, o que eu queria há vários anos... É, bem...

— Desembuche, Rachel. — Ela precisou movimentar o braço mais rápido para passar a marcha e eu me endireitei no banco.

— Eu quero ver os balões no festival! — soltei de uma vez.

Minha mãe me olhou de esguelha por meio segundo.

— De novo com essa história? Rachel, você sabe que...

— Eu quero tanto ir! Desde que nos mudamos pra cá eu tenho vontade de ver os balões de perto, principalmente durante o *night glow*, quando todos eles ficam parecendo luzes flutuantes no céu. — Suspirei. — Na verdade eu gostaria mesmo é de andar em um, mas como sei que é muito caro...

Ela prendeu os lábios.

— Você não acha coincidência que o festival seja sempre no meu aniversário? — Bati os olhos no porta-documentos à minha frente. Havia ali uma pilha de papéis enrolados. Eram contas. Várias delas. — Eu tenho quase todo o valor da passagem do ônibus até Torres — continuei. — Juntei de algumas telas que vendi nos últimos meses. Eu só precisaria de uma ajudinha extra.

— Não vou ter condições de pagar minha passagem para ir com você. Estamos com a corda no pescoço, filha. Seus exames de rotina estão marcados para amanhã e você sabe como custam caro. O plano não cobre vários deles.

— A Maya vai comigo. — Olhei para minhas unhas.

— Você acha que eu vou deixar vocês duas fazerem uma viagem sozinhas até Torres? Nem brincando.

— Ela já fez dezoito anos e eu vou estar fazendo, então...

O rosto dela se fechou, e eu entendi que era hora de parar. Ao chegar em casa, antes de descer do carro, tentei fazer a melhor voz que pude para inspirar pena:

— Antes de cravar um não, você poderia, por favor, pensar no assunto?

Ela suspirou.

— É o meu maior sonho — hesitei por um instante — desde o papai.

Minha mãe permaneceu em silêncio, e quem cala consente, não é? Lasquei um beijo na bochecha dela e fui saltitando até o meu quarto.

3

Algumas manchas coloridas ainda marcavam o chão áspero do pátio externo do hospital. Minha mãe e eu passamos por elas e soltei um suspiro. Não tive coragem de enviar o e-mail para o garoto sem noção do dia anterior. Talvez eu estivesse com um pouco de... vergonha?

Antes de dormir fiquei repassando a cena na cabeça sem parar. E acho que fui um pouco rude. Ou muito. Era melhor deixar aquela história pra lá. Eu poderia comprar umas tintas mais baratas enquanto juntava dinheiro para repor os meus estojos de marca. Mas ficar cara a cara com ele de novo? Não, obrigada.

Entramos na recepção e minha mãe foi ao banheiro. Enquanto esperava, vi um aluno da aula de pintura sendo empurrado numa cadeira de rodas pelo pai.

— E aí, cara! — Passei a mão pela cabecinha lisa dele. — Seu desenho de ontem ficou muito legal.

— Ele gostou tanto que até pendurou atrás da cama — o pai respondeu, sorrindo.

Me inclinei para dar um toque leve no narizinho gelado dele e escutei um grito estridente ecoar pelo corredor.

— Rachel! — Aquela voz inconfundível.

Ergui o corpo com o sorriso formado. E o desfiz no segundo seguinte. Poliana tinha uma mão erguida acenando de forma frenética para mim e com a outra segurava o braço de alguém. Meus olhos encontraram os dele. E, por um momento, a coisa que eu mais tive vontade de ter na vida foi uma capa da invisibilidade.

Paralisada no meio do corredor, tentava pensar numa maneira de driblar Poliana e fugir dali. No entanto, quem conseguia fugir de Poliana?

— Você não vai acreditar! — Os olhos dela estavam pequenos por causa do enorme sorriso. — Lembra do meu irmão, que eu vivia dizendo que seria o par perfeito pra você?

Ah. Não.

— Ele chegou da Inglaterra ontem! — Poli puxou o braço do garoto, que foi num impulso para a frente. Ela se virou para ele. — Gegê, essa é a Rachel que eu falei que você tinha que conhecer.

O sorriso congelado dele mais parecia um pedido de socorro. E eu tinha certeza de que estava da cor da bandeira da China.

— E esse é o José Eugênio, meu irmão! — Poli colocou a mão na cintura e estufou o peito, orgulhosa. O rapaz estendeu a mão e eu levei a minha para responder ao cumprimento quando um ruído esquisito escapou da minha boca. Tentei segurar, mas não deu. Rir em situações constrangedoras era minha sina.

— Desculpe, é que José Eugênio não é um nome que a gente ouve todo dia.

Ele ergueu uma sobrancelha e guardou a mão de volta no bolso sem apertar a minha.

— É um nome raro, tipo a sua gentileza. — Ele esticou os lábios em um sorriso sem dentes, e minha crise de riso parou na hora.

— Você entra correndo em um hospital e eu que não sou gentil? — Cruzei os braços.

— Espera aí, vocês já se conhecem? — Poli olhou para nós dois e franziu o cenho para o irmão. — Você entrou correndo no hospital? Quando?

José Eugênio, ou Gegê, ou garoto-desagradável-que-me-fez-cair-no-dia-anterior, piscou devagar ao olhar para Poli. Sua boca se abriu, mas ele não disse nada. De repente, seus olhos se voltaram para mim. Havia ali um sutil pedido de "limpa minha barra, por favor". Analisei seu rosto pelo extenso tempo de meio segundo e virei-me para Poliana.

— A gente trombou no pátio ontem. Apesar de minhas tintas terem caído todas, seu irmão me ajudou a juntar tudo.

— Veja só, um vislumbre de gentileza — murmurou ele.

O tal Gegê estava mesmo fazendo gracinha após eu acobertá-lo?

— Por isso você estava com a blusa manchada de tinta? — Poli perguntou a ele, que assentiu e olhou para mim de novo.

— Estou esperando seu e-mail até agora. Ou você prefere sinal de fumaça?

Revirei os olhos.

— Aliás, a pintura que você fez para mim ontem está com uma baita mancha vermelha em cima — falei com Poli. — Adivinha por culpa de quem?

— Ai. — Ela deixou os ombros caírem. — Não acredito que vocês já estragaram minha missão cupido antes mesmo de ela começar!

— Vamos, maninha, está na hora da psicóloga. — José passou o braço pelo ombro da irmã e Poli se despediu de mim, o rosto sem esconder a decepção.

— Passa lá no meu quarto depois? — pediu ela com um beicinho antes de entrar no elevador.

Eu não queria encontrar o irmão dela de novo, mas como ignorar um pedido desses?

Foi rápido, como todo ano era. Tubos e mais tubos de sangue sendo retirados da minha veia. Não estava me sentindo fraca, mas ainda assim minha mãe disse que compraria algum lanche para minha pressão não baixar. Só que ela estava demorando muito. Resolvi encontrá-la na cafeteria.

Cruzei a porta de vidro do laboratório e vi um grupo de residentes descendo pelo saguão. Olhei para o outro lado e então aquela recém-conhecida silhueta surgiu no corredor. Os braços cruzados sobre o peito, polegar sobre os lábios e cabelo um pouco bagunçado como se a aparência fosse a última de suas preocupações. Algum assunto importante parecia alugar um triplex na cabeça dele.

Voltei para dentro da antessala do laboratório e me sentei na cadeira de espera. Por que as portas tinham que ser de vidro? *Tomara que ele não tenha me visto, tomara que ele não tenha me visto...*

— Rachel?

Ergui os olhos. Ele estava parado na porta.

— Ah, oi, José. Não tinha te visto aí.

— Mas você acabou de aparecer aqui no corredor. — Ele apontou com o polegar para trás de si.

— É, ah, vi você sim, na verdade. — Mordi os cantos internos da boca.

— Poli pediu para eu te procurar. Reclamou que você estava demorando... — Percebi a reticência em sua voz e segui o olhar dele. José mirava o curativo sobre meu braço. — Ela me disse que você é voluntária aqui no hospital.

— Eu sou.

— Mas, além disso, você também é... — Vi seu pomo de Adão subir e descer. — ... paciente?

— Já fui. São exames de rotina.

Ele moveu a cabeça devagar, em uma concordância silenciosa.

— Vou encontrar minha mãe na cafeteria lá embaixo. Depois subo para ver a Poli. — Fiquei em pé. José olhou mais uma vez para o curativo.

— Você teve com quantos anos?

— Treze.

— Quase a idade da Poli... — Ele me encarou por um momento e a expressão tensa que vi no corredor suavizou um pouco. Parecia... esperança.

Poliana tinha leucemia e, embora sempre parecesse muito animada, Isabel tinha me dito que ultimamente o tratamento vinha evoluindo menos que o esperado. Pensar nisso fazia um aperto tomar meu coração.

— Bom, já vou indo. — José afastou-se após erguer a mão para um tchau.

Levantei rápido e saí pela porta:

— José.

Ele olhou para trás.

— A Poli é forte.

José concordou com a cabeça, balbuciando um "eu sei", e voltou a caminhar. Segui na direção contrária, com a imagem de Poliana invadindo minha mente. Sussurrei uma oração por ela.

4

A operação *Starting Rachel's Life* consistia basicamente em convencer minha mãe a me deixar fazer o que ela havia me negado minha adolescência inteira. Bem revolucionário e criativo, não?

Lá pelos catorze, quando percebi que minha vida seria aquele marasmo sem graça e sem emoção — já que eu não podia fazer nada —, comecei a despejar nas páginas de um moleskine todos os meus anseios mais intensos de... viver.

Página sete: saltar de paraquedas. *Página dez:* mochilão pela Europa. *Página treze:* ir a um show da Taylor Swift. *Página quinze:* namorar (e casar) com o cara dos meus sonhos.

Página um: Voar de balão.

À medida que preenchia a primeira página, eu quase podia escutar a voz do meu pai narrando a sensação indescritível do vento lambendo seu rosto enquanto olhava para a imensidão lá embaixo. Para ele, estar naquele cesto de palha era quase como ter suas próprias asas.

Ele prometeu que um dia me levaria para voar. Infelizmente, não houve tempo para isso. No entanto, deixou em mim a fagulha pulsante por viver essa experiência. E talvez por isso esse fosse o sonho número um da minha lista.

Ok. Andar em um balão agora seria impossível. Custava um rim. Mas a gente podia adaptar, né? Ir ao festival de balonismo em meu aniversário de dezoito seria algo simbólico para mim, um marco de um novo ciclo que iria se iniciar, da liberdade pela qual eu tanto ansiava. E eu tentaria até o último segundo para que dona Eliana permitisse isso.

Era questão de vida ou morte.

— ... E o morrer é lucro! — A voz elevada do pregador penetrou meus ouvidos. Pisquei algumas vezes, me dando conta de que estava havia uns bons quinze minutos divagando em vez de prestar atenção no culto.

— Todo mundo vive para alguma coisa — o senhor atrás do púlpito continuou. — Para o quê você vive?

Eu vivo para Jesus, claro!, foi meu primeiro pensamento. Porém, no segundo seguinte, uma voz fraca surgiu lá do fundo: *Será?*

O final de semana foi a mesmice de sempre. Pintei quadros, papeei com Maya, fui à igreja. Quando a segunda-feira chegou, fiquei um pouco mais animada. Era dia de aula de pintura para as crianças no hospital.

Minha mãe conduzia o Maximus pelas ruas de Porto Alegre embalada pelas músicas do grupo Logos, seu preferido. Olhei para fora da janela tentando reunir coragem para falar sobre o festival. Eu tinha pedido que ela pensasse no assunto na quinta passada. Quatro dias teriam sido suficientes, certo?

— Mãe, sobre meu aniversário... — Mordi o lábio antes de continuar. —Você pensou no que te pedi?

— Ainda estou pensando.

Meus olhos quase saltaram para fora. Minha mãe nunca pensava tanto a respeito de alguma coisa. Será que isso queria dizer que...?

Tentei não deixar o sorriso escancarado demais.

Passei as próximas duas horas dando aula feliz da vida. Abracei cada criança quando terminamos e, ao me virar para pegar minha bolsa, sabia exatamente quem era a única aluna a permanecer na sala.

— Rachel, o que acha de darmos uma volta lá fora?

Minha cara devia ter se transformado em um ponto de interrogação, já que Poliana continuou:

— Por favor, ficar dentro deste hospital o tempo todo é tão chato. Você sabia que a área arborizada foi feita justamente para os pacientes passearem?

— Você não vai ficar cansada?

— Que nada! O Gegê vai levar a cadeira de rodas, e qualquer coisa eu sento.

— O José vai também? — Talvez eu tenha falado um pouco alto demais. Levantei os olhos e o encontrei parado perto da porta. Ele estava ali desde o começo. Fiquei surpresa quando o vi entrar. Surpresa e incomodada. Era estranho dar aula sabendo que ele estava ali, olhando tudo.

Se toca, Rachel. Você se incomoda com os acompanhantes dos outros pacientes?, repreendi a mim mesma no início da aula e segui com minhas atividades achando que poderia ir embora sem topar com ele. Apesar da breve conversa no laboratório na sexta, ainda não sabia exatamente o que pensar de José.

— Sou o acompanhante da Poli. Não posso deixá-la sozinha. — Ele deu de ombros.

— Ela não vai estar sozinha. — Empinei o queixo. — Vai estar comigo.

— Desculpe, Rachel, mas você ainda é menor de idade — Poli rebateu com ar inocente, e eu ergui uma sobrancelha.

— Faço dezoito daqui a três dias.

— Continua sendo menor de idade — José retrucou com um sorrisinho, e eu bufei.

— Tá bom. Vamos.

— Eba! — Poliana deu pulinhos e agarrou-se ao meu braço. Seguimos pelo corredor com José empurrando a cadeira de rodas vazia. Quando entramos no elevador, cutuquei o ombro dela.

— Desculpe não ter passado no seu quarto na sexta. Fui encontrar minha mãe na cafeteria e tivemos que ir embora às pressas porque surgiu um compromisso urgente no trabalho dela. As meninas da recepção te avisaram, né?

— Sim, mas não tem problema, meu objetivo foi atingido.

— Que objetivo?

— Vocês dois se encontraram. — Ela olhou para José e fez cara de travessura. Ele e eu arregalamos os olhos, e a porta do elevador abriu. Descemos no térreo em silêncio. Eu tentava olhar para todas as direções, exceto para onde José estava. Precisava ter uma conversinha com Poliana. Ela estava levando aquela história de cupido longe demais.

— Rachel, Gegê tem algo para te entregar — disse ela quando chegamos à parte externa. Seu irmão pegou uma sacola preta que estava pendurada na cadeira de rodas e estendeu para mim, desviando os olhos. Abri a sacola e puxei um pacote retangular envolto em papel de presente lilás.

— Eu disse para ele que era a sua cor preferida. — Poli sorriu.

Desembrulhei com cuidado, e meu queixo despencou. Eram dois estojos da aquarela profissional Winsor & Newton. Simplesmente a melhor. Importada. E custava os olhos da cara.

— Estou esperando seu e-mail até hoje. — José ergueu as sobrancelhas.

Toquei os estojos quase salivando e, num ímpeto, os estendi de volta.

— Não posso aceitar.

— Por que não? — os dois questionaram ao mesmo tempo. E só naquele momento eu percebi o quanto eram parecidos. Os olhos negros. Os lábios cheios. Os traços simpáticos.

— Foi muito caro. Os meus eram bons, mas não como esses.

— Rachel, ninguém nunca te disse que é indelicado falar sobre o preço de um presente? — Poli franziu a testa. — Aliás, nem presente é. É uma restituição. Pare de enrolar e aceite logo o pedido de desculpas do meu irmão por ter derrubado você e suas tintas.

Prendi os lábios e olhei para José. Ele tombou a cabeça de lado e sibilou "gentileza rara". Ah, é? Ele ia continuar de implicância? Tá bom. Estreitei os olhos e segurei os estojos junto a mim.

— Obrigada, então.

— Olha, a doutora Ana está ali tomando um café. Vou falar com ela. — Poliana disparou para a cafeteria do hospital, a alguns metros de onde estávamos. Tentamos chamá-la de volta, mas fomos solenemente ignorados. Dez segundos de um silêncio constrangedor passaram até que José soltasse uma risada contida.

— Minha caçulinha sempre foi assim. Discrição não é o forte dela.

Ele falou "caçulinha" com tanto carinho que não pude evitar um sorriso. Mas logo fechei a cara de novo.

— Sei bem sobre isso — respondi. — Desde que ela foi internada e começou as aulas de pintura, há dois meses, eu escuto sobre o *incrível* Gegê. — Revirei os olhos.

— Desculpe se não atendi às expectativas — ele riu.

— Como você atenderia algo que nem existe? Eu nunca criei expectativas sobre você.

As sobrancelhas dele se ergueram.

— Depois você não gosta quando eu digo que não tem gentileza. — José balançou a cabeça e meu rosto ficou quente. *Acho que passei do limite.*

— O que a Poli falou sobre mim? — Talvez, se elas existissem, as expectativas *dele* tivessem sido frustradas.

— Que era cristã, bonita, ótima artista e que ia fazer dezoito anos — ele disparou, como se minhas características fossem itens de uma lista de mercado. Evitei olhá-lo, sentindo o rosto arder.

— E você? Tem quantos anos? — Fingi não ter sido abalada e usei a melhor saída: mudança de assunto.

— Vinte.

— O que faz na Inglaterra?

— Estudo e trabalho.

— Estuda o quê e trabalha onde?

José deu uma risada.

— Quer o número do meu CPF também?

Girei os olhos.

— Estudo música em Manchester e dou aula para crianças — respondeu ele. — E você?

— Desenho e dou aula para crianças. — Dei de ombros. — E estou no último ano da escola.

— Dois artistas que amam crianças, então. — Ele colocou as mãos nos bolsos da calça jeans. — Gostei da sua aula hoje. Dá pra ver que você ama o que faz.

Fixei os olhos em meu tênis branco que não via um sabão havia tempos.

— Seu tratamento foi aqui? — José olhou para o prédio que se erguia diante de nós.

— Por oito longos meses.

— Foi isso que levou você a decidir ser voluntária?

— Eu venho pra cá todo santo ano fazer meus exames de rotina, aquele acompanhamento que os pacientes oncológicos precisam ter nos anos seguintes à doença. Foi numa dessas, uns dois anos atrás, que descobri sobre as aulas de pintura e decidi me voluntariar.

— Que tipo de câncer você teve?

— Linfoma de Hodgkin.

José quis saber detalhes da descoberta e tratamento. Depois de contar como foi ir ao médico por causa de uma coceira inexplicável no corpo e sair com um diagnóstico como aquele, gastamos bons minutos conversando a respeito. Ele parecia genuinamente interessado em tudo que eu tinha a dizer. Após um tempo, percebi seus olhos na direção da Poli, que ainda batia papo com a médica na cafeteria.

— Queria ter estado aqui desde o começo — a voz dele saiu baixa e melancólica.

— O importante é que está agora. E ela parece a ponto de explodir de felicidade por causa disso.

Ele sorriu.

— Eu teria voltado antes, mas fui impedido por causa do trabalho. Não quero correr o risco de ficar longe dela e, sabe…

Engoli em seco.

— Não pense assim. Deus está cuidando dela.

— Só quero estar preparado. — Ele suspirou e virou-se para mim. — Sinto muito por ter derrubado você aquele dia. Ficou tudo bem, de verdade?

— Nada que três pontos no cotovelo não tenham resolvido.

Os olhos dele esbugalharam, e eu curti alguns segundos vendo o terror tomar seu rosto.

— Tô brincando. A marca já está até saindo. — Ergui o braço dobrado. — Falando nisso, por que você entrou correndo daquele jeito? A impressão é que estava fugindo de alguém, sei lá.

José piscou devagar e sua boca se movimentou, mas não saiu nada. No mesmo instante ouvimos a voz de Poli. Ela dava passos lentos e a fadiga, que raramente aparecia no rosto dela, estava estampada agora. José correu com a cadeira de rodas e a ajudou a se sentar.

— Você está se sentindo mal?

— Não se preocupe, Gegê. — Ela deu um tapa no ar. — Só senti um pouco de tontura quando saí da cafeteria. Vamos para o quarto, quero deitar um pouco.

José e eu nos entreolhamos.

— Vou com vocês — falei. Poli sorriu e estendeu a mão para que eu a segurasse.

5

— Poxa, Rachel, da próxima vez eu que vou escolher o filme. Você tem dedo podre. — Tia Helô jogou um punhado de pipoca murcha na boca enquanto os créditos subiam na tela preta.

— Em minha defesa, tem Chris Hemsworth no elenco. Escolhi por causa dele.

— A cara de pau nem teve a coragem de ler a sinopse antes. — Maya se levantou do sofá e jogou uma almofada em mim.

— Vocês estão de complô. Nem achei tão ruim assim. — Desliguei a tevê e tomei mais uma leva de almofadas.

— Filme bom ou não, quero saber quem vai lavar a louça. — Minha mãe apareceu na sala recolhendo os potes com restos de pipoca e brigadeiro. — Vem, Helô.

— Por que eu? Meu despertador grita às seis da matina amanhã, viu.

— O nosso também — respondi. — Somos estudantes.

Tia Helô jogou uma última almofada e seguiu minha mãe até a cozinha. Às vezes eu sentia como se a tia Helô fosse minha irmã mais velha e não a irmã da minha mãe. Talvez fosse apenas a década que nos separava ou o jeitinho dela meio doidinho de ser, que, por exemplo, amava marcar para ver filme e comer besteira com sua sobrinha e a amiga dela em plena terça-feira à noite.

Mas, no geral, acho que era pela forma como ela se interessava de verdade pela minha vida ou me abraçava quando as coisas ficavam difíceis demais. Tia Helô já tinha tentado convencer minha mãe a me deixar fazer várias coisas ao longo dos últimos anos. Não obteve muito sucesso, tadinha, mas pelo menos tentou.

Comecei a bater as mantas do sofá e Maya levou para a cozinha os copos sujos de suco esquecidos na mesinha de centro. Pouco depois chegou parecendo que tinha levado um choque.

— Miga, miga! Quando entrei na cozinha, a tia Helô estava conversando com sua mãe. Elas pararam de falar na hora que me viram, mas cheguei a escutar a palavra *Torres*.

Engoli o ar. *Torres, festival, balões*.

— Ai, Maya! Será que a tia Helô está tentando convencer minha mãe? — Mordi o canto da unha. — Meu aniversário já é depois de amanhã e dona Eliana só diz que está pensando. Isso está me deixando louca!

— Para quem sempre dizia não de primeira, sua mãe está pensando demais. Acho que tem coisa aí. — Maya segurou minhas mãos, e sorrimos com a empolgação da esperança renovada.

Na manhã seguinte, tive que conter a ansiedade durante todo o tempo que estive na escola. Quando finalmente cheguei em casa, deparei com minha mãe correndo de um lado para o outro, enchendo de roupas uma mala aberta sobre a cama.

— Viajar assim, do nada? E meu aniversário? — Cruzei os braços no meio do quarto dela.

— Eu também não queria ir, Rachel, mas fui avisada quase agora que o julgamento vai ser na sexta! Estamos esperando por isso há muito tempo, você sabe. Tenho que ir antes para resolver umas coisas com a advogada.

— Você acha que vamos conseguir? Esse processo já se arrasta por tantos anos.

— Temos que conseguir, filha. Se esse dinheiro sair, poderemos pagar por... por... enfim, por tudo que precisamos.

Quando alguém trabalha com pessoas de má-fé, pode ocorrer o tipo de coisa que aconteceu depois da morte do meu pai. Havia seis anos que minha mãe lutava para receber o que era nosso por direito na empresa que ele tinha com um "amigo" — entre muitas aspas — na cidade em que morávamos, no interior de São Paulo.

— Mas então por que você não parece feliz? — questionei. — É uma coisa boa finalmente esse julgamento sair.

Seus olhos estavam avermelhados, e ela parecia agitada além do normal. Minha mãe não era de perder o equilíbrio facilmente.

— Quer que eu vá com você?

— Não, querida. — Ela passou as mãos pelo rosto. — Isso é coisa de adulto.

— Eu vou fazer dezoito anos amanhã.

— E sempre será minha menininha. — Ela deu um beijo na minha testa e percebi seus olhos úmidos. Em seguida, me aninhou em seus braços. — A Helô vai chegar mais tarde para ficar com você. Qualquer coisa me liga. Espero voltar de São Paulo até sábado, no máximo. Quando eu chegar a gente comemora seu aniversário.

Meu queixo caiu.

— Mas o festival acaba no sábado! Você vai me deixar ir, não vai?

Ela se afastou de mim devagar.

— Desculpe, filha, mas acho melhor não. Eu vou estar longe e...

— A tia Helô vai estar aqui!

— Ela vai participar da feira de moda o final de semana todo. Não pode te levar.

— E a Maya? Eu disse que iria com ela!

— De ônibus? Sozinhas? De jeito nenhum!

— Mas, mãe...

— Rachel, não — ela falou com firmeza. — Quando eu chegar nós conversamos.

— Mas aí já vai ter passado o festival!

— Por favor, não insista. Não posso deixar você ir. — Ela saiu do quarto puxando a mala e eu fiquei ali, observando minhas expectativas murcharem, como um papel em chamas, até não restar nada além de cinzas.

O relógio marcava quase seis da tarde quando resolvi reagir. Tinha passado as últimas cinco horas revezando entre chorar, assistir comédias românticas, lamentar a desventura que era a minha vida e chorar mais um pouco. Levantei da cama e abri uma caixa em que guardava algumas memórias. Fiquei um tempo olhando uma foto do meu pai. Barriga saliente, nariz pontudo e sorriso escancarado dentro do cesto de palha de um balão.

— O senhor prometeu que me levaria. — Funguei baixinho.

— Você está parecendo uma morta viva.

Quase tive um ataque cardíaco. Olhei para a frente e vi tia Helô no batente da porta.

— Cruzes, tia! E você está parecendo uma assombração parada com essa cara aí. Chegou faz tempo? — Guardei a foto na caixa e a coloquei de volta na cômoda.

— Não muito.

Meus olhos desceram até as mãos da tia Helô e senti outra descarga no coração. Seus dedos pousavam sobre o balão que eu tinha desenhado na capa, agora toda manchada de vermelho, do meu caderninho-dos-sonhos.

— Voar de balão é o seu sonho número um? — questionou ela. Pisquei algumas vezes.

— É.

— Por que nunca me contou que era assim tão importante pra você? Achei que era só uma vontade que você teve por causa do seu pai.

Abaixei os olhos e ouvi um "ah!" de compreensão escapar-lhe. Tia Helô se aproximou.

— Você acha que isso vai fazer você se sentir mais próxima dele?

— Não é isso... É que... — Suspirei, me rendendo. — Eu sei que parece meio bobo.

— Rachel. — Ela tocou meu rosto com a palma da mão quentinha. — Você perdeu seu pai aos doze anos. Reviver a memória dele através de algo de que ele gostava não é bobo. Quando minha marca estiver bombando, vou pagar um voo desses pra você.

— Hoje em dia eu já me daria por satisfeita só em ver os balões de perto.

— Sinto muito por sua mãe não ter deixado você ir. E olha que eu tentei convencê-la, viu? — Tia Helô ficou quieta por um momento. — Se eu não tivesse que participar dessa feira tão importante com a minha loja, tentaria convencer a Eliana a me deixar te levar. Mas a feira é imprescindível para os negócios, não posso faltar. E confesso que estou chateada por precisar deixar você o dia todo sozinha em seu aniversário de dezoito anos. Só vou chegar em casa às oito da noite.

— Tia, fica tranquila. Vou ter aula de manhã e passar a tarde toda pintando. A Maya deve vir pra cá também.

E assim seria meu incrível e badalado aniversário de dezoito anos.

— Rachel! — Tia Helô me gritou meia hora mais tarde. Cheguei na sala com um pincel na mão. Estava trabalhando em uma nova pintura em meu quarto. — Você conhece a Poliana? — Largada no sofá, ela estendeu o celular em minha direção com uma foto da Poli no hospital.

— Dou aula de pintura pra ela.

— Nossa! — O rosto da tia Helô se contorceu de compaixão. — A Poli é a irmã caçula caçula de um amigo meu da época da faculdade. João Afonso colocou agora no grupo que ela está com leucemia.

João Afonso e José Eugênio. Ainda bem que tiveram misericórdia da Poliana.

— Só agora? Ela está internada há dois meses.

— Ah, o João é meio reservado sobre assuntos familiares. Foi assim na época do José também.

— Como assim? O que aconteceu com o José?

Sentei no braço do sofá ao lado dela.

— José está por aqui? Você o conheceu lá no hospital?

Fiz que sim com a cabeça.

— Imagino como todos eles devem estar arrasados com a situação da Poli. Ela é a princesinha da família.

— José chegou da Europa semana passada para ficar com ela.

— Cruzar o oceano para acompanhar a irmã mais nova numa

situação difícil. É o tipo de coisa que ele faria mesmo... — Tia Helô olhou para o nada por uns segundos. — Ter ido para a Inglaterra fez toda diferença na vida dele. Sabia que José faz trabalho voluntário ensinando música para crianças refugiadas?

— São crianças refugiadas? Ele me disse que dava aulas, mas não sabia que era trabalho voluntário.

— Ele não contaria mesmo essa parte. José é um dos caras mais humildes que eu conheço. E isso ele já era até naquela época mais doida da vida dele. A família sempre acreditou que ele fazia aquelas coisas erradas por manipulação dos amigos.

— Que coisas erradas? — Toda minha atenção estava agora voltada para ela.

— Ih, menina, José aprontou um monte. Essas coisas de moleque riquinho que acha que pode fazer o que quer. Dirigir sendo menor de idade, fazer pichação em muro, racha de moto...

— Nossa. Isso é pior do que eu estava imaginando. — A imagem dele olhando para fora do portão do hospital me veio à cabeça.

— Ah, mas não faça essa cara. Ele não é mais assim. Faz uns três anos que José se mudou para a Inglaterra e tomou jeito por lá. Como eu costumava frequentar muito a casa deles na época da faculdade, vi com meus próprios olhos o que Jesus pode fazer com uma pessoa. Um ano e meio atrás, mais ou menos, quando ele veio para o Brasil pela primeira vez depois de ter se mudado, eu o encontrei num churrasco que João tinha organizado. José era outro. O olhar dele mudou, sabe?

— Jesus?

Ela anuiu.

— O tio que acolheu José em Manchester é pastor de uma igreja e cuida de uma organização para acolher refugiados. Apesar de a família deles ser toda cristã, parece que o Senhor tinha marcado um encontro especial com José lá do outro lado do mundo.

Tia Helô riu e continuamos conversando por um tempo. Ela quis saber mais sobre o estado de saúde da Poliana e contou tudo que sabia sobre aquela família. Pelo jeito todos eles eram pessoas bacanas. Mas isso eu já sabia pela Poli e Isabel. Quando voltei para o quarto, entrei no Instagram e procurei o perfil do José.

Na biografia estava escrito "1João 3.16" e um emoji de mãos unidas em oração. Sim, eu tinha crescido escutando João 3.16 e até já sabia decorado, mas 1João? Abri o aplicativo da Bíblia e lá estava: "Nisto conhecemos o que é o amor: Jesus Cristo deu a sua vida por nós, e devemos dar a nossa vida por nossos irmãos".

José não tinha muitas fotos, mas em todas havia um quê meio artístico/alternativo de que eu gostei. Fotos de paisagens, sorrisos de crianças, telhados de capelas. Em uma delas, ele tocava violão com um sorriso gigante em frente a um grupo de crianças sentadas de costas. Fui rolando o feed até que uma das fotos me chamou a atenção pelo rostinho conhecido, embora um pouco diferente do que eu estava acostumada. Poliana, com o cabelo preto na altura dos ombros, as bochechas bem mais gordinhas e coradas, estava abraçada ao pescoço de José, e a foto tinha sido capturada no meio de uma gargalhada. A legenda dizia assim: "Eu trocaria de lugar com você se pudesse, raio de sol".

Funguei, passando as mãos pelos olhos molhados depressa, antes que tia Helô entrasse no quarto e eu tivesse que explicar porque estava stalkeando o perfil do José Eugênio.

6

Entrei no quarto 28 com o coração pulsando nos ouvidos. Poliana tinha enchido meu celular de mensagens dizendo que eu precisava ir ao hospital com urgência. Ainda bem que o professor do último tempo tinha faltado e fui liberada mais cedo da escola. Então, parti direto para encontrá-la.

— Você tá bem? Aconteceu alguma coisa? — disparei ao ver Poli sentada na cama. José ergueu a cabeça de um livro e um vinco surgiu entre suas sobrancelhas.

— Melhor agora. — Poliana sorriu. — O seu sonho número um é andar de balão, não é, Rachel?

Franzi o cenho. Por que do nada todo mundo estava me perguntando isso?

— C-como você sabe? E o que tem a ver isso agora?

— Talvez eu tenha visto seu caderninho um dia...

— Poliana! Isso é coisa que se faz? — Coloquei as mãos na cintura.

— Não briga comigo! — Ela uniu as mãos no queixo. — Eu tive que subornar a moça da recepção para conseguir seu telefone. Foi difícil, tá?

— Você o quê? — José e eu perguntamos ao mesmo tempo.

— Vamos nos concentrar no que é importante. — Ela balançou as mãos. — Hoje cedo, quando José ainda não tinha chegado para render minha mãe, uma associação de apoio às crianças com câncer entrou em contato oferecendo um passeio de balão no festival de Torres. Parece que algumas instituições estão patrocinando e tal. Eu aceitei!

Pisquei algumas vezes.

— Mas, Poli, será que não seria um esforço muito grande? Ultimamente você tem estado...

— É por isso que eu não vou. — Ela cortou o irmão. — Quem vai é você e a Rachel.

— Quê? — nós dois perguntamos ao mesmo tempo. De novo.

— Vocês precisam sair logo. Já me informei e daqui até Torres são umas duas horas e pouco de carro. — Poli começou a mexer no celular. — São dois vouchers. Acabei de enviar para o WhatsApp de vocês.

— Espera, mas os vouchers não são pra você? — Eu estava ficando zonza.

— Ganhei de presente. Exceto vender, posso fazer o que quiser com eles. — Ela deu de ombros.

José e eu continuamos parados. Ele com o livro ainda aberto nas mãos, eu em pé como uma estátua ao lado da cama.

— Bora, gente, se vocês não saírem agora não vão conseguir voar.

Voar. Ouvir aquela palavra fez meu estômago tremer. Céus! Será que assim, de repente, como se o pó de pirlimpimpim tivesse sido jogado sobre mim... meu sonho finalmente se realizaria?

— Poli, me desculpe, mas de onde você tirou isso? — a voz de José soprou todo o pó para longe. — Eu não posso sair assim, do nada, e ir para outra cidade andar de balão!

— Mas é o sonho da Rachel!

— Desculpe, Rachel. — José olhou para mim. — Só que eu sou o acompanhante da Poli hoje e não posso sair daqui sem mais nem menos.

— João Afonso vai chegar em dez minutos. Eu pedi que ele tirasse folga para ficar comigo.

— Ei, hoje é o meu dia!

— Você vem aqui todo dia, Gegê. — Poli girou os olhos. — Está precisando espairecer, não larga do meu pé.

Um som incrédulo escapou da garganta de José. Uma mistura de riso com pigarro. Eu coloquei uma mão na frente da boca para segurar uma risada.

— Nossa, obrigado. É muito bom saber que minha presença é assim tão desejada.

— Você sabe que te amo — ela fez uma voz melosa como se fosse uma avó falando com o netinho.

— A Maya vai comigo — interrompi. — Essa era minha ideia inicial mesmo. Nós duas pegamos um ônibus e...

— Rachel, você mal sai aqui do bairro sozinha. Como vai de ônibus para outra cidade?

— Puxa, você só me arrasa, hein, Poliana — suspirei. — Tá parecendo a minha mãe.

— Você vai fazer dezoito anos e não sabe andar de ônibus? — José ergueu uma sobrancelha.

— Ei, pare de me olhar com esse sorriso debochado — exigi e me virei para Poli. — Se você não se importar em dar um dos ingressos para a Maya, ela pode ir comigo.

— Não vai dar tempo de chegar lá de ônibus no horário marcado para o voo. Gegê precisa te levar de carro.

José passou as mãos pelo rosto.

— Não dá pra mudar o horário para, sei lá, amanhã? — sugeriu ele.

Poli meneou a cabeça.

— Havia quantidades específicas de ingressos para cada dia. Eu escolhi hoje — ela disse e olhou para o celular, que começou a vibrar em sua mão. — Vou atender a uma chamada de vídeo das minhas amigas. Vocês têm cinco minutos para se resolverem. — E então começou uma barulhada de vozes estridentes do outro lado da tela, e Poli passou a tagarelar como se não estivéssemos ali.

Percebi que não teria outro jeito. Limpei a garganta pensando na vergonha pela qual estava prestes a passar. *Você vai ter que engolir essa, Rachel. É o seu sonho.*

— Você conhece a Helô Magalhães, né? Dona de uma loja de roupas, estudou publicidade na federal...

— Claro. — José fez uma careta com a mudança repentina de assunto. — A Helô é amiga do meu irmão. Vivia lá em casa.

— Ela é minha tia.

— Uau, que mundo pequeno.

— Ela falou a mesma coisa. E sabe o que mais ela disse? Que você é um rapaz de caráter honrado e tal. — Inclinei-me na direção dele, falando baixinho. — Mas aquele dia eu fiquei na dúvida ao ver você entrando fugido no hospital. E, bem, depois eu te acobertei não contando para a Poli sobre isso. Mas já que você não quer ir ao festival, talvez eu devesse contar a ela. — Segurei as mãos dadas atrás de mim e olhei para cima. — Seria interessante vê-la puxar sua orelha.

— Você está me chantageando?

— Entenda como quiser.

Ele deu uma risada.

— Você é péssima nisso.

— Por quê?

— Você nunca contaria para a Poli sabendo que isso a deixaria preocupada.

Droga. Era verdade.

— Aliás, essa é uma coisa que eu preciso saber. Por que você entrou correndo naquele dia? Não quero sair por aí com um cara suspeito.

— Ei, quem está pedindo o favor aqui é você.

— Foram seus amigos daquela época, não foram? — baixei um pouco mais a voz. — Quando você era todo errado.

O rosto de José ficou vermelho, e me senti um pouco ridícula por falar sobre algo tão íntimo daquela forma.

— A Helô te contou tudo sobre mim, foi?

— Tudo que a Poli já não tinha contado.

José suspirou, rendido.

— Sim. Foram eles. Desde que descobriram que eu ia voltar da Inglaterra estão tentando contato, mas venho ignorando. Corri feito um idiota naquele dia quando vi o Gancho de moto. Pensei que ele estava atrás de mim, mas depois percebi que ninguém me seguiu. Foi bobeira minha.

— Estragou meu material à toa. — Fiz "tsc, tsc" balançando a cabeça e depois de meio minuto de silêncio levantei as mãos e as joguei de volta contra as laterais do meu corpo. — Por favor, José, me leva? Eu nunca mais vou ter uma chance como essa! Quanto você quer?

— Não sou uber.

Bufei.

— O que você quer, então? Podemos fazer um trato.

— Não gosto de tratos.

Suspirei fundo e dei as costas para ele. Era meu maior sonho, mas também não precisava de humilhação.

— Eu quero a sua pintura mais bonita.

Parei e virei de volta com os olhos estreitados pela dúvida. José cruzou os braços.

— Tem que ser inédita. E a melhor que você fez na sua vida até hoje.

— É difícil prometer uma coisa dessas.

— Então vai ser difícil te levar ao festival.

— Você falou que não gosta de tratos!

— Estou abrindo uma exceção pra você. É pegar ou largar.

Fiz um bico com os lábios. Arte era uma coisa tão subjetiva. E se eu não conseguisse fazer algo à altura do que ele queria?

Ah, que seja!

— Fechado — estendi a mão. José sorriu.

— Dê o seu melhor. Vou dá-lo a uma pessoa especial.

7

— Por favor, tia! Quando uma oportunidade dessas vai surgir de novo? Um passeio de balão custa setecentos reais! — Estava numa ligação com tia Helô havia alguns bons minutos tentando convencê-la a me deixar ir.

— Não sei, Rachel. Eu conheço o José e confio nele, mas sua mãe...

— Convence ela, por favor? Tia, estou fazendo dezoito anos e meu maior sonho caiu de paraquedas no meu colo!

Ouvi o ruído pesado de sua respiração.

— Tá bom. Deixa sua mãe comigo e vai aproveitar seu dia.

Eu nem podia acreditar! A operação *Starting Rachel's Life* estava mais viva do que nunca!

Quando voltei ao quarto da Poli, meu estômago dava uma cambalhota atrás da outra. Ela era só sorrisos. Nos abraçamos enquanto José passava algumas informações dos horários de Poliana para o irmão mais velho que acabara de chegar.

Ao cruzarmos a porta, antes que eu saísse por completo, ouvi Poli me chamar.

— Rachel. — Olhei para trás. — Feliz aniversário.

Os olhos dela brilharam. Aquele tinha sido seu presente. E eu não poderia estar mais grata.

Chamei Maya para ir conosco, mas de última hora ela teve que cuidar do irmão mais novo. Isso significava que eu estava sentada ao lado do José no banco do carona havia quinze minutos em um silêncio bastante desconfortável.

Baixei o vidro para sentir a brisa daquela tarde ensolarada e amena. Um frio percorreu minha barriga — mais uma vez — ao pensar que estava tão perto. E, então, como em outras vezes desde que entrei naquele carro, uma lanterninha incômoda surgiu em minha cabeça. Eu não tinha falado com minha mãe. Mas tia Helô disse que estava tudo certo.

Será mesmo?

Puxei o botão para fechar a janela com um pouco mais de força que devia e passei as mãos pelo cabelo solto para alinhá-lo novamente, quando um estouro fez o carro diminuir o ritmo.

— Isso é sério? — José estalou a língua e parou o carro no acostamento. Diante da minha cara confusa, ele soltou o ar pelo nariz. — O pneu furou.

Meu Deus, será que isso é um aviso de que devemos voltar pra casa? Alguns minutos depois, lá estava eu colocando o triângulo de sinalização alguns metros atrás do carro e ajudando José a pegar as ferramentas, enquanto ele suava como se estivesse em uma maratona para retirar o pneu furado. *Eu deveria ligar para minha mãe? E se ela mandar eu voltar?*

— Pensando em alguma coisa desagradável?

Virei o pescoço de imediato para José, questionando-o pelo olhar.

— A sua cara. — Ele tirou uma mão da chave de roda e a movimentou na frente do próprio rosto. Já havia um bom tempo ele se esforçava para tirar aquele último parafuso e finalmente soltar a roda dianteira.

— Tudo começou a dar errado. Deve ser culpa minha.

— Por que diz isso? — As mãos dele já estavam vermelhas tentando girar a chave.

— Todo mundo conhece aquela garota que os pais não deixam fazer nada. Passar a tarde com os amigos no clube? Não. Ir sozinha de ônibus para o shopping? Não. Ir ao show do artista preferido? Não. E quando a garota finalmente consegue sair... coisas assim acontecem.

— Seus pais são do tipo superprotetores?

— Minha mãe. Tenho que lidar até hoje com os resquícios de ter sido acometida por um câncer aos treze anos de idade. Exames anuais de rotina e uma mãe preocupadíssima com a minha saúde.

— E o que a fez mudar de ideia agora? — ele perguntou e eu dei um pigarro.

— Estou sob a responsabilidade da tia Helô esses dias e ela me deixou vir. Disse que conversaria com minha mãe. — Um sentimento azedo espremeu minha barriga. *Eu deveria ter falado com ela também.*

Ele continuava fazendo esforço sem conseguir mover um milímetro da chave. Pedi para tentar.

— Claro que não, se eu não estou conseguindo...

— Por favor.

José soltou um suspiro e abriu espaço para mim. Subi em cima da chave e comecei a forçá-la com os pés. Ele sorriu com a ideia e parou o sorriso no meio quando eu dei uma desequilibrada. Num reflexo, ele me segurou pelo braço. Sua mão era quente e macia. Foquei os olhos nos meus tênis para evitar olhar para ele.

Vou dá-lo a uma pessoa especial. O que José tinha dito mais cedo no hospital me veio à mente. Puxei o braço com jeitinho e segurei firme na alça do teto do carro, dando um impulso mais forte e, finalmente, consegui girar a chave.

— Por isso que dois é melhor do que um — ele abriu as palmas e eu encostei minhas mãos ali, dando um toque. José correu para substituir o pneu e, por um instante, senti tudo girar. Me encostei devagar no carro e abri bem os olhos. De repente me sentia cansada. *Acho que me esforcei demais no pneu.*

Comi uma barrinha de cereal e me recompus, sem deixar que José percebesse. Não demorou muito e estávamos na estrada outra vez.

— Será que vai dar tempo? — Olhei para o relógio no painel do carro. Eram duas da tarde.

— Se eu correr como no dia em que nos conhecemos...

— Não, é melhor não. Vai acabar batendo em alguém. — Agitei as mãos em negativa e ele riu.

— Não pode acontecer mais nada no caminho. Assim chegaremos lá em quarenta minutos. — Ele apertou uns botões do som do carro e Brandon Lake começou a tocar. Nós dois nos focamos na longa estrada cinza que se estendia à frente.

— Por que aqueles caras estão tentando contato com você? — cortei o silêncio.

José me olhou de relance.

— Antes de ir para Manchester eu vivia em festas e rachas de moto com eles. A gente se tratava como irmão e tal. Toda aquela coisa incrível de amigos inseparáveis. — Estalou a língua. — Um dia bati feio numa moto em um racha e, como era menor de idade, não tinha um centavo. Contar para os meus pais seria morte na certa, então um dos caras pagou o conserto pra mim. Ele disse que eu não precisava pagar de volta, mas que ficaria devendo uma pra ele. Uma dívida de dinheiro em troca de uma dívida de palavra.

Engoli em seco.

— Meus pais me mandaram para a Inglaterra um mês depois disso, numa última medida desesperada, um grito de socorro. Eles já não sabiam o que fazer comigo. Lá, Jesus tirou meus fardos antes mesmo que eu entendesse o que estava acontecendo. Meu tio me discipulou e me ajudou a dar os primeiros passos na fé.

Uau.

— Só que agora você voltou... e o seu amigo-que-nunca-foi-de-fato-amigo quer que você pague a dívida.

— Pois é. Ele quer que eu participe de uma competição de racha que vai acontecer no próximo mês. Vai ser uma final valendo muito dinheiro. E a verdade é que eu era bom fazendo aquela idiotice. Eles acham que, agora que estou de volta, eu tenho que honrar nossa amizade e competir de novo. — José inflou o peito e soltou o ar frustrado em seguida.

— Por que você não pede a Deus para livrar você dessa dívida com esses caras? Sei lá, apagar da memória deles, não sei. Deus é um Deus de milagres, não é?

— E eu sou um pecador salvo que está colhendo as consequências do que plantou. O maior milagre Deus já fez, que foi me salvar.

— Mas você pode clamar a ele por ajuda.

— É o que eu tenho feito.

8

As nuvens começaram a encobrir o céu antes que chegássemos a Torres. E eu entendia o suficiente sobre balonismo para saber o que aquilo significava. *Calma, Rachel, não pira.*

O horário marcado no voucher era três da tarde. No momento em que cruzamos os portões do parque onde acontecia o festival, o relógio apontava duas e cinquenta. Apertamos o passo, procurando o lugar de decolagem.

Meu coração retumbava no peito, evitando olhar para cima. Não queria confirmar que o céu, junto com minhas expectativas, ficava cada vez mais cinza.

Quando terminamos de driblar aquele mundo de gente e alcançamos o local descrito no voucher — um portão que dava acesso à área onde os balões decolavam —, um homem com o rosto penalizado dava a notícia: *Os voos de balão foram suspensos hoje.* O tempo fechou e começou a ventar forte. Condições climáticas desfavoráveis.

Prazer, meu nome é Rachel e meu sobrenome é azar.

José se manteve em silêncio enquanto andávamos meio sem rumo pelo parque lotado. Além dos balões, o lugar abrigava uma praça de alimentação imensa, um parque de diversões, uma exposição de artesãos locais e um palco para shows. Todos apinhados de gente. Ninguém parecendo tão decepcionado como eu.

Então aquela era a sensação? De chegar tão perto e ser arrastada para longe sem dó nem piedade?

— O homem disse que podemos voltar amanhã. — José me olhou por um momento.

Fiquei calada. Se dissesse alguma coisa era capaz de abrir o berreiro ali mesmo. Não só os passeios haviam sido cancelados, mas os voos de competição também. Não conseguiria ver nenhum mísero balão no céu naquele dia.

Continuamos andando sem propósito, e eu comecei a me sentir constrangida. Será que devia chamá-lo para ir embora? Mas tínhamos acabado de chegar. Em dado momento, José pediu licença e se afastou para atender uma ligação. Parei perto de uma barraquinha de artesanato e o observei de longe. Ele parecia concentrado. Talvez fosse a tal pessoa especial.

Quiquei os ombros e dei uma boa olhada em volta. Foi nesse momento que vi, ao longe, algumas pontas infladas e coloridas no alto. Meu coração disparou. Então os balões iam voar?

Segui o fluxo de pessoas que iam naquela direção e logo tive um vislumbre dos gigantescos balões, todos juntos no chão, inflando ao mesmo tempo. Uma barra de contenção separava o público do local onde eles ficavam e meu coração apertou com a constatação óbvia: eu nunca conseguiria ver de perto. Havia muita gente ali.

Entretanto, a esperança é a última que morre, como dizia o ditado. Então, me embrenhei entre a multidão e, passa aqui, escorrega ali, cheguei a um cantinho que apesar de longe ainda era melhor do que antes. Preparei a câmera do celular, apontei para cima e senti uma mão segurar meu antebraço. Olhei para trás.

— Como você some assim, garota? — Os olhos de José estavam a ponto de saltar para fora. — Aqui está horrível. Vamos. — Ele tentou me puxar, mas permaneci onde estava.

— Você tem ideia de como foi difícil chegar até aqui?

— Me segue.

— Não vou a lugar algum.

— Por favor. — A voz doce e a maneira como as sobrancelhas dele se uniram nos cantos talvez tenham servido para me convencer. Desta vez, me deixei ser levada por ele. José cortava a multidão com destreza, como um soldado com uma missão muito importante a cumprir. Demos uma volta e, por fim, paramos no mesmo lugar onde entraríamos para fazer o passeio de balão.

Ficava longe das arquibancadas, que era o local onde havia a maior concentração de pessoas. José me conduziu até um pedaço livre da cerca de contenção e apoiamos nossos braços ali.

— Pensei que não fosse ter voo. — Meus olhos mal piscavam, vendo aquele campo gramado onde as caminhonetes despejavam a estrutura dos balões e os pilotos, com suas equipes, faziam a mágica acontecer para que ficassem inflados e imponentes.

— Encontrei o homem que informou sobre os voos cancelados quando estava procurando você. Ele disse que vão fazer um voo cativo agora, porque aqui embaixo não está ventando tanto como lá em cima. Não entendi bem o que significa, mas ele disse que daqui seria bom para ver.

— Ah, voo cativo é quando o balão sobe até certa altura e fica preso por cordas no chão. Vai ser tipo um prêmio de consolação para quem veio aqui ver os voos e não conseguiu.

À medida que outros balões iam sendo enchidos e coloriam aquele fim de tarde na arena, eu fazia questão de registrar cada momentinho. Eles não estavam lá, soltos e lindos como pássaros no céu, mas era melhor do que nada.

A certa altura, minhas pernas começaram a doer. E todo o meu corpo parecia meio mole, cansado. As emoções do dia cobrando seu preço. José girou sua mochila para a frente, tirou uma jaqueta jeans e a esticou na grama atrás de nós sem cerimônia. Em seguida, estendeu a mão, indicando que eu me sentasse ali.

— José, vai sujar seu casaco. Daqui a pouco começa a esfriar.
— Eu suporto frio de zero grau. Vinte não fazem nem cócegas.
— Desculpe aí, Sr. Britânico.
Desabei, então, sobre o casaco dele.
— Por que você não me esperou? — José sentou sobre a grama ao meu lado. — Fui atender minha mãe e quando olhei para o lado você tinha sumido — ele disse olhando para a frente. Tive vontade de ser uma avestruz naquele momento.
— Eu não sabia se você ficaria comigo, de qualquer forma.
— Ué, por acaso largaria você sozinha aqui? — Ele virou-se para mim.
— Nosso combinado foi você me trazer e andar de balão comigo, não me fazer companhia o tempo todo.
— Ah, sim. Era só para ser o chofer da passageira. Quer que eu te espere no carro, *mademoiselle*?

Dei risada e me ocupei bebendo uma garrafinha d'água. Os balões seguiam presos no chão por cordas, balançando levemente no ar.

— Meu pai amava tanto fazer isso — falei. — Se ele ainda estivesse vivo, com certeza estaria neste festival. O sonho dele era voar pelo céu do Brasil inteiro.
— Ele se foi há muito tempo?
— Eu tinha doze anos na época.
— Poli disse que é seu sonho voar de balão. — José hesitou por um momento. — Não conseguiu voar com seu pai?

— Não deu tempo. — Baixei os olhos. — Nós morávamos numa cidade no interior de São Paulo, e lá o balonismo também é bem forte. Meu pai se esforçou tanto, juntou dinheiro por um tempão para fazer o curso e se tornar piloto. Pouco depois de conseguir a licença, estava indo fazer um voo quando capotou com o carro.

José arrancou um pedaço de grama e começou a picotá-lo devagar.

— Como foi para você perder de forma tão abrupta alguém que amava?

— Devastador. Não tem outra palavra. Acho que foi por isso que minha mãe decidiu se mudar para Porto Alegre. Era pesado demais continuar lá.

— Por que Porto Alegre? Helô?

Assenti.

— Não temos uma família grande. A única irmã da minha mãe é a tia Helô, e ela foi morar em POA por causa da faculdade. Minha mãe decidiu fazer uma prova de concurso e, então, um ano depois da morte do meu pai nos mudamos pra lá. As coisas pareciam estar se encaminhando bem até que descobri o linfoma.

— Deve ter sido uma barra.

— Sabe quando você está se afogando, consegue colocar o nariz para fora e respirar, mas depois vem outra onda e te leva para o fundo de novo? Foi tipo isso.

— Esses são aqueles momentos que podemos chamar de alteradores de rota. Depois deles, nada volta a ser como antes.

— Qual foi seu momento alterador de rota, José?

— Tive alguns. O mais emblemático foi quando Jesus me salvou de mim mesmo, três anos atrás. — O brilho nos olhos deu lugar a um sorriso triste. — Depois vem a noite em que recebi a ligação da minha mãe dizendo que a Poli estava com leucemia.

Suspirei.

— Sei bem como é.

Ele esticou o canto da boca com um sorriso singelo.

— Obrigado pelo tempo que você passa com as crianças no hospital. Eu vejo como faz diferença na vida da Poli.

Senti minhas bochechas corarem.

— De trabalho voluntário você entende. Me conta mais sobre o que você faz na Inglaterra.

— Atendemos muitas crianças que vieram de uma realidade difícil. Refugiadas, a maioria só falava em seu idioma original. Então as ensinamos a falar inglês e tocar violão. Ver os sorrisos felizes no final é como receber um abraço do céu.

Ficamos ali, trocando assuntos sobre nossos voluntariados por um bom tempo até irmos bater perna pelo festival para esperar a hora do *night glow*. As luzes começavam a acender conforme o crepúsculo arroxeado tomava aquele frio final de tarde.

Andamos por todo o lugar, comemos lanches de qualidade duvidosa e José me propôs uma disputa no carrinho bate-bate do parque. Eu, é claro, perdi. Em dado momento, conseguimos uma mesa vazia na praça de alimentação — milagre — e após dizer que ia ao banheiro, José voltou com um bolinho que era pouco maior que a palma da sua mão. Havia uma vela em cima.

— Feliz dezoito! — Ele esticou os lábios em um sorriso. Pisquei, olhando para ele como uma estátua. — Você acha mesmo que a Poli não me contaria que hoje é o dia do seu aniversário?

— Foi por isso que você topou vir? Pena?

— Então você faz o tipo dramática-azeda. — Ele curvou a boca para baixo. — Mas não colou. Você ainda vai ter que me dar o meu quadro.

— Promessa é dívida.

— Eu é que sei. — Ele ergueu as sobrancelhas e vi o pesar perpassar seus olhos. — Enfim, obrigado pela honra de passar um pouco deste dia tão especial com você.

— Honra? — Meu rosto estava pegando fogo. — A Poli e eu praticamente te obrigamos a vir.

— Puxa, não dá para só dizer "obrigada"? — Ele abriu as mãos e eu ri, soprando a pequena vela.

— Você deve achar deprimente que eu não tenha amigos para comemorar meu aniversário aqui, né?

— Acho que depois de hoje eu já posso ser considerado seu amigo, não?

Sorri.

— É. Acho que sim.

9

Antes que o *night glow* começasse, José e eu subimos as arquibancadas e sentamos na última fileira. Dali podíamos ter uma visão ampla de todos os balões iluminados pelas chamas dos maçaricos, brilhando sob o céu negro e nublado de Torres.

Os balões estavam em voo cativo, lado a lado no campo aberto, e às vezes piscavam como se fossem um gigantesco fio de luz natalina. Era tão lindo. Muito melhor do que eu havia sonhado durante todos aqueles anos.

— Sabe aquele gosto doce de sonho realizado? É o que estou sentindo agora.

— Uma pena que não tenha conseguido andar em um deles.

— Eu queria, mais que tudo, que no meu aniversário de dezoito eu pudesse voar em um para simbolizar um marco, sabe? Um marco de liberdade, da minha vida começando de verdade...

— Poli falou sobre seu caderninho dos sonhos. Você o criou por causa de todas as restrições que tem em casa? Tipo um escape, sei lá?

— É, acho que é isso. Minha mãe acredita que, por causa da doença que tive, eu sou frágil como um papel. A maioria das coisas que eu gostaria de fazer, ela nunca permitiu. Então criei o caderninho e fui, ao longo dos anos, alimentando a esperança de que, quando fizesse dezoito anos, conseguiria realizar todos aqueles sonhos. Ela ainda continua bem protetora, mas tenho fé de que minha vida vai começar a partir de agora. Finalmente. Já sou maior de idade, né? — Dei uma risada e José ficou em silêncio por um tempo, os ruídos das pessoas ao redor e das músicas ocupando o espaço entre nós.

— Ao contrário de você, muita gente vive intensamente tudo que quer. E eu sei bem qual é o resultado de buscar nossas próprias vontades a todo custo.

— Você está falando sobre aquela época? Dos rachas e tal?

Ele assentiu.

— Eu fazia tantas coisas das quais não me orgulho... Era doido para completar dezoito e poder ser totalmente livre, sem ninguém tentando impor limites. Muitos adolescentes pensam assim. Não veem a hora de ficar maiores de idade para fazer o que bem entenderem.

— Eu nunca quis viver uma vida doida no mundo — sibilei. — Só quero viver. Fazer as coisas legais que sempre sonhei.

— Rachel — José se virou para mim no banco. — Sua vida não vai começar quando você puder fazer todas essas coisas. Você não está em modo de espera. Sua vida está acontecendo agora. O fôlego que Deus te deu está aí, vivo dentro de você. Em cada estação da vida, ele nos plantou ali para frutificar.

— Às vezes é difícil pensar assim quando tudo que você tem são "nãos".

Alguém pegou o microfone e começou a narrar o evento. Nos encolhemos no banco quando uma microfonia varreu o parque.

— A vida sem Jesus é uma eterna microfonia dentro do ouvido. — José esfregou as orelhas. — Mesmo quando eu corria desesperado atrás das coisas que eu achava que podiam me preencher, nenhuma delas foi capaz de fazer isso. Porque as coisas deste mundo só prometem, mas nunca podem cumprir aquilo pelo qual toda alma anseia: viver para o Deus que a criou. Só em Jesus encontramos verdadeira satisfação. E ele está conosco sempre. Eu entendi que viver meu propósito, independentemente do lugar ou da situação, é o que me faz feliz de verdade.

— E qual é o seu propósito?

— Primeira Coríntios, dez, trinta e um.

Continuei pensando em tudo que José tinha dito até depois de decidirmos que já era hora de ir embora. Antes que alcançássemos os últimos degraus da arquibancada, ele parou. Quase bati em suas costas.

— Vamos por aqui. — Ele agarrou minha mão e cortamos uma fileira de pessoas que ainda assistiam ao espetáculo de luzes. Olhando para trás de vez em quando, ele me levou para o lado oposto, o suor brotando na testa à medida que apertava o passo.

— O que está acontecendo? — Eu tentava ver algo suspeito atrás de nós, mas tudo parecia normal, dentro do que se poderia esperar de normalidade em um evento lotado como aquele. Quase não conseguia acompanhá-lo. Meus pés bateram um no outro e puxei minha mão com força. — José, para! Só saio daqui quando você me explicar o que está acontecendo.

— Precisamos chegar no estacionamento. Está na hora de ir embora, ainda temos duas horas de estrada pela frente...

— E precisamos ir desse jeito, como se o estacionamento fosse fechar daqui a cinco minutos?

Ele coçou o protótipo de barba.

— Você viu os caras daquela época, não viu? — questionei.

José respirou fundo e passou as mãos pelo cabelo.

— Não quero ter que topar com eles aqui e agora. Ainda mais com você do lado.

— Por quê? Eles são um pouco assustadores?

— Sei lá, não sei se esse termo...

— São tatuados e com cara de poucos amigos?

— Acho que isso é meio caricato demais...

— O que pagou o conserto da sua moto tem uma tatuagem de dragão no pescoço? Ele tem cara de quem cobraria uma dívida de palavra, sem dúvidas.

O terror tomou conta do rosto de José. A certa distância, atrás dele, eu via se aproximar o grupo que ele já tinha chamado de amigos um dia. E, desta vez, quem o puxou pela mão fui eu. Saímos disparados cortando caminho entre as pessoas até pararmos com as mãos nos joelhos atrás dos brinquedos do parque de diversão, engolindo o fôlego que nos faltava.

— Daqui a pouco os guardas vêm atrás de nós. Você é doida. — Ele riu e soltou um "ai" quando tocou debaixo da costela direita. — Senti uma pontada.

Encostei numa estrutura de metal do parque e ri também.

— Não lembro a última vez que corri assim. — Sorvi mais um pouco de ar e apontei para um banheiro químico ali perto. — Me espera aqui.

Entrei no cubículo fedido e quase desmaiei com o odor insuportável. Quando terminei, minha cabeça rodou um pouco e tive que me apoiar naquelas paredes nojentas. Saí do banheiro soltando todo o ar que tinha segurado e procurei por José. Ele não estava por perto. Andei mais um pouco, quase sendo puxada para baixo por meu próprio corpo, quando finalmente o vi.

Entrei em estado de alerta e me aprumei na mesma hora. José estava entre duas barracas um pouco mais à frente, rodeado por cinco rapazes. Eram os mesmos de quem havíamos corrido pouco antes. Fui até lá.

O rosto de José brilhava de suor, mesmo fazendo vinte graus. Os caras falavam de um jeito intimidador e cuspiam as promessas ao grupo que José não tinha cumprido. Um deles começou a chegar mais perto. Corri e cutuquei suas costas.

— Ei! Deixem ele em paz!

Todos olharam para mim. E eles não tinham exatamente a cara mais feliz do mundo.

— Eu não sei quem são vocês, mas eu preciso dele. — Apontei para José, cujos olhos estavam do tamanho da lua que brilhava sob as nuvens lá no céu. — Para me levar de volta pra casa, porque se eu não sair agora daqui minha tia vai cortar meu pescoço fora. — E minha mãe ia ajudar no serviço.

— Quem é você? — o rapaz careca com uma tatuagem no pescoço perguntou.

— Deve ser a namoradinha dele — outro soltou. Todos largaram José e se voltaram para minha direção. Senti as pernas tremerem.

— Não sou a namoradinha dele. — Cruzei os braços e estufei o peito.

— Não cheguem perto dela! — José abriu espaço entre dois deles.

— E ainda diz que não é a namoradinha? — Outro de cabelo comprido falou comigo apontando para José.

Ok. Eles eram meio assustadores e eu estava começando a ficar com medo. Mas o desespero precisava me fazer tomar alguma atitude.

— Olha só. — Ergui o dedo em riste. — Estou no final do dia em que quase realizei o maior sonho da minha vida, que é andar de balão. Por mais que eu não tenha conseguido, assisti ao *night glow* e vi os balões imensos de perto. Foi emocionante e marcou a minha vida! Mas agora vocês estão prestes a estragar tudo isso se continuarem tentando chatear o José, já que foi ele quem me trouxe aqui!

O cabeludo deu risada.

— Então ele é o Papai Noel, realizando sonhos de menininhas?

— É! Tipo isso! — Bufei. — Tenham compaixão! Vocês nunca tiveram um sonho na vida?

O careca com a tatuagem de dragão no pescoço se aproximou. José chegou para a frente e segurou o ombro dele.

— Seu sonho é andar de balão? — ele desdenhou.

— Você acha que é uma coisa besta? Sonho é igual nariz: cada um tem o seu! Aposto que aí dentro você tem um sonho que nunca teve coragem de contar pra ninguém.

Ele gargalhou e eu senti um frio na espinha. Que som maquiavélico.

— Eu quero ser rico. Milionário.

— Isso é muito genérico. Você sonha sim com alguma coisa que tenha mais a ver com seu coração.

— Que coração? — Os outros deram risada.

José aproveitou para segurar meu pulso. Eles se aproximaram mais, fechando um círculo. Agora era minha testa que suava. Eu estava ficando tonta de novo. *Pre-ci-sa-va* deitar.

— E aí, não vai ser homem o suficiente para dizer? — desafiei, me concentrando o máximo que podia.

José apertou um pouco meu pulso e balançou a cabeça em negativa ao olhar para mim. O careca ficou a um passo de nós.

— Eu já tive um sonho. — Ele limpou a garganta. — Era ser cantor de sertanejo universitário.

Os outros ficaram mudos. Eu pisquei. E então todos eles caíram na risada.

— Ei! Até parece que ninguém aqui já quis ser alguma coisa além dessa porcaria que vocês são. — Uma veia saltou sob a tatuagem esquisita do pescoço dele. Os outros pararam de rir na hora.

— Podem ir dizendo que sonho vocês guardam no coração e nunca contaram pra ninguém. Não vou falar sozinho. Comecem aí. — Ele ordenou. — Andem logo!

O restante do grupo protestou um pouco, mas foram dizendo: ter uma família, ser chef de cozinha, passar na faculdade, conhecer a Cordilheira dos Andes.

Eu já começava a me sentir zonza quando me esforcei a dizer:

— Viram, até os valentões têm sonhos bonitos guardados lá dentro. Por que vocês não correm atrás deles?

Eles abaixaram a cabeça em um silêncio constrangido.

— Você não disse qual é o seu sonho. — Um deles cutucou a costela de José com o cotovelo. Ele abria a boca para falar quando não consegui mais segurar o peso das minhas pernas.

— Rachel! — José me segurou.

— Acho que meu sonho neste momento é deitar numa cama...

Senti aquela mão quente e macia na minha testa.

— Você está ardendo em febre!

Tudo ficou turvo, como uma massa de tempo informe, enquanto sentia José correr pelo parque com meu corpo nos braços.

10

— Eu não acredito que você teve coragem de fazer isso!

Ouvi os sussurros raivosos da minha mãe e abri os olhos.

— Coragem de deixar a minha sobrinha viver? — Tia Helô cruzou os braços. Lágrimas escorriam por seu rosto vermelho. — Tive sim! Se fosse eu, já teria te desobedecido há muito tempo! Ela está fazendo dezoito anos!

— Eu sei bem disso! — minha mãe rosnou. — Você foi uma adolescente terrível, nada a ver com a minha Rachel.

— Se você tivesse me contado tudo antes, eu não teria permitido que ela fosse.

— Por favor, parem de brigar — falei quase num sussurro. As duas levaram um susto e se viraram para mim. Estava deitada numa maca confortável em um quarto cujo estilo eu conhecia bem. Pela altura das folhas da cerejeira na janela, devia estar no mesmo andar que a Poliana.

— Como você está? — Minha mãe passou as mãos pelo meu rosto, cabelo e braços, como que para se certificar de que estava tudo bem. — Peguei o primeiro voo de volta pra cá quando Helô me ligou.

Meu peito apertou.

— Oh, mãe, isso deve ter custado uma nota.

— Nada que doze vezes no cartão não resolvam.

— E o processo? Nós vencemos?

Ela assentiu, e eu nem consegui comemorar. Outra coisa me pressionava por dentro.

— Perdão por ter te preocupado, mãe. E-eu sabia que devia ter falado com você. Isso pesou meu coração o tempo inteiro. — Olhei para minhas mãos. — Queria tanto viver aquilo que acabei ignorando minha consciência e a voz do Espírito Santo.

— Você tem noção de como eu fiquei até chegar aqui? — Os olhos dela ficaram rasos d'água. — Quando a Helô me avisou sobre sua ida ao festival, você estava entrando em um hospital em Torres!

A noite passada tinha sido um borrão doloroso e confuso. Despertei do quase-desmaio no pronto-socorro próximo ao festival, mas por algum motivo que não entendi, uma ambulância havia me trazido para o hospital em Porto Alegre.

— Por que estou aqui? Não era para eu ter sido levada para um hospital normal? Aqui é o de câncer.

Toda a cor foi drenada do rosto da minha mãe. Ela se sentou na beirada da cama, os olhos ficando sombrios de repente.

— Eu ia te contar quando chegasse de São Paulo. — Ela apertou minha mão. — Recebi os resultados dos seus exames um pouco antes de viajar na quarta. — A boca dela tinha pequenos espasmos, como se segurasse o choro a todo custo. — O linfoma voltou, filha. Vamos enfrentar o câncer mais uma vez.

Então era isso. O jeito esquisito dela antes de viajar, o clima estranho no ar indicando que havia alguma coisa errada. Era minha mãe segurando aquela notícia, sozinha. Olhei para o nada, tentando processar tudo aquilo. Tia Helô chegou devagar e sentou do outro lado da cama, uma e outra lágrima escorrendo pelo rosto inchado.

— Liguei para o dr. Júlio e tínhamos decidido te contar quando eu voltasse de viagem e também depois do seu aniversário — mamãe continuou. — Sua consulta estava marcada para segunda, mas já que acabamos por aqui antes disso, o dr. Júlio vai adiantar os novos exames hoje. Ele disse que o linfoma está bem no início, mas o que aconteceu ontem foi um sinal de alerta.

Assenti, devagar. A cabeça vazia. Nenhum pensamento entrava. Nenhum saía.

— Antes de receber a ligação sobre o julgamento eu estava planejando te levar ao festival de surpresa. — Minha mãe afagou meu braço. — Por mais que para mim fosse difícil. Tudo aquilo ainda me lembra muito o seu pai.

— P-por que você nunca me disse? — soprei, devagar.

— Não sei, filha. Às vezes é difícil para uma mãe parecer frágil na frente dos filhos. E, de alguma forma, eu entendo o jeito como você agiu. Sei que você acha que eu não te deixo viver.

Engoli em seco.

— Eu também te entendo. Mas não quero realizar meus sonhos à custa da desobediência. Fiquei doente logo depois de perdermos o papai. Eu sei que você me achava fraca demais para sair por aí fazendo qualquer coisa que pudesse minimamente colocar minha vida em risco. E, no final, você tinha razão. Olha onde eu estou outra vez. — Dei um riso meio anestesiado.

— Fraca, Rachel? Você é a garota mais forte que conheço. Passou por tanta coisa, e sempre com um sorriso no rosto. Às vezes nós, pais e mães, achamos que podemos ter o controle de tudo, que se nos esforçarmos o bastante nossos filhos continuarão bem e felizes ao nosso lado. Porque no final é isso. Tudo que fazemos é para ver nossas crianças bem... — Ela passou a mão no meu rosto.

— Eu sei, mãe.

— Mas a Helô também me disse umas coisas que me fizeram perceber que eu aperto demais a rédea. — Minha mãe soltou um suspiro. — Você plantou confiança ao longo da sua adolescência inteira. Me desculpe se fui dura demais. Acho que acabei colocando meus próprios medos sobre você. Mas agora você é uma jovem de dezoito anos que nunca me deu motivos de preocupação. Prometo que vou te dar mais liberdade. Com responsabilidade, é claro.

Dei uma risada baixa e hesitei por um instante.

— Como vai ser agora, mãe?

— Não sei, filha. Mas uma coisa eu sei: os planos de Deus são bons. Os olhos dele não se afastaram de nós.

Senti uma lágrima quente escorrer pelo canto do meu olho e minha mãe me envolveu com os braços. Tia Helô se juntou a nós e nos aninhamos uma à outra. Da última vez tinha sido assim: nós três juntas em todo o tempo. E agora não seria diferente. Agradeci baixinho a Deus por tê-las como esse refúgio, meu lugar seguro.

Algum tempo depois, minha mãe foi comprar um café e a tia Helô se aconchegou na cama ao meu lado. Ela quis saber como tinha sido no festival, antes de tudo acontecer. Enquanto contava, meus olhos sempre acabavam se voltando para a porta.

— O José não vai vir agora — tia Helô disse.

— Quem falou que eu estou esperando o José?

Ela deu um risinho.

— Ele voltou em Torres para buscar o carro da sua mãe agora há pouco.

— Da minha mãe?

— Eu não tenho carro. Precisei pegar um quando ele me ligou contando o que tinha acontecido.

— Você foi até Torres com o Maximus? Tem certeza da sua salvação mesmo, hein.

— Eu fiquei cega! Estava tão preocupada com você. Eliana tinha acabado de me contar sobre a recidiva do câncer.

— Por isso vim pra cá numa ambulância, né? Ninguém me falou nada.

— Você estava delirando de febre, Rachel. A gente não queria que você ficasse sabendo assim, de qualquer jeito. Graças a Deus os exames indicaram uma infecção baixa, que já está sendo tratada. — Ela olhou para os frascos pendurados numa haste ligados ao meu braço.

Suspirei. Um paciente oncológico tem suas defesas muito fragilizadas. Uma infecção é coisa séria demais.

— Falei para José que não precisava ir buscar o carro agora — tia Helô prosseguiu. — Ele deve estar morto de cansaço, já que passou a madrugada aqui no hospital.

— Ele passou a madrugada aqui?

— Sim. Eu vim na ambulância com você e ele seguiu com o carro dele. Veio direto pra cá. Estava morrendo de preocupação com você. — Ela sorriu e eu mordi o lábio. Se meu sorriso se abrisse demais, tia Helô me zoaria até o outro dia.

— Podemos entrar?

Ouvi a voz alegre de Poliana após três batidinhas na porta. Ela entrou com mais duas meninas que frequentavam a aula de pintura, munidas com pente e flores nas mãos.

— Que bom ver vocês! — Fui amassada em um abraço coletivo quentinho. — O que é isso que vocês trouxeram?

— Pensamos em te dar um presente. Fique parada. — Ela e as meninas se amontoaram atrás de mim na maca e, com mãos cuidadosas e um pouco frágeis, senti meu cabelo sendo entretecido com leveza e carinho. Enquanto trabalhavam, Poliana fez todas as perguntas que pôde sobre meu estado de saúde.

— Viu, Poli? Quando minha vida de aventureira começou, já vai precisar parar.

— Gegê estava se sentindo todo culpado. — Poli se aproximou do meu ouvido e continuou, baixinho: — E então, ele fez o pedido de namoro ontem?

— Ah, Poliana! Faça-me o favor.

— Tá bom, não está mais aqui quem falou! — Ela voltou a mexer em meu cabelo, e pouco tempo depois minha mãe e tia Helô me ajudaram a caminhar até o banheiro, já que ainda me sentia fraca. Parei em frente ao espelho e as crianças ergueram outro por trás, de modo que eu conseguisse enxergar toda a obra de arte que elas tinham feito.

Porque, verdade seja dita, era uma baita obra de arte. Meu cabelo todo trançado até a cintura, com flores coloridas presas ao longo dele.

— São todas dos canteiros do hospital — Poli informou. — As que conseguimos salvar antes que o outono leve tudo embora.

Tive vontade de rodar, mas eu certamente me estabacaria no chão, então me limitei a abraçá-las com força, deixando um beijo na cabecinha lisa de cada uma, sabendo que em breve a minha ficaria igual. Quando ergui os olhos marejados, vi José assistindo à cena parado na porta. Meu estômago gelou. Os flashes da noite passada, sua agilidade ao me levar para o pronto-socorro, a explicação ao médico sobre o que havia acontecido. Ele segurou minha mão em todo momento. Não saiu de perto de mim até a tia Helô chegar.

Agora, vendo-o ali, tive que me segurar para não correr até ele e abraçá-lo.

No final, acabei abraçando José mesmo. As meninas deixaram o quarto — não sem antes Poliana erguer e abaixar repetidamente as sobrancelhas ao olhar para nós — e minha mãe, embora relutante, também saiu com a tia Helô.

Ele tinha cheiro de pinha silvestre misturado com sabonete da Natura e amaciante Omo. Uma combinação que deu muito certo. Quando me afastei, me dei conta de que nunca havíamos nos abraçado antes, além de quando ele me pegou no colo. Fiquei um pouco sem graça. Eu não era exatamente a pessoa mais leve do mundo. José sentou na poltrona ao lado da cama e o atualizei sobre minha condição.

— O Gancho não para de me mandar mensagem — disse ele.

— Quem é Gancho?

— O careca de ontem. Não percebeu que o dragão segurava um gancho na tatuagem no pescoço dele?

Eu ri.

— Alguns detalhes passaram mesmo despercebidos. Só queria tirar você dali bem e deitar no carro. Mal estava conseguindo ficar de pé.

— Você disfarçou muito bem. — José abaixou a cabeça e lembrei do que Poli dissera.

— Ei. — Ergui seu queixo. — Eu já estava com a infecção.

Ela escolheu aquele momento para se manifestar. Ter feito todo aquele esforço ontem só piorou as coisas. Não tinha como você saber. Nem eu.

Ele passou os dedos pelo cabelo negro.

— Quem colocou você contra a parede e praticamente o obrigou a me levar fui eu — disse.

José deu uma risada, que morreu devagar, provocando alguns segundos de silêncio.

— Que irônico — continuei. — Ontem você disse que minha vida já começou, independentemente da estação em que eu esteja. E, então, hoje descubro que estou em um novo momento alterador de rota.

Ele concordou, e eu soltei o ar devagar.

— Faz um tempão que não oro e nem leio a Bíblia, mas agora pouco li o versículo que você citou ontem, Primeira Coríntios, capítulo dez, versículo trinta e um. "Portanto, quer comais, quer bebais, ou façais qualquer outra coisa, fazei tudo para a glória de Deus." Se tudo em minha vida é para glorificá-lo, então até mesmo o retorno dessa doença também deve ser. — Prendi os lábios e cutuquei as unhas, sentindo o peso da piscina se formando em meus olhos. De repente, a mão de José cobriu as minhas duas, apertando-as de leve.

— Pode chorar, Rachel. O Senhor recolhe cada uma das suas lágrimas.

Foi o suficiente. Soltei um soluço meio engasgado, e meio vergonhoso também, e deixei as lágrimas fluírem.

— Eu acho que estou com medo de encarar que esta é a minha vida e eu vou ter que lidar com ela. Não a vida que eu sonho ou a que eu quero, mas a que eu tenho — minha voz saiu meio espremida entre o choro. — Faz sentido o que estou dizendo?

José levou o dedo ao meu rosto e enxugou uma lágrima.

— Você sabe quem você é, Rachel?

Franzi o cenho.

— Claro que sei. Eu sou a... Rachel, ué. Uma garota cheia de sonhos, filha de Deus...

— Se você é filha de Deus através da fé em Cristo, isso muda tudo. Isso define tudo. Seus dias, seus planos, seus sonhos, *sua vida*... nada mais é seu, tudo é dele. Não tenha medo de entregar. Ele é um Deus bom, ainda que as circunstâncias não sejam.

Olhei para os galhos meio depenados da cerejeira lá fora.

— Estar aqui com esse diagnóstico outra vez está esmagando meu coração. Eu tentei segurar na frente da minha mãe, mas eu sinto como se este hospital fosse minha torre, um lugar de onde nunca vou conseguir sair de verdade.

Não lembro quanto tempo fiquei ali, com a mão de José nas minhas costas, me acalentando. No final, dei uma fungada e olhei para ele.

— Você disse que o Gancho não para de te mandar mensagem? Por quê? Eu piorei ainda mais as coisas?

— Acho que foi o contrário. Todos eles estão preocupados com você. Acho que aquela história de refletir sobre os sonhos e tal fez os brutamontes amolecerem.

— Então aproveite a sua chance e dê logo um fim nisso.

José ergueu uma sobrancelha.

— Oi, tudo bem? — Me empertiguei, fazendo um tom mais grave. — Então, eu não vou me inscrever na competição de racha porque agora eu sou um cara diferente. Me passe o número da sua conta, vou transferir todo o dinheiro que gastou com o conserto da moto naquela época e assim acertarei minha dívida com você e estaremos quites. Obrigado, de nada.

Ele piscou.

— Pois é. — Dei de ombros. — Cada um precisa encarar o problema que tem.

12

As próximas semanas passaram com muitas memórias sendo revividas. Isso doía um bocado, mas reconheci que não daria para enfrentar tudo aquilo longe do autor da Vida. Me agarrei a João 16.33: "No mundo tereis aflições, mas tende bom ânimo. Eu venci o mundo".

A quimioterapia começou quase de imediato. E, após quinze dias, não teve música de fundo triste quando minha mãe passou a máquina zero no meu cabelo. A infecção tinha sido controlada com antibióticos e já estávamos em casa. A orientação do dr. Júlio era que eu ficasse de molho por tempo indeterminado, já que a imunidade havia baixado muito. Eu só saía de casa para ir ao hospital fazer a quimio. Tive que dar meu jeito com os deveres da escola.

Consegui me despedir dos meus alunos da aula de pintura, já que ficaria suspensa por um bom tempo, e nesse dia entreguei meu cabelo — cortado bem rente à nuca — para as meninas da oficina de perucas. Três dias depois, quando fui avisada de que meus fios compridos compuseram uma linda peruca, fiz um pedido à minha mãe: que levasse o presente até Poliana.

Quando ela chegou em casa, descobri o motivo de José e Poli não estarem respondendo às minhas mensagens desde cedo naquele dia.

— Poliana foi internada na UTI? — Um rombo se abriu no meu peito.

— O quadro dela piorou. Ligue para o José. Ele está desolado.

— Metástase, Rachel. — José liberou um suspiro trêmulo. — O câncer se espalhou.

Orações por Poliana.
Tintas.
Orações por Poliana.
Quimioterapia.
Aquarela.
Orações por Poliana.
Pincéis.

Essa foi minha vida nas semanas seguintes. Enquanto passava as tardes pintando, passava as tardes orando. José me mantinha informada sobre tudo, enquanto o corpinho de Poli lutava para se manter firme.

Trabalhei em um quadro por quase uma semana. No começo não sabia bem no que daria, mas no final deparei com uma menina sem cabelos dançando em um campo florido. O céu tinha tons turquesa e nuvens espalhadas. Leveza. Alegria. Beleza. Aquela pintura transmitia isso, assim como a garota que o inspirou.

Sorri ao contemplar o trabalho. Agora poderia pagar José. Ali estava o melhor quadro que já tinha pintado em toda a minha vida.

Bati na porta antes de abri-la devagar. Poli estava deitada com seu livro preferido nas mãos — o que levava seu nome — e abriu seu sorriso brilhante de sempre ao me ver. O cabelo loiro chegava à sua cintura e ela passou a mão por ele, toda orgulhosa.

Fazia dois dias que ela havia saído da UTI. José apareceu na minha casa à noite, naquela quarta-feira. Foi a primeira vez que ele esteve lá e o chão quase ruiu quando abri o portão e vi que era ele. Pensei no pior.

— Os médicos disseram que ela ficará em cuidados paliativos agora. Não tem mais o que fazer.

Bem, isso era *quase* o pior. Ele me abraçou e nós choramos.

Agora, ali dentro do quarto do hospital, aproveitando o horário de visita antes de fazer minha quimioterapia, tive que forçar o bolo na garganta a descer e retribuí-la com o melhor sorriso que pude. Antes, dei um abraço em Isabel, que aproveitou minha chegada para ir tirar uma dúvida com o médico.

— Ficou lindo em você. — Apontei para os fios que um dia foram meus. Agora, na minha cabeça, um turbante lilás fazia as honras.

— No final, meu sonho se realizou. — Ela sorriu e engoli em seco ao ouvir "no final".

— Lendo esse livro de novo? — Sentei na beirada da cama.

— Acho que é a quinta vez. — Ela riu. Seu rosto estava tão mais fino do que costumava ser, e apesar das olheiras seu brilho característico continuava lá. — Já te contei sobre o jogo do contente?

Meneei a cabeça, negando.

— É o jogo preferido da Poliana do livro. Funciona basicamente assim: você deve encontrar algo para ficar contente sobre qualquer coisa, não importando o que seja. Tudo começou quando, em vez de ganhar uma boneca em um pacote de doações, ela recebeu um par de muletas! — Os olhos de jabuticaba de Poli quase saltaram para fora. — Aí o pai dela disse que a Poliana deveria ficar contente com o fato de não precisar das muletas. E assim o jogo começou.

— Isso é trágico e bonito ao mesmo tempo. Gostei.

— Meu passatempo aqui no hospital tem sido jogar esse jogo. Lá na UTI não consegui praticar tanto, porque eu passava boa parte do tempo dormindo por causa das medicações fortes. Mas aqui no quarto, veja só: apesar de me sentir um pouco enjoada por causa de um remédio novo, eu agora estou contente porque você veio me fazer uma visita. — Ela deu um tapa no ar. — Mas essa foi fácil demais.

Não chore, Rachel. Segure firme.

— Joga também! — ela ordenou.

— Bem, eu estou contente porque apesar de ter precisado raspar o cabelo, eu pude dá-lo a você.

Ela levou as mãos atrás da nuca e remexeu o cabelo como se tivesse em um comercial de xampu.

— Vem cá, agora é minha vez de fazer uma trança. — Me coloquei atrás dela e fui enlaçando os fios com cuidado. Ficamos em um silêncio confortável por algum tempo.

— Cada vez que eu leio Poliana, uma frase diferente chama minha atenção. — Ela folheou o livro e ao encontrar o que queria, começou a ler. — *A influência de um belo caráter é contagiosa, e pode revolucionar uma vida inteira.* Bonito isso, né? Lembrei de você quando li.

— De mim?

— Embora eu não vá ter uma vida tão longa aqui neste mundo, posso dizer que conhecer você revolucionou o meu infinito limitado. Suas aulas fizeram toda a diferença no momento mais difícil da minha vida. Apesar de eu sempre dizer que você precisava fazer algo mais empolgante com a sua vida... — ela riu um pouco — ...eu não poderia ser mais agradecida pelo tempo que passou comigo.

Prendi os lábios com força e peguei um elástico na mesinha de cabeceira para amarrar a trança.

— Cuida do José pra mim, tá? Ele vai precisar de você.

Como eu ia continuar segurando o choro? Estava ficando insuportável.

— Ah, e jogue o jogo do contente. Ele deixa a vida muito mais bonita.

Virei Poliana para mim e soltei uns fios nas laterais do rosto dela.

— Não fale assim. Vou continuar orando por você com todas as minhas forças.

Ela chegou mais perto e envolveu minha cintura com seus braços finos.

— Estou com saudade de casa, Rachel. Mamãe disse que lá não haverá mais morte, nem tristeza, nem choro, nem dor. Eu acredito nisso.

Retribuí o abraço e depositei um beijo sobre sua cabeça loira. As lágrimas enfim fluíram, deixando um rastro sobre seus fios dourados.

— Não posso aceitar. Você tem que dá-lo para a Poli — José cravou depois de analisar a tela com o olhar brilhante. Os olhos de uma pessoa dizem tanto sobre o impacto que a arte causou nela. Eu sabia que ele tinha amado, e isso me deixou empolgada como sabia que Poliana ficaria.

— Eu daria a ela, mas você me fez prometer que o seu pagamento pela ida ao festival seria o melhor quadro que eu já tivesse pintado na vida. E aí está. — Estendi a mão para a pintura sobre o cavalete no meio do meu quarto. José tinha oferecido uma carona para o hospital, já que em todos os dias de quimioterapia eu visitava Poli antes da sessão, e o chamei para ver o quadro.

— Por falar em festival, finalmente me acertei com os caras.

— Sério? Como eles reagiram?

— Melhor do que eu imaginava — respondeu ele. — Obrigado pelo empurrão que você me deu. Senti um pouco de vergonha por ter sido tão medroso.

— Quem nunca?

José riu e apontou para o quadro.

— Vamos embrulhar. Vou entregá-lo para a Poli hoje.

— Você queria dá-lo a uma pessoa especial — continuei. — Não imaginei que fosse ser exatamente a sua irmã, mas acho que faz todo sentido que dê a ela.

— E imaginou que fosse ser exatamente quem? — Ele franziu a testa.

— Sei lá. A gente se refere a "uma pessoa especial" geralmente quando é uma pessoa de quem a gente gosta. No sentido mais romântico da coisa. — *Fica quieta, Rachel! Perdeu o senso?*

— Rachel, você acha que eu toparia te levar para outra cidade, passar a tarde inteira e início da noite com você, se eu gostasse de outra garota? Que tipo de cara você acha que eu sou?

Ele parecia realmente ofendido. Limpei a garganta com um pigarro. Quando ia abrir a boca para pedir desculpas, percebi que... bem... gostando de *outra* garota?

— Eu não tinha ninguém em mente quando falei aquilo. Estava fazendo graça — disse ele. — Bem, não tinha, mas agora acho que tenho. — Ele cravou os olhos nos meus. Naqueles dois poços escuros havia clareza e intensidade.

Prendi o ar.

— José, aquele dia no festival não deu tempo de você contar seu maior sonho. — Olhei para o quadro e perguntei depressa, as mãos suando de repente. — Qual é?

Evitei olhar para ele, mas como José demorou muito a responder, tive que encará-lo. Ele continuava com os olhos sobre mim do mesmo jeito de antes. Mas, então, chegou mais perto da pintura.

— Eu quero construir uma família bem grande. E queria tanto que ela estivesse aqui para ver isso... — José olhava para a Poli pincelada no quadro. — O irmão problemático que virou um marido e pai responsável.

— Ela já viu você dar certo, José. A Poliana é a pessoa que mais tem orgulho de você neste mundo. Meus ouvidos são a prova disso.

Ele engoliu com dificuldade.

— Gostei da frase — disse ele.

— "Contente por ter mais um dia." — Escrevi depois que o quadro estava pronto, quando voltei do hospital na primeira visita que fiz à Poliana após a saída da UTI. — A Poli, com aquele corpinho frágil e marcas de acesso no braço, vive com tanta intensidade e alegria. Ela confia no amor de Jesus por ela, mesmo sendo tão novinha e estar passando uma situação tão difícil. Ela me disse que quer voltar para casa, José... — Meu queixo tremeu. — Aquela menininha espevitada me fez perceber que se ela consegue viver confiante em Cristo, mesmo em circunstâncias tão difíceis, eu também posso.

José deu um passo e me envolveu com seus braços. Sua jaqueta jeans estava com cheiro de amaciante igual ao dia em que ele me visitou no hospital. Inspirei devagar e me afastei.

— Rachel, preciso te falar uma coisa. Eu...

Ergui o indicador e coloquei sobre os lábios dele. Meu coração ficou tão pequeno que poderia caber numa caixinha de fósforo.

— Não diga. Não agora.

A confusão estampou seus olhos.

— Por quê...?

— Sei que isso faria a alegria da Poli, mas com tudo que tem acontecido em minha vida, não acho que agora seja o momento de entrar em um relacionamento. Sem contar que não nos conhecemos há tempo suficiente e...

José estreitou os olhos e abriu a boca. Hesitei.

— Você achou que eu ia me declarar? — Ele segurava o riso. Senti meu estômago bater no pé. — Estava certa — concluiu, e eu dei um tapa no braço dele.

— Você é impossível!

Saímos de casa com ele correndo de mim e rindo.

— Ok — começou José, quando entramos no carro. — Não vou dizer nada. Mas será que podemos continuar amigos? Eu sei que nos conhecemos há pouco tempo. Mas, se você permitir, gostaria de conhecer você melhor.

Concordei, um sorriso surgindo no canto dos lábios.

Epílogo

Um ano depois...

— Já está pronta, Rachel? Vamos nos atrasar! — minha mãe gritou da garagem.

Finalizei o rímel e passei as mãos pelo cabelo que crescia sem pressa. Os fios se estendiam agora em um tom castanho e ainda nem haviam passado do pescoço, mas eu estava adorando. Era empolgante vê-lo de volta.

Lembrei de Poli dizendo que a estrutura do cabelo podia mudar depois de raspado e sorri. Da primeira vez não tinha acontecido, mas agora sim. Foi como se ao dar meu cabelo para ela, ela tivesse me dado o seu de volta.

Entrei no Maximus, que tinha recebido um belo trato após o dinheiro do processo do meu pai finalmente sair. Na verdade, toda nossa vida tinha passado por uma boa guinada depois disso. Meu tratamento estava finalizado, e minha mãe tinha conseguido pagar tudo com tranquilidade.

Passamos na casa da Maya e depois na da tia Helô. Ela já entrou conectando seu celular ao bluetooth do carro — sim, até esse tipo de tecnologia o Maximus tinha agora. Uma música animada começou a embalar nossa ida a algum lugar que eu não fazia ideia qual era. Minha mãe dissera que meu presente de dezenove anos seria uma viagem de nós quatro. Eu estava empolgada. As sessões de quimio tinham terminado havia quatro meses, e eu já me sentia bem mais fortalecida. Pronta para o próximo capítulo que Deus tinha escrito da minha história.

Cantamos músicas sem afinação nenhuma, escutei as mesmas histórias da adolescência da tia Helô pela centésima vez e rimos muito. Duas horas se passaram, e eu comecei a reconhecer o lugar de onde nos aproximávamos. As ruas por onde eu havia passado com José um ano antes se estendiam diante dos meus olhos. Meu coração disparou.

— É aqui nosso destino?

As três sorriram.

— Vocês me trouxeram para o festival de balonismo? — quase gritei. — Mas começa só amanhã!

— Aguarde um pouco, filha. — Minha mãe trocou um olhar risonho com a tia Helô.

Depois de dez minutos tentando arrancar alguma pista delas, estacionamos próximo a uma praia cercada com paredões rochosos cobertos por vegetação. O sol brilhava alto e não havia nenhuma nuvem no céu turquesa.

Elas me levaram por uma trilha estreita e, ao passar por um dos paredões de rocha, as águas esverdeadas surgiram diante de nós. Pisquei uma vez. Pisquei duas vezes. E, então, minha boca abriu devagar.

Um colorido e majestoso balão descansava sobre a areia branquinha, atraindo olhares das poucas pessoas que estavam na praia naquela tarde. De longe, vi um corpo alto correr em nossa direção. Olhei para as três, que sorriam. Não consegui falar nada até ver José na minha frente, com os olhos cintilando.

— O-o que está acontecendo? — gaguejei. — Você que preparou isso?

— Preparar sim, mas foi sua mãe quem contratou. Por mais que eu quisesse, ela fez questão. — José sorriu, e eu olhei para minha mãe. Seus olhos ficaram vermelhos de repente, e eu a agarrei com força. No último ano nós havíamos nos aproximado tanto. Conseguimos expor mais nossos sentimentos uma à outra e criar uma relação bem mais equilibrada.

— Obrigada, mãe.

— Seu pai ficaria tão orgulhoso de você. — Ela beijou meu cabelo. — Seja feliz, minha filha.

A maresia fria do outono beijava nossas peles enquanto caminhávamos até o balão. Cumprimentei o piloto quando chegamos e ele terminou de ajeitar tudo com sua equipe para subirmos.

— Finalmente José conseguiu fazer esse passeio com você. — Tia Helô segurou o ombro dele. — Desde o ano passado só fala disso.

Prendi o riso ao perceber o rosto de José ficando rubro.

— É que você ainda não podia fazer grandes esforços e sua mãe achou melhor esperar para ser o presente dos dezenove... — ele gaguejou um pouco.

— Relaxa, sobrinho. — Tia Helô deu dois tapas nas costas de José e olhou dele para mim. — Não é como se ninguém aqui soubesse.

José baixou a cabeça e vi seu peito se encher e depois murchar levemente. Meu coração palpitou. No último ano nós também nos aproximamos bastante. E nos conhecemos, como prometemos que faríamos. Compartilhamos sonhos, opiniões, piadas bobas, aprendizados com Jesus. Nos dias de dores intensas, ele sempre arrumava um jeito de me fazer sorrir. E, no dia em que perdemos a flor mais linda do nosso jardim, choramos no ombro um do outro e sofremos como se o chão fosse rachar sob nossos pés.

Inspirei o ar e segurei a borda do cesto com força quando começamos a flutuar. Era leve, fresco e bonito. Muito bonito. À medida que o balão subia, a paisagem ia se descortinando abaixo de nós. Os paredões de rocha, as dunas nas praias, morros cobertos por vegetação verdinha, pessoas como pontinhos.

Um frio percorreu minha barriga. Uma mistura de "ai, meu Deus, e se esse negócio cair?" com "eu quero que vá ainda mais alto!". Era intenso, real e brilhante. *Exatamente como o senhor falou, pai. Estar aqui é como abraçar uma parte sua.*

O vento cortava meu rosto e, olhando toda aquela imensidão, de fato me senti como sempre achei que me sentiria quando realizasse aquele sonho: livre como um pássaro.

Mas, agora, eu sabia que era apenas uma sensação. Porque, para falar a verdade, a liberdade abria a porta para mim todo amanhecer.

Não sabia que cada dia poderia ser tão precioso. Acho que perdi tanto tempo me agarrando aos meus sonhos como se minha vida dependesse deles, quando na verdade eu não entendia que minha vida depende de Deus. E ele deseja que eu viva uma vida abundante. Seja em momentos espetaculares como aquele, seja nos dias comuns em que nada acontece. Ou ainda quando os céus se fecham sobre mim.

A vida pode ser alegre, ter sentido e propósito até quando está meio caótica. Ou monótona demais. É ali que Deus quer nos encontrar, porque é o único lugar que temos. Costumamos dizer que ele é bom quando as coisas saem como desejamos, mas precisamos acreditar nessa verdade de todo o coração também quando estamos no meio da aflição.

Ao perceber como Poliana viveu assim, intensamente, cada minuto nos corredores daquele hospital, numa vida imperfeita mas que valeu a pena, decidi pouco tempo depois de sua partida fazer uma espécie de tratado de vida, para que cada vez que ficasse tentada a esquecer *para* e *de* Quem era minha vida, pudesse ler e ter as coisas ajeitadas no lugar de novo.

Tratado de vida da Rachel Zhael
- Todos os dias são preciosos, pois foi Deus quem os criou. Vou valorizar cada um deles.
- Fui criada para a glória de Deus. Viverei em meu propósito todos os dias.
- Nunca deixarei de alinhar meu coração com a Palavra do Senhor, só assim permanecerei dependente dele no dia mau e fiel a ele no dia bom.
- Sempre verei valor nas coisas simples. Não vou esperar grandes momentos para ser feliz.
- Escolherei confiar no Senhor mesmo quando meu mundo estiver desmoronando, pois sei que ele age em todas as coisas pelo bem dos que o amam.
- Não vou questionar os motivos dos meus sofrimentos e perdas, porque Deus é bom, mesmo quando as circunstâncias não são.

Terminei de recitar cada um dos pontos na minha cabeça e senti os cílios úmidos. A vida já me foi dada. Imperfeita e sinuosa, mas minha, dada por Deus para ser vivida para a glória dele agora. Meu coração se expandiu no peito e levei um dedo dobrado ao canto dos olhos quando José passou o braço pelo meu ombro e deu um aperto de leve.

— Poli adoraria estar aqui — disse ele.

— Com aqueles olhos brilhantes como se algo incrível fosse acontecer no próximo minuto. — Sorri. Ela sempre estava presente em nossas conversas.

José inspirou, estendendo a mão para a paisagem à nossa volta.

— Depois disso aqui você vai ter inspiração para o próximo ano todinho na faculdade.

Era verdade. No semestre seguinte eu começaria a faculdade de artes e não poderia estar mais animada.

— E você? Já decidiu o que vai fazer? — Não pretendia que meu tom saísse tão desapontado. José tinha permanecido no Brasil para ficar um tempo com a família depois da partida de Poli e agora vinha ponderando sobre voltar para a Inglaterra.

— Percebi que não tenho muita opção no momento. Vou voltar para a terra da rainha. Ou rei, agora... — Ele deu uma risadinha, mas permaneci séria. — A missão está precisando muito de mim lá.

— Você deve estar fazendo a maior falta. — *Assim como vai fazer para mim.*

Ele fitou-me com intensidade.

— Não se preocupe. Voltarei em breve para te buscar.

Quase engasguei com a saliva.

— Rachel, eu espero que você não me mate, mas eu não podia perder essa oportunidade — ele disse, e em seguida se abaixou no curto espaço livre dentro do cesto.

Cobri minha boca com as mãos. Ali, diante de mim, estava um estojo de veludo vermelho com uma aliança no meio.

— Deus uniu nossos caminhos de um jeito nada comum. E, ao longo desse tempo, conhecer seu coração a fundo só me fez ter certeza de uma coisa: o que eu mais quero é que o amor que eu sinto por você seja recíproco. E para a vida inteira. — O rosto de José estava corado e, apesar do vento, pequenas gotas de suor se acumulavam em suas têmporas.

Por um instante o ar parecia ter ficado suspenso enquanto todos esperavam minha resposta. Maya estava filmando. Minha mãe e tia Helô, comendo as unhas. E até o piloto prestava atenção.

— Não precisa querer que seja recíproco, José. Porque já é.

Todos bateram palmas e soltaram assovios. José escancarou o sorriso e colocou a aliança no meu dedo anelar direito, mas eu não conseguia ver nada com clareza. Uma cortina de lágrimas embaçava minha visão. Ele me envolveu em seus braços e eu falei baixinho:

— A Poli ficaria tão feliz.

— Ela ficou. Eu prometi a ela que me casaria com você.

Apertei meus braços um pouco mais firme ao redor dele e minha mãe iniciou uma oração, abençoando nosso relacionamento. Uma sensação doce e preciosa pousou sobre nós. Algo que só poderia vir do Criador de toda aquela beleza estonteante ao nosso redor.

Obrigada, Jesus. Seria redundante dizer que estou nas nuvens?

Página trinta: aprender a tocar violão. *Página trinta e dois:* fazer uma exposição das pinturas dos alunos do hospital. *Página trinta e cinco:* andar de bicicleta na orla de uma praia com José. *Página quarenta e quatro:* acampar com os amigos. *Página quinze:* ~~namorar (e casar) com o cara dos meus sonhos~~. Casar com o ~~José~~ Gegê na praia e servir a Jesus ao lado dele até ficarmos bem velhinhos.

Agradecimentos

"Estamos como os que sonham."

Essas foram as palavras, extraídas do salmo 126, que Queren e Arlene usaram não uma, mas algumas vezes, para descrever como nos sentíamos em relação a tudo que o Senhor estava realizando com e através do Ministério Corajosas.

Será que existem palavras melhores para começar este texto? Cremos que não.

Ainda é assim, afinal, que nos sentimos.

Se você pudesse nos ver neste momento constataria que, em vez de quatro mulheres adultas, parecemos mais quatro garotinhas animadas. Nossos sorrisos espremem as bochechas, por muito pouco não tocando as orelhas, e os olhos se contraem, apertadinhos. Eles também reluzem com o peso das lágrimas. Os pés saem do chão em pulinhos animados e o coração fica quentinho — de gratidão por você ter este livro em mãos e de expectativa para saber o que Deus ministrou ao seu coração por meio das histórias de nossas amadas princesas. (Vamos combinar uma coisa? Assim que terminar a leitura, que tal nos mandar um e-mail contando tudo? Escreva para <corajosas.contato@gmail.com> ou acesse nosso site: <www.corajosas.com.br>. Vamos amar saber!)

Realmente, nos sentimos leves e gratas, tão surpresas com o cuidado de Deus quanto os israelitas voltando para Sião após anos de cativeiro. Assim como eles, contemplamos nossos lábios se enchendo de riso e não conseguimos conter o louvor. Exclamamos em alta voz: *Grandes coisas fez o Senhor por nós!*

Ele fez. Mesmo. E para não deixar o-nosso-quase-lema de fora, cabe acrescentar que ele fez muito além do que podíamos imaginar e pedir. Por isso, precisamos começar agradecendo ao Criador do universo por ser tão bondoso conosco.

Aba, obrigada por ter nos envolvido em seus braços de amor e nos ensinado a caminhar como filhas amadas. Obrigada por ter nos chamado para encorajar outras meninas através de nossas vidas e histórias.

Por meio deste livro, em especial, podemos ver o Senhor usando até mesmo os nossos dias mais cinzentos — aqueles em que nossos corações ficaram pequenininhos e tivemos de confiar no Senhor com todas as nossas forças — para a glória do seu nome. O Senhor é mesmo o Deus que transforma o mal em bem. Obrigada por fazer das nossas feridas belas pérolas que podem inspirar, encorajar e ensinar outras meninas.

Somos gratas por tudo o que o Senhor tem feito por meio do Corajosas e mais uma vez lhe consagramos esse ministério. Que a sua vontade seja feita todos os dias.

Assim como nossas princesas, fomos presenteadas pelo Aba com nossa própria equipe de fadas madrinhas (e padrinhos hehe). Sem o apoio, o encorajamento e as orações constantes deles, dificilmente você teria este livro em mãos. Não podemos deixar de honrá-los.

Às madrinhas:

Aline Borges, por compartilhar suas experiências e auxiliar a Arlene a entender um pouquinho mais do coração e vivência de quem enfrenta a batalha contra o câncer. E Thalita Lins, por ser uma fonte de pesquisa e orientação na área oncológica.

As queridas Camila Antunes e Beca Mackenzie, pelo apoio incondicional e por terem sido consultoras da Queren para construir o universo da nossa pequena sereia.

Noemi Nicoletti, por dedicar seu tempo para ler *Corajosas* antes do lançamento e ter escrito a frase de endosso.

Sara Danielly, Lidayana Maia e Pat Müller, por derramarem motivação atrás de motivação, pulando de alegria e celebrando com a Maria a cada contrato assinado.

Jemima Anna Haberli (minha *little sister* — Maria aqui!), por inspirar a Lana com sua personalidade forte e destemida. E a sua mãe, Eva, por ser uma mentora para a vida, daquelas que nos enchem de palavras sábias e nos cobrem de oração.

Júlia Oliveira, nossa leitora beta, fotógrafa, assistente de produção, consultora e irmã-mais-nova-favorita (palavras da Thaís), muito obrigada! Sua vida é muito preciosa para nós. Continue crescendo com força e coragem.

A pequena, travessa e cativante Melinda Diniz, que no auge dos seus três aninhos anda pela casa dizendo: "Mamãe, eu que esclevi *Corajosas 2*". Estamos ansiosas para ver as promessas do Senhor se cumprindo em sua vida.

Obrigada por tanto, meninas!

Aos padrinhos:

Hugo Diniz, que nunca mediu esforços para apoiar a Arlene e o Ministério Corajosas — e é nosso braço direito (graças a Deus). Obrigada por ser instrumento de Deus em nossas vidas tantas vezes!

Vinicius Arcas, marido da Queren, e seus amados filhos: a compreensão, o apoio e o amor de vocês a têm sustentado a seu ministério diariamente. Que as bênçãos de Deus sejam derramadas sobre o seu lar, hoje e sempre.

O time de missionários da Maria na Califórnia, Raphael, Anna, Emily. Vocês são os alemães favoritos dela, viu? Obrigada por sempre celebrarem com ela e acharem o máximo ter uma líder escritora!

Não podemos deixar de agradecer a nossa querida editora. Como somos gratas por fazer parte da Mundo Cristão! Amamos o comprometimento, a dedicação, o amor e o senso de propósito da MC. Oramos para que Deus continue usando a editora como canal para espalhar cada vez mais a literatura cristã pelo Brasil e o mundo. Muito obrigada por cuidar tão bem de nós e do que Deus nos confiou. Um agradecimento especial ao nosso editor, Daniel Faria, por abraçar nossas ideias e lapidá-las tão bem, e a Ivanete Floriano (nossa querida Iva), por ter um olhar tão espiritual sobre o Corajosas — e cuidar de nós em viagens e lançamentos. Também queremos agradecer a Talita Dantas, Natália Custódio e suas amadas equipes por todo o trabalho dedicado ao Corajosas. Vocês são incríveis!

E a vocês, leitores, mais do que agradecer gostaríamos de abraçar um por um (bem apertadinho!). Vocês sabem que são os melhores do mundo, não é? Obrigada por abrirem seus lares e corações para as nossas princesas nada encantadas desde 2021. É o apoio diário de vocês que tem permitido que este romance cristão alce voos cada vez mais altos.

Muito obrigada por trilharem esta jornada conosco. Oramos para que possamos viver muitas aventuras juntos, para a honra e glória do Senhor.

Nosso coração também se aquece de gratidão pelos inúmeros encorajamentos e orações que temos recebido de pais, líderes, professores e escolas. É lindo ver a igreja brasileira compreendendo a preciosidade que é a ficção cristã e dando condições às nossas meninas de terem acesso a uma literatura de qualidade que as aproximará cada vez mais do Aba. Obrigada por confiarem em nós e regar nosso ministério com tantas palavras e orações.

Que as lições preciosas aprendidas ao lado de nossas princesas não sejam esquecidas, mas sim guardadas em seus corações.

E preparem-se: nossas aventuras nada encantadas não terminam por aqui. Afinal, não são apenas as princesas que precisam de redenção, não é mesmo? ;)

Amamos vocês!

Com carinho,

As autoras

Sobre as autoras

Arlene Diniz tem 29 anos, é formada em Serviço Social, pós-graduada em Missão Urbana e escreve livros com o objetivo de espalhar o amor e a Palavra de Deus, e também de encorajar pessoas, principalmente adolescentes, a verem a vida por uma perspectiva diferente. Escreve em blogs desde os quinze anos, e há quase uma década tem desenvolvido trabalhos voltados para adolescentes. Mora em Paraty, no Rio de Janeiro, com seu marido, Hugo, e a filhinha deles, Melinda. É autora de *No final daquele dia*, publicado em 2024 pela Mundo Cristão, e também de outros livros de ficção cristã juvenil. Viagens com a família, dias nublados, brigadeiro de panela e fazer nada com os amigos estão entre suas coisas preferidas do mundo.

Queren Ane é uma carioca de 30 anos, cristã, casada e mãe de dois meninos lindos. É leitora voraz e apaixonada por contar histórias. Seus livros têm abençoado a vida de centenas de jovens. Como autora, já participou de antologias de ficção cristã, poesia e devocionais. Pela Mundo Cristão, publicou em 2024 a obra *Meu sol de primavera*. Mora no Rio de Janeiro com o marido e os dois filhos e serve em sua igreja local, ensinando crianças e juniores.

Maria S. Araújo tem 30 anos, é nordestina com orgulho, formada em Pedagogia e missionária em tempo integral. Ama servir e participar do que Deus já está fazendo. Sua paixão pela leitura a levou a escrever seu primeiro livro de ficção cristã, lançado em 2016. Tem participação em antologias e um devocional para garotas. É coautora, ainda, do romance cristão *Além do esperado*. Acredita que é necessário viver, não apenas existir, pois Deus é o autor da sua história. Atualmente, serve como missionária na Califórnia, nos Estados Unidos, ministrando para adolescentes e jovens.

Thaís Oliveira é uma capixaba de 28 anos que tem utilizado as palavras e as redes sociais para compartilhar com o maior número possível de garotas o quanto Deus as ama e quem elas realmente são aos olhos dele. Criadora do ministério on-line Princesas Adoradoras Oficial, Thaís tem escrito sobre identidade, paternidade divina e vida cristã, sempre cercada por xícaras de café, livros e fofurices. É autora de *Princesas adoradoras: Um chamado para a realeza*, *Bom dia, Princesa*, *A jornada da realeza*, entre outros. É formada em História e mestre em Educação Básica e Formação de Professores.

Compartilhe suas impressões de leitura,
mencionando o título da obra, pelo e-mail
opiniao-do-leitor@mundocristao.com.br
ou por nossas redes sociais

Esta obra foi composta com tipografia EB Garamond
e impressa em papel Pólen Natural 70 g/m² na gráfica Santa Marta